古典詩歌研究彙刊

第十八輯

龔鵬程 主編

第 13 冊

論屈大均詞對楚騷傳統的繼承及風格衍變

陳冬 著

鄭谷的人生觀、詩學觀及其詩歌意象

陳清雲 著

明末清初女性亂離詩研究

林佳怡 著

國家圖書館出版品預行編目資料

論屈大均詞對楚騷傳統的繼承及風格衍變　陳冬　著／鄭谷的人生觀、詩學觀及其詩歌意象　陳清雲　著／明末清初女性亂離詩研究　林佳怡　著 -- 初版 -- 新北市：花木蘭文化出版社，2015〔民104〕

目 2+78 面／目 2+110 面／目 2+112 面；17×24 公分
（古典詩歌研究彙刊 第十八輯；第 13 冊）
ISBN 978-986-404-307-1 ／ 978-986-404-305-7 ／
978-986-404-306-4
1.（清）屈大均 2.清代詞 3.詞論／1.（唐）鄭谷 2.唐詩 3.詩評／1.女性文學 2.明清文學 3.詩評
820.91　　　　　104014047 ／ 104014045 ／ 104014046

ISBN- 978-986-404-307-1　ISBN- 978-986-404-305-7　ISBN- 978-986-404-306-4

9 789864 043071　9 789864 043057　9 789864 043064

古典詩歌研究彙刊
第十八輯　第十三冊
ISBN：978-986-404-307-1 ／ 978-986-404-305-7 ／ 978-986-404-306-4

論屈大均詞對楚騷傳統的繼承及風格衍變
鄭谷的人生觀、詩學觀及其詩歌意象
明末清初女性亂離詩研究

作　　者　陳　冬／陳清雲／林佳怡
主　　編　龔鵬程
總 編 輯　杜潔祥
副總編輯　楊嘉樂
編　　輯　許郁翎
出　　版　花木蘭文化出版社
社　　長　高小娟
聯絡地址　235 新北市中和區中安街七二號十三樓
　　　　　電話：02-2923-1455 ／傳真：02-2923-1452
網　　址　http://www.huamulan.tw 信箱 hml 810518@gmail.com
印　　刷　普羅文化出版廣告事業
初　　版　2015 年 9 月
全書字數　76441 字／ 54602 字／ 81730 字
定　　價　第十八輯 13 冊（精裝）新台幣 20,000 元

論屈大均詞對楚騷傳統的繼承及風格衍變

陳　冬　著

作者簡介

陳冬，1982 年 11 月出生，男，漢族，哲學博士，重慶涪陵人。四川外國語大學社會科學部博士講師。2013 年於西南大學畢業。主要從事馬克思主義文藝學、中國古典哲學、中國詩詞美學等方面研究。著有《權力與審美性：文學經典模型研究——以馬克思主義文藝本質觀爲基礎》等書，並已在《文藝研究》、《藝術百家》、《古籍整理研究學刊》等刊物上發表論文數篇。

提　要

　　屈大均詞繼承楚騷傳統，由此展開風格衍變。他標榜屈原後裔，因受楚騷傳統影響而衍變爲騷雅詞風。作爲典型個例，爲進一步切入清初詞壇風氣內在衍變規律的探討，提供了有價值的參考。

　　屈大均詞具有進行研究的價值的——他身處明末清初詞壇風氣轉換之際，呈現出有代表性的詞風衍變軌跡。第一章，以屈大均對理想人格和道德精神的推崇以及對文學觀念的影響爲考察重點。一方面，在鼎革歷史背景下，以騷辭體現的「風雅精神」爲指引，在人格精神上主動向屈原靠近。另一方面，殘酷的政治壓迫，在個人理想主義精神的主導下，在行爲方式上追求個體獨善，形成有違世俗精神而傾向於老莊思想的取向。

　　第二章，以屈大均詞中表現的情志與楚騷精神的聯繫以及體現的楚騷傳統爲考察的主要內容。明清之際，屈大均詞祖述楚騷，不僅在創作題材上大量引用，而且在創作精神上借鑒吸收。屈大均詞中的自適精神，觀瀾於老莊，索源於騷辭，得楚騷之至誠之性。詞壇風氣轉換以及政治形勢等因素影響，會使得屈大均晚年對作詞取向進行調整。這部分側重於從屈大均詞的題材內容方面考察。

　　第三章，以探討屈大均詞的騷雅詞風及其形成過程爲主要內容。這固然與對楚騷傳統的自覺繼承有關，同時清初詞本身的運動規律以及詞壇風氣、政治形勢、社會心理的轉變，都促成騷雅詞風的形成，這一切恰與以後詞壇盛行的浙西騷雅詞風偶合。從屈詞對騷雅品格的模倣，從而與騷雅詞風的盛行偶合的情況來看，體現明清之際詞之發展規律中必然與偶然的關係。

　　屈大均詞繼承楚騷傳統並形成對騷雅詞風的追求和模倣，預流了當時詞壇風氣衍變的必然路向。

目

次

前　言 ……………………………………………………………… 1

第一章　屈大均崇尚的理想人格與楚騷傳統 ……… 5

　第一節　屈大均追求的道德精神之變與常 ……… 5

　　一、屈大均的社會角色及道德精神之變 ……… 5

　　二、屈大均標榜屈原理想人格精神之常 ……… 8

　第二節　屈大均對屈原理想人格精神的崇尚 …… 11

　　一、屈原的「行人」氣質以及理想人格精神
　　　　…………………………………………………… 11

　　二、屈大均的「內美」與崇尚理想人格精神
　　　　…………………………………………………… 14

　　三、屈大均的「修能」與崇尚理想人格精神
　　　　…………………………………………………… 17

　第三節　屈大均繼承的楚騷傳統與詞學觀念 …… 20

　　一、屈大均對楚騷「風雅精神」的推崇 ……… 20

　　二、屈大均對《楚辭》的兩種思想取向 ……… 22

　　三、屈大均詞學思想中具有的尚用觀念 ……… 25

　第四節　小結 ……………………………………… 29

第二章　屈大均詞中的情志抒寫與楚騷精神 …… 31

　第一節　屈大均詞中抒寫的「香草美人」 ……… 31

　　一、屈大均詞中的香草嘉木與清潔之志 …… 32

　　二、屈大均詞中的美人託諷與現實追求 …… 38

第二節　屈大均詞中抒寫的「哀郢」與「招魂」

　　　　　　　　　　　　　　　　　　…… 49

　　一、關於屈大均詞中的「哀郢曲」 …… 50

　　二、關於屈大均詞中的「招魂曲」 …… 55

第三節　屈大均詞中抒寫的「自適」心態 …… 60

　　一、屈大均「自適」心態的經典支撐及淵源

　　　　　　　　　　　　　　　　　　…… 60

　　二、屈大均詞抒寫「自適」心態之具體表現

　　　　　　　　　　　　　　　　　　…… 63

　　三、屈大均詞中的「自適」抒寫與楚騷傳統

　　　　　　　　　　　　　　　　　　…… 65

　第四節　小結 …… 67

第三章　屈大均詞中的騷雅風格及最終形成 …… 71

　第一節　屈大均詞的風格轉換的總體路向 …… 72

　　一、屈大均詞的豪放風格的形成與衍變 …… 73

　　二、屈大均詞的婉約風格之形成與發展 …… 77

　第二節　屈大均詞對騷雅風格的追求和呈現 …… 83

　　一、屈大均詞對騷雅風格的推崇和追求 …… 84

　　二、屈大均詞騷雅風格形成的自我調整 …… 88

　第三節　屈大均詞的騷雅風格與浙西詞風 …… 94

　　一、屈大均與朱彝尊的社會交往和詞學活動

　　　　　　　　　　　　　　　　　　…… 94

　　二、浙西詞風與當時的政治形勢和社會心理

　　　　　　　　　　　　　　　　　　…… 96

　　三、屈大均的騷雅風格與清初詞風發展方向

　　　　　　　　　　　　　　　　　　…… 98

　第四節　小結 …… 100

結　語 …… 103

參考文獻 …… 105

後　記 …… 111

前　言

　　上世紀九十年代，清詞漸被廣大學者關注，成爲學術研究領域中一個新的生長點。經過數年積纍和發展，清詞研究已經趨向於全面和深入。即使如屈大均詞的研究，也已經吸引了越來越多的關注。在以前很長一段時間裏，或許因爲屈大均詞的成就被詩名所掩，很少有人系統地論述他的詞。實際上，屈大均詞在清詞史上能佔有一席之地的。有清一代，葉恭綽《廣篋中詞》、王昶《明詞綜》、丁紹儀《清詞綜補》皆選有他的詞。他的詞還受到譚瑩、朱祖謀等人的極力推崇。譚瑩在《論詞絕句》中說：「國初抗手小長蘆，除是番禺屈華夫。讀竟道援堂一集，彭鄒說擅倚聲無。」〔註1〕他稱屈大均詞可以抗手朱彝尊，可謂推崇備至。朱祖謀還將屈大均詞比之於明詞殿軍陳子龍，他《望江南》一詞說：「湘眞老，斷代殿朱明。不信明珠生海嶠，江南詞賦總難平。愁絕庾蘭成。」而且，他所列舉清代諸位名家詞，以屈大均詞冠首，可見傾慕之至〔註2〕。實際上，他們這些揄揚或有過

〔註1〕　譚瑩撰，《論詞絕句》，《樂志堂詩集》第六卷，《續修四庫全書》，集部，第1528冊，上海：上海古籍出版社，2002年，第476頁，此論文凡引《續修四庫全書》，皆據此本，下文出現只注書目、頁碼等項，不再注地址、出版社、出版年代。
〔註2〕　朱祖謀撰，《望江南》，《彊村語業》第三卷，《續修四庫全書》，集部，第1727冊，第559頁。

　　當之處，但這些評價分別從明詞殿軍、清詞浙派開山角度考察說明屈大均詞的特殊歷史地位，卻透露出重要的信息，即在明末清初詞壇風氣轉換之際，屈大均詞確實有其在詞風承接轉換中不可忽略之特徵。

　　對屈大均詞的探討，據臺灣東吳大學陳美珍女士的檢索，至上個世紀上半段，漸有零星文章出現。如籜工的《忍寒漫錄七》、《忍寒漫錄八》。此後，這類探討就一直沒有中斷過。如韓穗軒有《屈大均『詞』簡介》，羅子英《屈翁山騷屑詞讀後記》，關照祺的《讀屈翁山騷屑詞》，陳美的碩士論文《嶺南詞宗屈大均》，黃崑堯的《騷屑詞研究》，蔡國頌《海崤明珠──略論屈大均的〈騷屑詞〉》，清水茂的《屈大均的詞》、《屈大均詞的押韻》〔註3〕，范松義《論情初嶺南三家詞──兼論嶺南詞派》〔註4〕等文章。此外，嚴迪昌《清詞史》、黃拔荊《中國詞史》等詞史論著，也有部分內容涉及屈大均詞的介紹和分析。這些探討提出很多有價值的觀點，但是多數文章因體例所限，未能對屈大均詞進行系統、深入地研究。因此，此項工作還待進一步開展。

　　近兩三年來，在學界前輩對屈大均的文獻、生平整理研究基礎上，已出現三篇直接以屈大均詞為研究對象的碩士論文。其中，臺灣東海大學陳珈琪的《屈大均騷屑詞研究》、臺灣東吳大學程美珍的《屈大均及其詞研究》對屈大均詞作了全方位的探討，包括屈大均的家世生平、詞集版本、詞學觀點、詞作內容、詞史地位皆有論述，可謂鳥瞰式、全方位的研究。岳林海的《論屈大均遺民心態之變對其詞作的影響》一文，側重於屈大均詞中的「變」，詳細討論了屈大均之詞風前後期的發展演化，屬於作家作品縱切面的比較研究。此三篇論文論述角度不同，對屈大均詞的總體情況、發展演變作了詳細而系統地清理。他們取得的成績，把對屈大均詞的研究推向了深入。

〔註3〕　程美珍撰，《屈大均及其詞研究》，臺灣：私立東吳大學中國文學系，2008年。

〔註4〕　範松義撰，《論情初嶺南三家詞──兼論嶺南詞派》，《韶關學院學報》，2008年第一期，第37～40頁。

　　在古代文學研究中，對作家、作品本身的研究，是必不可少的工作。前面三篇碩士論文，皆側重於作家、作品本身的探討，提出很多有價值、有意義的觀點。實際上，對於屈大均詞在明清詞發展史上的意義，作爲典型個案，還可以作進一步分析和研究。明末清初，屈大均以屈原後裔身份，倡導以三閭爲師。他說：「庶一家兮楚學，世祖述兮無窮。」〔註5〕又說：「與汝懷芬芳，《離騷》繩祖武。」〔註6〕本文根據屈大均詞祖述楚騷傳統爲主線，以屈大均推崇屈原的理想人格和道德精神爲出發點，探討他在文學觀念上受風雅傳統影響，進而對詞的抒情言志的方式進行調整，對相關的題材內容進行提煉，並最終表現爲對騷雅品格的婉約詞風的追崇和模倣。對屈大均詞風淵源以及衍變的研究，進而可以探索清初詞風衍變的內在規律。

〔註5〕　屈大均撰，《三閭大夫祠碑》，歐初主編，《屈大均全集》第三冊，北京：人民文學出版社，1996年，第331頁，此論文凡引《屈大均全集》，皆據此本，下文出現只注書目、冊數、頁碼，不再注編者、地址、出版社、出版年代。
〔註6〕　屈大均撰，《送從弟無極歸野》，《屈大均全集》第一冊，第11頁。

第一章　屈大均崇尚的理想人格與
　　　　楚騷傳統

　　在對屈大均詞風的淵源和衍變探討之始，有必要對他崇尚的理想人格、道德精神以及在文學觀念上的影響作出分析。明末清初，在滿族政治權力高壓之下，關於道德理想、行藏出處等涉及精神追求、人格境界方面的內容，與文學活動緊密相關，直接影響當時士人群體的結社交遊、思想傾向以及創作的題材內容等各方面。詞本是抒情文學，根植於現實生活土壤，在明末清初強大的思想力量和道德精神的衝擊下，很難堅守唐宋以來形成的以豔科為本色之特徵。在各種思想觀念的衝擊摩蕩中，詞壇百派回流，孕育重新建構的可能。在此背景下，對屈大均詞風淵源衍變的探討，應從他崇尚的理想人格、楚騷傳統以及由此在詞學觀念上受到的影響述起。

第一節　屈大均追求的道德精神之變與常

一、屈大均的社會角色及道德精神之變

　　屈大均有複雜的社會經歷，思想面貌也呈現斑斕色彩。就表徵比較明顯的社會角色而言，正如汪宗衍所描述：「忽儒，忽釋，忽游俠，

忽從軍。」﹝註1﹞屈大均身兼這些社會角色，隨社會情境的變遷，思想面貌和行為方式也隨之不斷地調整和變遷。

屈大均年輕時因避禍而逃入佛門，緇衣草履，講經說法，聯絡佛門，但最終不忘自己為儒者，思想信仰上終以儒道為歸。他有《歸儒說》一文，說：「予二十有二而學禪，既又學玄。年三十而始知其非，乃盡棄之，復從事於吾儒。」又說：「吾之志必將終於吾儒者。」﹝註2﹞所謂儒者，班固《漢志》說：「儒家者流，遊文於六經之中，留意於仁義之際，祖述堯舜，憲章文武，宗師仲尼，以重其言，於道最為高。」﹝註3﹞這就是屈大均所追求的。方回在《瀛奎律髓》中說：「有仁心者必為世道計，故不能自默於斯焉。」﹝註4﹞儒家者流，就是應為世道而積極行動。屈大均自己曾言，他只有「杜之憂」而無「陶之樂」﹝註5﹞；他又有《詠懷》詩稱「予為民請命，大呼起瘡痏」。而且，屈大均遊歷在外，還崇尚氣質剛強、勇於行動的儒者。他《讀史贈陳獻孟並送其行》說：「子房非儒者，為氣何堅剛？其終如魯連，其始如荊卿。平生予所希，君亦慕其狂。終古兩盜雄，蘭池與博浪。少年雖輕發，氣實吞始皇。」﹝註6﹞屈大均仰慕盜雄的氣魄，因他們追求道義，對強權無所畏懼，為蒼生民眾振臂而呼。歸根到底，他終是對社會現實、人生價值的關注和思索。

屈大均標榜遺民氣節，絕不仕於清廷。他常稱頌古遺民，如伯夷、叔齊、四皓之類，仰慕他們的高風亮節。他也多次以遺民自我標榜，

﹝註1﹞ 汪宗衍撰，《屈大均年譜》，《屈大均全集》第八冊，附錄一，第1849頁。

﹝註2﹞ 屈大均撰，《歸儒說》，《屈大均全集》第三冊，第123頁。

﹝註3﹞ 班固撰，《漢書·藝文志》，《漢書》，北京：中華書局，1964年，第1728頁。

﹝註4﹞ 方回撰，《瀛奎律髓》第三卷序言，方回編，李慶甲集評校點，《瀛奎律髓彙評》，上海：上海古籍出版社，1986年，第78頁。

﹝註5﹞ 屈大均撰，《寒香齋詩集序》，《屈大均全集》第三冊，第72頁。

﹝註6﹞ 屈大均撰，《讀史贈陳獻孟並送其行》，《屈大均全集》第一冊，第28頁。

如《臨危詩》說：「後來作傳者，列我遺民一。」他還囑咐其子書其碣說：「明之遺民」。他又有《繼室黎氏孺人行略》說：「予潔身弗仕，有當於古逸民之高。」﹝註7﹞遺民的精神內核是潔身自愛、弗仕二邦。就屈大均的遺民精神，可與屈原比較而言。屈原身在楚國，遭讒言，遇嫉妒，爲黨人所不容。如以屈原的卓異之才，於戰國之世，執印於諸侯，鼎食於列國，當之而無愧。但是，他對楚國忠貞不二，弗仕他邦，此正與遺民精神相通之處。屈大均忠誠於明王朝，以之爲正統，明室不存，就以遺民自居。他不委曲從時，不隨波逐流，與屈原的道德精神相契之處正在於此。

但是，屈大均的遺民精神還呈現極強的叛逆色彩。他有《詠古》詩說：「管蔡殷遺臣，忘親以殉國。武庚志中興，忠孝皆可則。天命已去殷，報仇終勿恤。如何微與箕，弗往爲羽翼？淒酸《麥秀歌》，迷民淚沾臆。故都遂丘墟，彷徨亦何極！」丁紹儀抨擊此詩「持論尤謬」，「後人刻其集，刪之爲是」﹝註8﹞此詩中，屈大均讚賞管叔、蔡叔「忘親殉國」，武庚之「忠孝皆可則」，而責備微、箕不爲羽翼。這種悖逆的言論在當時實爲驚世駭俗，有違儒者之基本道德精神。而且，他的這種看法還非一時興起，他《書友人所作殷三仁論後》一文，也是表達同樣的觀點﹝註9﹞。聯繫當時的反清形勢，屈大均言論乖違之處，爲殘酷現實壓抑所致。觀屈原不容於世，不也曾「因氣變而遂曾舉兮，忽神奔而鬼怪」？儘管如此，屈大均仍稱之爲「儒之醇者」﹝註10﹞。

﹝註7﹞　屈大均撰，《繼室黎氏孺人行略》，《屈大均全集》第三冊，第117頁。

﹝註8﹞　丁紹儀撰，《聽秋聲館詞話》，唐圭璋編，《詞話叢編》，北京：中華書局，2006年，第2776頁，此論文凡引《詞話叢編》，皆據此本，下文出現只注書目、頁碼，不再注編者、地址、出版社、出版年代。

﹝註9﹞　屈大均撰，《書友人所作殷三仁論後》，《屈大均全集》第三冊，第158頁。

﹝註10﹞　屈大均撰，《懷沙亭銘序》，同上，第189頁。

　　屈大均不僅堅守貞節，而且還富有戰鬥精神，可稱爲鬥士。如他在羅浮山麓拜師學藝之時，陳邦彥所授非僅是經書，還有「捭闔陰謀傳鬼谷，支離絕技學屠龍」〔註11〕的實用功夫。自從廣州陷落後，正如他在《維帝篇》中講述，其父「勤王功未成，避世志難宣。」他自己也投身戰鬥之中，稱：「嗟予破家產，報國多迍邅。左持將軍頭，右揕秦王肩。虎狼不足刺，生劫酬燕丹。吁嗟天命衰，脫身出函關。爰從翟義公，興師平陵西。逐日麾金戈，捎星曳紅旆。荒地駕象車，飛廉揮虹鞭。……予時當一隊，矢盡猶爭先。」〔註12〕屈大均一生出入軍旅，博浪椎秦，志切恢復。他曾說：「忠誠夙所立，九死吾何傷？」〔註13〕他又說：「問我亦何爲？壯士不顧生。」〔註14〕，他還說：「苟能拯水火，何辭七尺軀。」〔註15〕總之，屈大均憂嗟時艱、志圖報國，有強烈的道德精神和實踐功夫，有益天下之心，非僅工於文字章句之腐儒可比。

　　由以上事實可知，屈大均的社會角色及其道德精神，在複雜的社會情境之中，呈現多樣而變異的特色。這反映他在不同人生階段的思想信仰、行爲方式等方面進行轉變和調整的過程，暗含有不同思想傾向發展的可能。同時也不難發現，屈大均與屈原的精神信仰以及行爲方式上，有某些相似之處。

二、屈大均標榜屈原理想人格精神之常

　　在殘酷政治壓迫以及卑瑣人格、實利崇拜的思想影響下，要堅持理想人格精神，拒絕與世俗同流，常需要一種傳統的、來自經典的、神聖的道德力量作爲精神支撐。如屈原在《離騷》首章說「帝高陽之

〔註11〕　屈大均撰，《秋夜恭懷業師岩野陳先生》，《屈大均全集》第一冊，第 172 頁。
〔註12〕　屈大均撰，《維帝篇》，同上，第 40 頁。
〔註13〕　屈大均撰，《詠懷》，同上，第 3 頁。
〔註14〕　屈大均撰，《出塞作》，同上，第 60 頁。
〔註15〕　屈大均撰，《贈友人》，同上，第 61 頁。

苗裔兮，朕皇考曰伯庸」，既言高貴的出生，又稱人格精神的純粹；他還反覆申說「堯舜之耿介」、「湯禹儼而祗敬兮」，實爲自己理想人格精神和道德追求尋得道義上的支持。同樣，明末清初屈大均要在人格精神領域高標理想主義立場，排斥世俗實利觀念和猥瑣行徑，也需要尋得神聖的經典支持。屈大均是屈原的後裔，在「述祖德」等觀念影響下，他常以屈原爲理想人格的化身，步武屈原，以之標榜。

如屈大均名「大均」，他說：「以大均爲名者，思光其能兼風雅之辭，與日月爭光之志也。」〔註16〕他的字爲「泠君」，原因就是「其音與靈均相似」，而且「使靈均之音長在於耳，……不惟使予不忘靈均，亦使天下之人不忘靈均。」〔註17〕古人的名字具有重要意義。王逸引《禮》說：「名所以正形體、定心意也；字者所以崇仁義、序長幼也。夫人非名不榮，非字不彰，故子生，父思善應而名字之，以表其德，觀其志也。」屈原《離騷》開頭幾句話，就稱名字及其來歷，說：「皇覽揆予初度兮，肇賜予以嘉名。名予曰正則兮，字予曰靈均。」王逸稱屈原名「正則」，字「靈均」，稱他上能安君，下能養民〔註18〕。明末清初，乾綱顛覆，淳風不振，屈大均追隨先祖屈原，以「大均」之名、「泠君」之字，表明對屈原理想人格精神的推崇和標榜。

屈大均以屈原的人格精神爲標榜，不僅表現在名字上，還涉及現實生活中的各個方面。如他家鄉有個亭子，稱爲「懷沙亭」，他自己說：「一以不忘吾鄉，以不忘吾祖；一以不忘白沙，以不忘三閭。」〔註19〕又如，在友人幫助下，他在廣州有「三閭書院」，他說：「予之爲三閭書院也，與二三同志，稱《詩》說《易》其中，不敢負其家學。」

〔註16〕　屈大均撰，《自字泠君說》，《屈大均全集》第三冊，第 127 頁。

〔註17〕　屈大均撰，《自字泠君說》，同上，第 127-128 頁。

〔註18〕　屈原撰，王逸章句，洪興祖補注，《楚辭補注》，北京：中華書局，1983 年，第 4 頁，此論文凡引《楚辭》，皆據此本，由於引用很多，爲避繁瑣，下文不再出注。而引章句，照常出注則不注地址、出版社、出版年代。

〔註19〕　屈大均撰，《懷沙亭銘》，《屈大均全集》第三冊，第 189 頁。

〔註20〕不僅如此，屈大均還以屈原的文學成就而自我標榜，他有詩集名曰「九歌草堂集」，有詞集名曰「騷屑」，皆是以祖述屈原辭賦中的人格精神而得名。他還在詩中自稱「《離騷》一後身」〔註21〕，又稱「遂使三閭長有後，美人芳草滿禺陽。」〔註22〕甚至與他交遊的友人也以此稱賞他的詩文創作。梁佩蘭有《贈徐勝力太史》詩說：「屈子《離騷》裔，曾從檇李回。」〔註23〕顧亭林有《重過代州贈李處士》說：「人來楚客三閭後，賦似梁園枚馬遊。」〔註24〕這類稱賞，就是對屈大均道德精神和人格追求的肯定。

所以，當年屈原恐皇輿敗績，「忽奔走以先後兮，及前王之踵武」，就是爲了效法先王，自我激勵。同樣，屈大均處處以屈原爲祖武，也是爲了紹輒先賢，尋得精神支持。他的名字、亭名之類，皆託屈原以自我標榜。在文壇上，以名字標榜志向和追求，事例甚多。如宋初古文運動的先驅柳開，因仰慕韓愈和柳宗元，取名「肩愈」，字「紹元」，表示要肩負韓愈的使命，繼承柳宗元的事業。後又改名開，字仲塗，其意思是「將開古聖賢之道於時也」，「將開今聖賢之耳目使聰明也」，「必欲開之爲其塗矣，使古今由於吾矣也」〔註25〕。恰如柳開用字號表其心迹，從屈大均的種種字號、室名中，可以看到他以光大屈原人格精神爲己任，對理想人格執著的追求。屈原在《離騷》中，反覆申明「法乎前修」，又稱「依彭咸之遺則」，曰「前聖之所厚」，此皆取法先聖，紹輒古賢之意。屈大均在其字號、室名

〔註20〕 屈大均撰，《三閭書院倡和集序》，同上，第 284 頁。

〔註21〕 屈大均撰，《乞顧生寫眞》，《屈大均全集》第二冊，第 1336 頁。

〔註22〕 屈大均撰，《屢得朋友書箚感賦》，同上，第 1349 頁。

〔註23〕 梁佩蘭撰，《贈徐勝力太史》，《六瑩堂二集》第五卷，《叢書集成續編》第 174 冊，臺北：新文豐出版公司，1989 年，第 163 頁。

〔註24〕 顧炎武撰，《重過代州贈李處士》，顧炎武撰，華忱之點校，《顧亭林詩文集》，北京：中華書局，1959 年，第 373 頁。

〔註25〕 柳開撰，《補亡先生傳》，《河東先生集》第二卷，《四部叢刊》初編，集部，第 258 冊，上海：商務印書館，1922 年。

上警醒自己，處處聲稱祖武屈原，與屈原祖述先王以期振頓世道的實質是一致的。

　　總結上面所言，明末清初，屈大均追崇的人格理想和道德精神有「變」與「常」兩方面之傾向。一方面，他的社會角色因實際經歷的複雜情況而在不斷地轉換，有時為儒者，有時稱遺民，有時像鬥士。在此過程中，他的思想信仰、行為方式不斷變化而呈現異端色彩。另一方面，他又堅守氣節，不改素志，處處學習屈原，推崇屈原的理想人格和道德精神，並以此自我標榜，又呈現常態化的特色。

第二節　屈大均對屈原理想人格精神的崇尚

一、屈原的「行人」氣質以及理想人格精神

　　戰國時期，屈原以超然獨立的人格和高標的道德理想，為黨人所訴毀。自西漢一統以來，他的崇高人格和道德精神廣受推崇，對後世文人立身處世產生深遠影響。關於這方面的內容，古今論者甚多。但是，關於屈原的行人氣質以及表現的人格境界而言，似乎少有人論及。所以，本文擬由此述起，用以探討屈原人格精神、道德境界形成的思想基礎。

　　戰國縱橫之世，屈原未敗之時，出使專對，猶有「行人」遺風。何謂「行人」遺風？孔子說：「誦詩三百，授之以政，不達，使於四方，不能專對，雖多，亦奚為？」〔註26〕在春秋之時，行人聘問諸侯，出使專對，尚以《詩》為辭令，體現行人的道德風向和儀式規範。但是，至於戰國時期，縱橫者流，以追名逐利為本，於是《詩》教式微。屈原生當縱橫之世，「博聞強志，明於治亂，嫻於辭令」，他「入則與王

〔註26〕　何晏注，邢昺疏，《論語註疏》，阮元校刻，《十三經註疏》，北京：中華書局，1982 年，第 2507 頁，本論文凡引《十三經註疏》，皆據此本，下文出現只注書目、頁碼，不再注編者、地址、出版社、出版年代。

圖議國事，以出號令；出則接遇賓客，應對諸侯」〔註27〕，他也像其他的士人一樣，積極參預政事，探討篤身治國平亂之法。他曾出使齊國，與稷下學者交往，切論時事，對社會政治投入極大熱情。這是他與蘇秦、張儀等人縱橫家相通之處。然而，屈原與縱橫者所不同之處，在於他交接賓客，聘問諸侯，猶有春秋行人之遺風，也就是謹守《詩》中所載的道德標準、儀禮規範，以至於他敗後遊走草野，賦詩作誦，皆得古詩之遺。班固《漢志》曾說：「春秋以後，周道寖壞，聘問歌詠不行於列國；學士之詩逸在布衣，而賢人失志之賦作矣。大儒孫卿及楚臣屈原離讒憂國，皆作賦以風，咸有惻隱古詩之義。」〔註28〕由是觀之，屈原深悉《詩》教，即使身遭艱虞，仍強烈關注現實，恪守道德精神和人格理想。

屈原並非個例，與他一樣，孟子也謹守「行人」遺風。孟子曾「後車數十乘，從者數百人，以傳食於諸侯。」〔註29〕他周遊列國，宣揚「仁政」，稱說周孔之教，貞剛不屈。當時實利風氣盛行，如蘇秦、張儀者流，騰說以取富貴，無所不用其極，道德精神自然退居其次，而屈原、孟子等人，行走諸侯，所言必稱堯舜，而皆得《詩》教遺範。他們可稱為當時復古守舊之一派，雖然時勢已失，屢屢敗北，但他們在追求人格獨立和道德精神方面，非縱橫者流可比。他們對儒家《詩》教的堅守，以及在自我人格精神和道德境界方面的完善，對後世注重道德修養的風氣，極有吸引力。戰國亂世，惟有孟子、屈原二人受後世崇敬更多。千百年後，屈大均也深知兩者相知之處，他有《孟屈二子論》一文，說道：「使（孟子）得見屈子之博聞強志，明於治亂，嫺於辭令，必且喜而忘寐，以為天下之賢大

〔註27〕 司馬遷撰，《屈原賈生列傳》，《史記》，北京：中華書局 1959 年，第 2481 頁，此論文凡引《史記》，皆據此本，下文出現只注書目、頁碼等項，不再注地址、出版社、出版年代。

〔註28〕 班固撰，《漢書·藝文志》，《漢書》，北京：中華書局，1964 年，第 1756 頁。

〔註29〕 趙岐注，孫奭疏，《孟子註疏》，《十三經註疏》，第 2711 頁。

夫，而交歡恐後矣。」〔註30〕

　　屈原和孟子的人格理想、道德精神在思想基礎以及培養修煉方面都有很多相似之處。如就修身養性而言，孟子強調「四端之心」，注重內自修省，屈原也稱其有此內美，又重修能。屈原被稱爲志潔行廉，可與日月爭光；孟子提倡「富貴不能淫、貧賤不能移、威武不能屈」的精神，有大丈夫的精神品格。孟子稱其「知言」，「善養浩然之氣」，而成爲古今美談；屈原名重於後世，關於他道德境界方面的追求，仍可由此比類論之。

　　孟子認爲修煉性情、氣質方面的人格精神，須得「知言，善養吾浩然之氣」。他又說：「其爲氣也，至大至剛，以直養而無害，則塞於天地之間。其爲氣也，配義與道；無是，餒也。是集義所生者，非義襲而取之也。行有不慊於心，則餒矣。」〔註31〕「知言」即所謂「明乎道義」，爲處世的根本原則；而「養氣」，就在於配乎道義，使得對天下之事無所畏懼。如此而言，可知「知言」與「善養浩然之氣」之間，前者是根基，後者爲枝葉；根基盤深，而後枝葉扶疏。

　　屈原在騷辭中也稱述「氣」，如「精氣」、「清氣」、「氣繚轉」之類，皆指心理特徵和精神狀態。值得注意的是，《離騷》篇中說：「紛吾既有此內美兮，又重之以修能。」《遠遊》篇中說：「內惟省以端操兮，求正氣之所由。」這些都是談性情氣質、道德精神的內省功夫，求正氣之所在，似於孟子的浩然之氣的說法。孟子倡導盡心知言，明乎道義，承繼周孔遺風，而養得浩然之氣。屈原身處楚地，也有深厚的儒學修養和思想基礎。他稱述「高陽之苗裔」，「陳堯舜之耿介」，而又制唐、虞、三后之正道。他說「依前聖以節中」、「耿吾既得此中正」，遵行前聖之節中，耿介而得中正，皆是述及道德範疇的人格精神。他「長太息以掩涕兮，哀民生之多艱」，近於孟子的民貴思想。根據這些情況，屈原也如孟子，明乎儒家道義，可謂「知言」。只有「知言」，才「善

〔註30〕　屈大均撰，《孟屈二子論》，《屈大均全集》第三冊，第120頁。
〔註31〕　趙岐注，孫奭疏，《孟子註疏》，《十三經註疏》，第2685頁。

養浩然之氣」。他們在相似的思想基礎和理論淵源下，皆追求在精神氣質方面之人格境界的提升和完善。他們的道德自覺意識和崇高人格境界，皆來自於儒家對現實的熱情投入和篤身治道的精神傳統。

屈大均對崇高人格和道德理想的追求深受屈原的影響。他生逢亂世，年少之時，就與其師從事反清活動，樹立了抗爭不屈的信念。而且，屈大均的父親也有遺訓，絕不仕「不義」〔註32〕。他與屈原、孟子一樣，皆身遭艱虞，而對社會現實積極投入，關注世運，並以儒家的道德規範和人格理想來約束自己，體現了崇高的人格追求和道德自覺。

二、屈大均的「內美」與崇尚理想人格精神

「內美」是追求崇高人格和道德境界的內在決定條件。「內美」就是天賦美質於內，來自於先天的、生理的、遺傳的因素，形成的性情氣質和精神結構上不同於他人的特色。屈原、孟子等人，善養浩然之氣，而皆重「內美」。後世之人，更喜以門閥、血緣等「內美」自矜。屈大均是屈原的後裔，他常引以為重，如稱「《離騷》一後身」之類，就是重己之「內美」，恰似屈原自稱「高陽苗裔」。屈大均推重「內美」，以此作為追崇理想人格精神的起點，可以從兩個層次述起。

首先，在具體血緣傳承上，屈大均除了多次標榜自己是屈原後裔外，還認為屈氏祖先可追溯到楚武王熊通〔註33〕。熊通是楚國一位比較有作為的君王。亂世之中，屈大均崇尚有為而作，以熊通為先祖，就含有對他人格精神的推崇之意。屈大均因屈姓有楚王血統而自豪，他說「吾宗荊子姓，人重楚王孫」〔註34〕，朱彝尊有《屈五來自白下期作山陰之遊》詩說「楚調聞高唱，吳航下舊京」〔註35〕，把屈大均

〔註32〕 屈大均撰，《先考澹足公處士四松阡表》，《屈大均全集》第三冊，第138頁。
〔註33〕 屈大均撰，《閬史自序》，《屈大均全集》第三冊，第46頁。
〔註34〕 屈大均撰，《哭從弟孚士》，《屈大均全集》第一冊，第282頁。
〔註35〕 朱彝尊撰，《屈五來自白下期作山陰之遊》，《曝書亭集》，上海：

詩歌稱爲「楚調」；又有《同王二猷定登種山懷古招屈五大均》詩說「鄉路迷吳苑，賓朋得楚材」〔註36〕，又把屈大均稱爲「楚材」。朱彝尊在詩中寫屈大均，兩次冠以「楚」字，這樣的角色定位可謂深得屈大均之意。屈大均對楚王室的認祖歸宗，雖然在血緣層次上，難以得到確切的證明，但在精神寄託層面上，屈大均對自己血緣「內美」的推重，實在是爲自己高標人格理想確立正宗本源之地位，也就是爲自己精神追求和人格理想確立內部主源的作用。

其次，屈大均對楚地祖先的推崇，不僅是對血緣背景的「內美」的肯定，相對於外族而言，還有本民族文化「內美」的種族優越感。這種優越感是他對理想人格追崇的思想基礎。屈大均對於楚文化欽慕不已，他說：「吾之心常存於木本水源之間」〔註37〕，體現向楚文化尋根的意思。他對楚王先祖祝融的崇拜，最能體現他的文化尋根意識。屈大均是廣東番禺人，距離楚地遙遠，但是，他認爲自己家鄉是祝融所都，與楚人擁有共同的祖先。他說：「廣東居天下之南，故曰：『南中。』亦曰：『南裔。』火之所房，祝融之墟在焉。」〔註38〕根據《史記‧楚世家》記載，楚先祖顓頊高陽，其孫爲重黎，居火正有功，帝嚳高辛命曰祝融；後因誅共工氏不盡，而被帝誅。重黎之弟吳回覆居火正，爲祝融〔註39〕。由此譜系可知，祝融是楚王先祖。楚人對祝融的崇拜，爲楚文化一重要組成部分。當然，祝融不僅是楚地的信仰神，還被尊稱爲炎帝，爲當時南方大部分苗夷地區所崇拜。屈大均以廣東地區爲祝融所都，也在情理之中。他的《南海神祠碑》引《淮

世界書局，1937年，第51頁，此論文凡引《曝書亭集》，皆據此本，下文出現只注書目、頁碼等項，不再注地址、出版社、出版年代。

〔註36〕　朱彝尊撰，《同王二猷定登種山懷古招屈五大均》，同上，第52頁。

〔註37〕　屈大均撰，《姓解》，《屈大均全集》第三冊，第175頁。

〔註38〕　屈大均撰，《廣東文集自序》，《廣東新語‧文語》，《屈大均全集》第四冊，第287頁。

〔註39〕　司馬遷撰，《楚世家》，《史記》，第1689頁。

南子》說：「南方之極，自北戶之界，至炎風之野，赤帝祝融之所司，是則血氣之倫。」〔註40〕屈大均少時曾寄養在南海邵家，他引用這段話，提到祝融所司南海爲「血氣之倫」，在某種意義上，他認爲自己的「血氣」，肇端於此，與祝融一樣，皆是「血氣之倫」。遠古祖先崇拜代表的是一種文化認同。在外族文化入侵之際，凡有責任感的文人，出於對本民族文化的保護，往往更傾向于堅定自己的文化根柢。他們對本民族文化「內美」的重視，實質上也是一種對異質文化的牴觸。屈大均追求的人格理想的思想文化基礎，就是建立在與楚民族文化水乳交融的基礎之上的。

總之，屈大均所推崇的「內美」，不管是他的楚王室血統，還是他對本民族文化的尋根和認同，皆是他生存於此「藝術家家族」之中而足以標榜之處，爲追求理想人格精神奠定思想基礎。屈大均正是因爲先天具有此「內美」，與屈原人格精神以及楚民族文化渾融一體、浸潤薰陶，最終形成了血濃於水的密切關係。這既是他對屈原理想人格精神追求的起點，也是尋求傳統精神力量支撐的必然路徑。法國文藝評論家丹納在《英國文學史》序言中提出著名的「種族」、「環境」、「時代」三因素說，而這裏屈大均對自己「內美」的反覆推重，正好說明了他在特定「時代」、「環境」氛圍下對自己的「種族」的「永久的本能」、「永恒的衝動」的推崇。屈大均對「種族」因素的推崇雖然具有脫離象現實而重抽象天性的不足，但就屈大均當時的精神動機而言，在特定歷史條件下顯然是具有一定合理性的。

古人雖推重「內美」的永恒天性和絕對本能的巨大作用，但據唯物辯證法，後天陶染所凝的內容作用更爲重要。荀子《儒效》說「居楚而楚，居夏而夏。是非天性，積靡使然也」〔註41〕，就是強調後天「積靡」的作用。屈大均是屈原後裔，有楚室血統，此爲得自於天者。

〔註40〕 屈大均撰，《南海神祠碑》，《屈大均全集》第三冊，第339頁。
〔註41〕 荀子撰，《儒效》，荀子撰，王先謙集解，《荀子集解》，北京：中華書局，1988年，第144頁。

而明末清初，如王夫之等志士，處葅醢之世，懷憂國之戚，皆類似於屈原的艱難處境。通過修能、陶染以及學力，往往就可使精神氣質、道德境界趨向一致。所以，當時「靈均餘影」處處皆是。當然，屈大均爲屈原後裔，獨享此「內美」，又經受類似的陶染歷練，與其他的「靈均餘影」自然有異。屈大均《翁山屈子自生壙自誌》說：「則六十六年之中，無日不蒙乎患難，無時而不處乎困窮，險阻艱難，備嘗其苦，亦何嘗有生之所耶？」〔註42〕此爲他對自己一生的總結。在這種艱苦經歷磨練下，屈大均的精神氣質和對崇高人格的追求，非僅由「內美」透視出來的光輝，現實社會中的「修能」將產生更大的作用。

三、屈大均的「修能」與崇尚理想人格精神

屈大均人格境界的提升以及道德精神的培養，離不開社會現實環境中的陶染和歷練，這就是「修能」的作用。大概而言，「修能」不離兩端：一方面是在現實世界中的歷練，另一方面是內在自我的修省。這就是如屈原、孟子等人遊歷諸國，既接近了社會現實的苦難，接受了身心的磨練，又堅定了道德理想的追求而養得浩然之氣。

屈大均在社會現實生活中的歷練，在於他長時期遠遊之活動對人格境界和精神氣質的提升有很大幫助。他參與反清活動，迫於形勢所需，自二十三歲便有遠遊之舉。後來，他多次遠涉塞外，往返南北之間，足迹遍及荊楚、吳越、燕齊、秦晉之地，年至四十而歸鄉養親。後來，他又監軍吳三桂部，至四十七歲謝事而歸。自此之後，他雖也間有避難之遊，但大都不出嶺南。他在世六十七年，在他生命中最富活力的二十四年，是在遠遊中度過的。他曾自言：「予平生好遊，於海內之地，近而嶽瀆，遠而沙塞龍荒，足迹亦幾遍矣。」〔註43〕屈大均遠遊邊塞故址、都城勝迹，無不慷慨激昂、氣鬱勃發；他還結交豪

〔註42〕 屈大均撰，《翁山屈子自生壙自志》，《屈大均全集》第三冊，第154頁。
〔註43〕 屈大均撰，《沙子遊草序》，同上，第293頁。

傑，與關中豪士李因篤、顧炎武等人奔走於苦寒之野，思有所圖。他
詩有說：「慚予亡命走天涯，誤擲千金博浪沙。」〔註44〕此皆豪傑之
士所敢爲。這些經歷，使他走出閉塞的書齋，接受艱苦的磨練，對他
浩然正氣的養成、人格境界的提升都作用重大。蘇轍論氣可以養而
致，稱孟子善養浩然之氣，又舉司馬遷文章頗有奇氣，因他周覽四海
名山大川，交遊燕、趙之間豪俊〔註45〕。當初屈大均所歷不過鄉里，
後來涉邊漠、跨大河、登華嶽、遊京師，結交豪傑、亡命天涯，此間
其「氣」必當得養矣。戰國時期，屈原悲於時俗困厄，遊觀於四荒，
潔身遠害，也有《遠遊》之章，正是在《遠遊》之中，他稱「內惟省
以端操兮，求正氣之所由」，而屈大均的遠遊，正是他道德精神、人
格境界的提升最有力的催化因素之一。

　　當然，「內惟省以端操」也是必不可少的。屈大均談養浩然之氣，
重在內省，須得禁欲。他《飲食須知序》說：

　　　　君爲人多才博物，於養生家言尤善，所稱引老冉，一
　　以孟子養氣之說爲歸。夫養氣之說何始乎？《頤》之初曰：
　　「舍爾靈龜，觀我朵頤。」蓋龜以氣爲口實，以氣自養，
　　故正；虎以欲爲口實，以欲自養，故顚。氣爲陽而欲爲陰，
　　養其陽則爲太和之保合。太和者，浩然之謂也。嗟夫！吾
　　人日用之間，以一飲一食之故，傷其太和，使其氣不能剛
　　大以直而塞乎天地者，自古及今，亦比比然。所以《易》
　　一書，始終以飲食爲言，始於《需》，曰：「需於酒食，貞，
　　吉。」終於《未濟》，曰：「飲酒濡首，亦不知節也。」蓋
　　惟貞所以爲節，惟節所以爲貞，貞與節相爲始終，而後其
　　所養乃正。〔註46〕

〔註44〕　屈大均撰，《秋夜恭懷先業師岩野陳先生》，《屈大均全集》第一
　　　　　册，第172頁。
〔註45〕　蘇轍撰，《上樞密太尉書》，曾棗莊主編，《三蘇全書》第十八册，
　　　　　北京：語文出版社，2001年，第29頁。
〔註46〕　屈大均撰，《飲食須知序》，《屈大均全集》第三册，第77頁。

　　屈大均認爲，因爲日用飲食之欲的緣故，古今很多人傷其太和，不能養浩然之氣；而惟應飲食而須貞與節，而後所養氣乃正。此論涉及日用飲食方面，看似極爲瑣細，實際上屈大均引而申之，談論的是人性的欲望和貞節，在明淸之際，事關行藏出處的大節，具有很強的現實意義。屈大均生當鼎革之際，不忘種姓之別、興亡之痛，備嘗辛苦，一生伶仃，老來尤甚。當他面對安車蒲輪之征，本可像某些名士宿儒，肥遁自甘，聲名炳赫，但是他仍甘苦自守，故國之戚，生死不忘，其中重要原因，就是紹轍屈原的道德精神，崇尚其理想人格境界。朱彞尊稱屈大均「矙然自拔於塵埃之表」〔註47〕，就是化用劉安贊屈原之語，「蟬蛻於濁穢，以浮游塵埃之外，不獲世之滋垢，矙然泥而不滓。」〔註48〕屈大均所堅守的貞節，既是對現實的鬥爭，也是秉承家風，光大三閭精神。屈原稱「內惟省以端操兮，求正氣之所由」，屈大均深得其精神內核，這也正是正直人格精神養成的基本條件。

　　屈大均生逢亂世，又是屈原後裔，經歷了長期而艱苦的遠遊磨練，接觸了現實的苦難，開闊了胸襟，增長的見識，深知禁欲守節，追求崇高的人格精神和道德境界。孟子、屈原對社會現實的深切感悟和關懷，最終落實到對自我道德精神和人格理想的堅守。屈大均也特別注重對心性的修煉和培養。他們的人格精神和道德境界的養成，思想基礎都在於儒家之道。他有室名曰「道援堂」，取援引至道之意。《周禮・天官》稱「儒以道得民」，屈大均推崇儒家之宗旨在於有補於世，他說「何以慰微誠，願言貽道術」〔註49〕，此道術即是「六經」之道，所謂「六經乃神器，羽翼不敢忘」〔註50〕，甚至稱「《六經》我道非

〔註47〕　朱彞尊撰，《九歌草堂集序》，《曝書亭集》，第453頁。

〔註48〕　屈原撰，王逸章句，洪興祖撰，《楚辭補注》，第1頁。

〔註49〕　屈大均撰，《正月既望太倉王虹友兄弟招同諸子集善學齋中有賦》，《屈大均全集》第一冊，第32頁。

〔註50〕　屈大均撰，《送梁藥亭北上》，同上，第52頁。

糟粕，天地精神於此託」〔註 51〕，還說「古聖精微在《六經》，神明一片宜相接」〔註 52〕。屈大均把道術與「六經」、社會現實、道德修養貫通爲一，把對社會現實的經世致用與自我人格精神的培養有機統一了。屈大均與孟子、屈原皆是出於對社會現實的強烈關注，推重道德精神和崇高人格境界，以儒家之道爲思想淵源和經典支撐，並對他們的文章辭賦創作產生影響。

　　總結上面所言，對屈大均所崇尚並追求的理想人格和道德精神的探討，是爲避免純客觀的經歷描述，而力圖把握他主體精神特徵方面的內容。從屈氏家族的角度來說，屈大均曾說：「吾三閭之子姓也，文可以不如三閭，並可以不如長卿，而爲人則不可以不如三閭，而如長卿。噫噫，自今以往，其益以修能爲事，以無負茲內美，斯於高陽苗裔有光也哉。」〔註 53〕這是他追崇屈原人格精神的根本宗旨。從國家、天下角度來觀察，屈大均對社會現實深切關注，積極從事社會活動，通過艱苦的遠遊生活中磨練了意志，是道德精神養成的基本條件。與孟子、屈原一樣，屈大均以儒家聖賢之道爲思想基礎，在艱難的生存條件下養得浩然之氣，以抵禦現實的渾濁和骯髒。明末清初時期，「仁義充塞，率獸食人，人將相食」，顧炎武倡導匹夫之賤尚且有責，屈大均之類志士能不爲天下謀劃之？在那個乾坤顛覆、人倫無序的混亂時代，道德精神和人格境界等方面的內容，與文學創作有更爲緊密的聯繫。

第三節　屈大均繼承的楚騷傳統與詞學觀念

一、屈大均對楚騷「風雅精神」的推崇

　　道德自覺意識和人格精神方面的內容，與文學創作密切相關。尤

〔註 51〕 屈大均撰，《過黃俞邰藏書樓作》，同上，第 130 頁。
〔註 52〕 屈大均撰，《贈周文學》，同上，第 181 頁。
〔註 53〕 屈大均撰，《自字泠君説》，《屈大均全集》第三冊，第 128 頁。

其在普遍政治氛圍統攝下，道德自覺和人格精神方面內容更為凸顯，
對文學觀念和創作影響更大。比如，在中國傳統詩學體系中，由《詩
經》而形成的與道德意識密切相關的「風雅精神」，對後世產生深遠
影響，甚至可以說整個傳統詩學體系的建構，就是由此而生發的。所
謂「風雅精神」，就是「《詩經》表現出的關注現實的熱情，強烈的政
治和道德意識，真誠積極的人生態度」〔註54〕。這種基於關注現實的
發憤抒情、怨刺諷喻的詩學傳統，在衰世之際的文人普遍關注政治、
道德的情況下，尤為得到繼承和發揚。戰國屈原騷辭的風雅相兼，建
安辭賦的風骨遒麗，安史亂中杜甫的「親風雅」，以及南宋陸游到清
末黃遵憲，皆力倡風雅，追求積極的人生態度和現實精神。在世風凋
敝、政治衰敗之際，文人的社會關懷意識和責任感，使得他們對於個
體的人格境界和道德意識的關注更為強烈。屈大均處於亂世之際，崇
尚屈原的理想人格的道德精神，在文學創作上，對騷辭中的「風雅精
神」特別推崇。

　　屈大均推重騷辭的「風雅」相兼。他曾說：「《風》之善者，乃
可以為《大雅》也哉。」〔註55〕又說：「今夫詩以《風》《雅》相兼
為貴。」〔註56〕這些說法來自於淮南王劉安，他的詩中表現的「風
雅精神」直接承繼屈原的騷辭而來。他的詩以楚騷為宗，祖述《楚
辭》。他有詩說：「《風》《雅》只今誰麗則，不才多祖楚《騷》詞。」
〔註57〕又有詩說：「我祖《離騷》賦，人稱小雅同。」〔註58〕可見屈
大均詩中「風雅精神」淵源所自。他自視甚高，甚至把自己的詩文
詞賦比作《離騷》。他有詩說道：「君愛我《離騷》，洋洋《風》《雅》

〔註54〕 袁行霈主編，《中國文學史》第一冊，北京：高等教育出版社，
　　　　1999 年，第 77 頁。
〔註55〕 屈大均撰，《清風集序》，《屈大均全集》第三冊，第 61 頁。
〔註56〕 屈大均撰，《書淮海詩後》，同上，第 168 頁。
〔註57〕 屈大均撰，《西蜀費錫璜數枉書來自稱私淑弟子賦以答之》，《屈
　　　　大均全集》第二冊，第 1351 頁。
〔註58〕 屈大均撰，《贈楚客》，《屈大均全集》第三冊，第 256 頁。

遺。」〔註59〕這種對騷辭「風雅精神」的仰慕，既是因對亂世之中道德意識、人格境界的普遍關注，也是因他為屈原後裔，追述祖德的傳統習慣，使其受騷辭的影響更大。因此，屈大均的「風雅精神」並不直接溯源於《詩經》，而是來自於騷辭的「風雅」相兼。

不過，建立在楚騷基礎上的，由對政治形勢、道德境界和人格精神的普遍關注而形成的「風雅精神」，因實用觀念和過度崇拜，容易陷入兩類極端，是應當儘量避免的。一方面，在亂世中，出於社會責任感，對現實強烈的關注和用世精神，文學觀念往往受其影響，易於形成對文學發展不利的過於功利之觀念，成為政治和道德的「傳聲筒」；另一方面，在對屈原的理想人格和道德精神極度崇拜中，由於現實政治的殘酷壓制，難以形成群體的道德力量和人格追求，只能陷入個人理想主義的高標，退守於自我精神境界的完善。對理想人格和道德精神的追求，進而演變為個人精神境界的自由對抗外部強大的世俗力量和政治壓迫。表現在行為方式上，多呈現狂放不羈、脫離世俗的面貌。這兩方面內容，可以從屈大均對《楚辭》兩方面矛盾之思想取向得到應證。

二、屈大均對《楚辭》的兩種思想取向

屈大均推崇的「風雅精神」，即關注社會現實，強調政治關懷和道德意識，容易引發文學觀念上的功用傾向。屈大均對「風雅精神」的認同，來自於對《楚辭》的深刻認識。需要注意的是，屈大均對於《楚辭》的認識，是因他文學觀念上祖述楚騷傳統，對《楚辭》以及屈原抱有特別之感情。對於這種認識的探討，為豐富楚辭學研究，實為一新的視角。不過，此處述及屈大均對《楚辭》的認識，在於探討他風雅精神的形成和流變，以及對他詞創作產生的影響。

一方面，屈大均對《楚辭》的認識，主要認同東漢王逸章句的觀

〔註59〕 屈大均撰，《題王子省齋》，《屈大均全集》第一冊，第83頁。

點，推重其中的儒家正統思想取向。朱彝尊曾說：「翁山詩原本三閭。自王逸以下，多屏置不觀。」〔註60〕其言不假，考查屈大均的片言隻語，摘拾以下幾點可證。第一，尊崇屈原，依經立義。這是王逸注《楚辭》的根本思想。屈大均對屈原精神的推重自不待言，也視騷辭合於經術、比於《春秋》。他有詩說：「《離騷》合經術，規諫心無窮。」〔註61〕又有詩說：「《離騷》多諷諫，比興即《春秋》。」〔註62〕他的諷諫說，來自於王逸的依經立義的思想。第二，對於《大招》、《招魂》的著作權問題，王逸認爲分別是宋玉和景差，後世引起極大的爭議。對於「大、小招」的著作權問題，屈大均是支持王逸的。他認爲宋玉、景差是屈原的學生，並仿二人弔屈原作招魂形式，爲其師陳邦彥作哀辭。屈大均又有「三閭書院」，掛三閭畫像於其中，並以宋玉、景差爲配可知。第三，對女嬃身份的認定。王逸認爲女嬃是屈原之姐，屈大均也申說之。他認爲楚地「嬃」就是「姊」的稱呼〔註63〕，以上三點是在明末清初時期，世人對《楚辭》一些問題有層出不窮的解釋背景下，屈大均作出的一些對王逸學說的肯定。

　　爲什麼屈大均主要認同王逸章句的觀點呢？最根本的原因，在於屈大均推崇的「風雅精神」與王逸章句的經世思想相契合，而這正是當時歷史條件下，他最需要尋求的經典依據。在以轉移天下風氣爲務的觀念主導下，屈大均深受屈原等崇高人格和道德精神的影響，希圖有所作爲。在對騷辭的態度上，即推崇騷辭的「風雅精神」。顯然，屈大均是看重騷辭與社會道德、政治教化方面的巨大作用。這些都是王逸在注《楚辭》中所積極倡導的，與「依經立義」的精神取向是一致的。這種實用思想，深刻影響屈大均的文學觀念。

〔註60〕　朱彝尊編，《明詩綜》第八十二卷，康熙四十四年六峰閣刊本。
〔註61〕　屈大均撰，《送從弟無極歸裏》，《屈大均全集》第一冊，第12頁。
〔註62〕　屈大均撰，《贈大司馬》，同上，第271頁。
〔註63〕　屈大均撰，《三閭大夫祠》，《屈大均全集》第四冊，第419頁。

　　另一方面，由於現實政治力量的殘酷打擊，屈大均在對《楚辭》中的理想人格和道德精神推崇中，因追求群體價值的失落，自然而然易於尋求自我精神境界的獨善。他對理想人格和道德精神的追求，演變爲個人的狂傲不羈與外部政治力量和庸俗道德的對抗，在自我精神層次上，走向了世俗道德精神的反面。具體表現爲屈大均對《楚辭》的解讀中爲這種不得已的行徑尋得精神依據。主要有如下三點。其一，關於《楚辭》之始與終。屈大均認爲接輿，爲楚之狂者，其《衰鳳》之歌，爲《楚辭》之始；而三閭，爲楚之狷者，其《懷沙》之賦，爲《楚辭》之終〔註 64〕。此論發他人所未發，以楚人接輿的《衰鳳》爲楚辭之始，在文化學意義上，對於探討楚辭的起源有一定的參考意義。其二，關於《楚辭》與《莊子》的關係。屈大均對於《楚辭》的理解，往往結合楚地的文化背景來理解，並視屈原爲狂狷、爲不得已，所以《楚辭》與《莊子》頗有相通之處。他《讀莊子》曾曰：「《南華》、《離騷》二書，可合爲一，《南華》天放，《離騷》人放，皆言之不得已者也。」〔註 65〕近人梁啓超對楚騷與老莊的關係有詳細的闡釋，也應證了屈大均這種理解的某些合理性。第三，關於《招魂》之祖的問題。屈大均認爲《招魂》產生淵源與《莊子·大宗師》提到的三位隱者即子桑戶、孟子反、子琴張有關，「嗟來桑戶」〔註 66〕一歌即《招魂》之祖。因「嗟來桑戶」一歌非桑戶自歌，而是其友人歌之，由此可推知《招魂》一曲非屈原自招，而是宋玉招之方可理順，這也是對

〔註 64〕　屈大均撰，《孟屈二子論》，《屈大均全集》第三冊，第 120 頁。
〔註 65〕　屈大均撰，《讀莊子》，同上，第 178 頁。
〔註 66〕　屈大均撰，《讀莊子》，同上，第 179 頁，此處《屈大均全集》標點有誤，誤標爲「《嗟耒》、《桑戶》之歌，《招魂》之祖也。反其眞，則人而天也。」查各類文獻，皆無《嗟耒》一歌，據《莊子·大宗師》中一典故：莫然有間，而子桑戶死，未葬。孔子聞之，使子貢往侍事焉。或編曲，或鼓琴，相和而歌曰：「嗟來桑戶乎！嗟來桑戶乎！而已反其眞，而我猶爲人猗！」可見所謂「《嗟耒》、《桑戶》之歌」，必是「嗟來桑戶」四字之訛。

王逸之說的一種支持。當然「嗟來桑戶」之歌，體現的是老莊生死齊同的觀點，與王逸的儒家文藝觀屬於完全不同的思想取向。

屈大均並沒有專門著力於《楚辭》研究，只是提出一些零星的看法，而且他這些看法沒有經過嚴密的考證，難免有牽強附會之處。屈大均的論述本不在於考證史實，而是對於某些思想觀念的支持。他目光敏銳，對《楚辭》的認識，是在古代典籍中，尋找與《楚辭》相關的文化因素，對《楚辭》作出全新的詮釋，給人以啓發。如接輿、莊子等人的思想，都是屬於楚地文化系統，而與中原的「風雅精神」迥異。戰國時期的楚地文化，雖深受中原文明的影響，但多涉及自我精神境界的修煉，如老莊等思想，而與轉移社會風氣、關涉政治教化無關。屈大均崇尚屈原的理想人格和道德精神，發展到極端，走向對庸俗現實的超越，形成個人理想主義的極致。這種思想取向與老莊思想更爲吻合。但由於走向道德精神的反面，與社會主流地位的儒家思想發生衝突，他又回歸於楚騷經典之中，尋得精神支撐。

由此可知，屈大均對楚辭的認識，體現了他思想傾向的複雜性。一方面，他深知儒家聖賢之道，追求正直的人格精神，積極入世，進而推崇「風雅精神」，以轉移天下風氣爲務。另一方面，他也深受楚地文化的影響，思想中有不少老莊思想的因子，又易於退居道德自守而獨善的境地。但無論如何，這兩方面的思想取向，都給屈大均對詞的認識產生深遠影響。

三、屈大均詞學思想中具有的尚用觀念

屈大均推崇騷辭的「風雅精神」，進而影響到他的詞學觀念形成，確定以詞關注社會現實、抒寫志向懷抱、突出人格個性的尚用取向。這就是把詞作爲表現社會內容、政治道德理想的實用載體，使詞擺脫綺羅香澤之態，走向社會人生。在明詞一蹶不振的情況下，這種詞學觀念對推動詞壇復興有特別的意義。

實際上，屈大均對詞的認識很少有專門的論述，但仍可據他詩學

觀念作出些推論。他對詩的根本認識，就是祖述《楚辭》，追摹《風》《雅》。他有詩《讀李耕客龔天石新詞作》說道：「南楚好辭宗屈子，學詩昔自《離騷》始。含《風》吐《雅》數千篇，美刺頗得《春秋》旨。」〔註67〕詩中有「美刺」、「《春秋》旨」，與社會政治、道德相聯繫，從中可以看出他尚用爲指導的詩學理想。再根據此首詩的題目，屈大均讀兩位詞人的詞，而談到自己的創作情況，這裏說學「詩」自《離騷》始，「詩」的概念中應該是包含有詞的。

　　屈大均詞是「學自《離騷》始」，與騷辭關係密切，從詞集的命名「騷屑」來看，也可應證了這種關係。他本人並沒有說明詞集之命名因由，但據各種材料可推知命名的原因。「騷屑」一詞，最早出現於《楚辭・九歎》篇中，有曰：「風騷屑以搖木兮，雲吸吸以湫戾。」王逸釋爲風聲貌。此「風」爲自然界空氣流動的「風」，「風聲貌」爲詞集名，題義模糊不清，不明所以。「騷屑」一詞後又引申爲「紛擾貌」，杜甫詩中多次出現騷屑一詞，如《詠懷五百字》中有「撫迹猶酸辛，平人固騷屑」，《喜雨》詩說「農事都已休，兵戎況騷屑」，皆爲動亂紛擾之義。如果以此義去解釋屈大均對其詞集的取名因由，似乎也難講通。實際上，屈大均在一篇哀辭序中用到「騷屑」一詞，說他「以不死之軀，則騷屑之辭，淋漓嗚咽，應有以嗣音宋、景而慰先生之神靈焉。」〔註68〕「則騷屑之辭」，並「嗣音宋、景」，根據句意，可知「騷屑」一詞應理解爲騷辭。聯繫到屈大均曾提到南屈先祖所爲詩，合爲《騷餘》若干卷〔註69〕，「騷屑」與「騷餘」相近，其命名之因據此可旁證。張德瀛《詞徵》認爲「屈翁山詞，有九歌、九辯遺旨，故以騷屑名篇。」〔註70〕這種解釋是正確的。聯繫到騷辭皆是體

〔註67〕　屈大均撰，《讀李耕客龔天石新詞作》，《屈大均全集》第一冊，第 129 頁。

〔註68〕　屈大均撰，《死事先業師贈兵部尚書陳嚴野先生哀辭》，《屈大均全集》第三冊，第 229 頁。

〔註69〕　屈大均撰，《西屈族祖姑韓安人遺詩序》，同上，第 83 頁。

〔註70〕　張德瀛撰，《詞徵》，唐圭璋編，《詞話叢編》，第 4177 頁。

現深刻社會現實內容、崇高人格理想和道德精神，而曾作爲「謔浪遊戲」的詞，冠之以「騷屑」之名，其中隱含的詞學觀念不言自明。

屈大均的經世致用觀念，成爲對文學觀念的指導思想，他有時表達得非常直接，但也不會忽略文學本身的審美價值意義。如他直接提倡「有體有用之作」，他曾說：「湛若之言尚華，說作之言務實，合而一之，斯爲有體有用之作。噫噫，吾其勉之而已。」〔註71〕體用合一，是屈大均「尚用」文學觀的核心。他對詞的認識，有爲友人鮑子韶《紅螺詞》作的一篇序：

> 詩所不能言者，以詞言之，詞者，濟詩之窮者也。詩至唐而亡，有宋之詞，而唐之詩乃不亡，詞至南宋益轉稱善。吾友鮑子韶喜以玉田、白石、梅谿爲宗，所作《紅螺詞》，驚采絕豔，誠使香山、紫微降格爲之，未知其孰勝。其舊刻《江樓合選》，則又與查、沈二君稱絕矣。子韶狀貌魁梧，有文物才具。近自虔南至此，當酷暑，袒裼彈琴，聲妮妮若兒女語，戶外聽者，不知其奇偉之爲人也。子房若好女子，其手纖柔，不以撫弦動操，而以椎秦，不善其所長者也。《紅螺》之詞，子韶之琴聲也，其恩其怨而相爾汝，吾安能測其中之所存也哉？〔註72〕

在這篇序言中，他論詞文字不多，而大談鮑子韶「狀貌魁梧，有文武才具」，但彈琴作妮妮兒女語，而張子房狀貌若好女子，尚且「椎秦」，此爲不善用其長者。他言語之間，對風花雪月、柔情蜜意的柔靡之音尚有不滿，鼓勵鮑子韶當有爲而起。他最後還提到，鮑子韶琴聲「恩怨爾汝」，其中當存有寄託，也就是表現有深刻的社會現實內容以及人格理想、志向精神方面內容，不過他未能「測其中之所存」罷了，暗含對此推崇之意。如此一篇詞序，屈大均甚至大論特論「椎秦」，可見濃厚的尚用觀念對於詞學觀念的滲透。屈大均的「尚用」

〔註71〕 屈大均撰，《詩社》，《屈大均全集》第四冊，第 323 頁。
〔註72〕 屈大均撰，《紅螺詞序》，《屈大均全集》第三冊，第 81～82 頁。

精神，使其更注重事功。他為祁五、祁六所題藏書樓言說：「邇來頗究《太公符》，每恨荊軻劍術疏」，實是自責自己博浪之舉功敗垂成；他又說「天下戰爭猶未已，請君亦讀孫吳書」〔註73〕，這與其鼓勵王隼「椎秦」實質為一。在詞的創作上，他的《揚州慢》說「恨燕子新箋，牟尼舊合，歌曲難終」，有託微詞諷諫之義，此與楚辭諷諫之義相類。所謂「雕蟲篆刻雖無用，一字褒譏臣子恐」〔註74〕，詩詞為小道，壯夫莫為，但是，屈大均視詞為寓褒貶的有用之體。再如屈大均有《戚氏・端州感舊》等幾首詞純粹紀史，這就是「以詩為史」〔註75〕。這些詞作雖是寡然無味，意蘊全失，但由此可知屈大均的文學觀念，特別是在對詞的認識上，皆以「尚用」為歸。當然，他的詞最能體現「尚用」傾向，又有較高藝術審美價值的，還是那些抒寫志向懷抱、人格精神以及對現實強烈關注的作品。

如果屈大均對理想人格的推崇和追求，在殘酷現實打壓下，不能發展為士人群體的自覺，就只能陷入個人理想主義的獨善。他對理想人格的推崇和追求，演變為個人精神獨立和行為自由，以狂傲不合禮法的方式表現出來，與庸俗現實社會形成不和諧的對抗。這種思想行為取向，對詞創作的影響，主要有兩個方面。一方面，在詞的創作態度上，往往表現為任性所適、率意而作，在特定情境下，形成豪放灑脫、不拘形述的面貌。如他在北遊塞漠期間的豪放詞，以及一些隨性而作的藝術水準不高的詠物詞，就充分體現這一方面特色。另一方面，在詞的表現內容上，有些詞就特意表現他的狂傲、荒誕一面。於是，詞表現了那個時代的過失和瘋狂，成為抒情言志、諷怨譏刺的實用載體，又體現了屈大均的尚用的詞學觀。總之，屈大均在追求精神

〔註73〕 屈大均撰，《題山陰屈五屈六藏書樓》，《屈大均全集》第一冊，第 140 頁。

〔註74〕 鄔慶時撰，《屈大均年譜》，廣州：廣東人民出版社，2006 年，第 112 頁。

〔註75〕 屈大均撰，《二史草堂筆記》，《屈大均全集》第三冊，第 320 頁。

自由、行為獨立的思想取向時，對他的詞創作產生深遠影響。

　　在詞的特定發展階段，把詞依附於楚騷之類經典，在觀念上形成以實用精神為指導，有如一劑猛藥，雖有助於迅速擺脫明詞的尷尬地位，但在實際操作中，由於這種實用觀念本身的偏頗，包藏著技術操作上的困境。屈大均的很多詞顯得是在刻意祖述騷辭，但還明顯有技術不夠嫻熟、藝術水準不夠高超的不足。最後，隨著他經歷的豐富以及詞風的老成，他自己也會對一些詞的創作取向和手法進行變通和整飭。

第四節　小結

　　屈大均艱苦而曲折的人生經歷，形成複雜的思想面貌和精神追求。他是屈原後裔，追述祖德，以三閭為師，在人格境界、道德精神方面對屈原極為推崇，並引以為標榜。恰似屈原「紛吾既有此內美兮，又重之以修能」，屈大均在「內美」、「修能」方面皆以屈原人格精神為追求，有助於他自己人格境界和道德精神的修煉和提升。孟子、屈原和屈大均都有強烈的濟世情懷，思想基礎都是儒家的對現實積極關注的精神，在道德層次上即明乎道義的追求。明末清初，在普遍政治氛圍籠罩下，人格境界和道德精神方面的內容，對文學觀念和創作有更為直接的影響。屈大均受屈原的理想人格和道德精神的浸染和薰陶，在文學觀念上也深受楚騷傳統的影響，尤其是楚騷所體現的「風雅精神」，進而演變為在文學觀念上的實用精神。他對《楚辭》、詞的認識皆建立在「依經立義」的實用觀念之上，也就是說，詞主要用來抒寫對現實的政治關懷、道德追求等方面的內容。當然，由於殘酷的政治壓迫，屈大均在個人理想主義精神的主導下，在思想境界、行為方式上追求個體的獨善和自由，形成有違世俗道德精神卻傾向於老莊的自適思想的取向。這種思想取向反映在詞的創作上，可能會形成狂放不羈、任性所適的詞風。總而言之，屈原偉岸而崇高的人格精神，

作爲屈大均永恒而神聖的道德追求，對他文學觀念和創作產生深遠的影響，恰如古希臘哲學家蘇格拉底早曾提出的，藝術是對道德理想和美好心靈的模倣，屈大均詞恰是如此實踐的。

第二章　屈大均詞中的情志抒寫與楚騷精神

　　就屈大均詞的表現內容而言，因推崇屈原的人格精神和道德境界，他的思想取向、情感意志以及行爲方式皆受影響。他的詞對這方面內容的抒寫，最具體直觀地說明詞的題材內容與楚騷精神的聯繫。而這正是影響屈大均詞風衍變、形成的重要因素之一。詞這類文體表現詞人志向、情感等方面內容時往往不避纖微，所以更有利於探討屈大均詞抒寫情志方面內容與楚騷精神的聯繫，特別是它們之間可能存在的整合和清理的原始依據。

第一節　屈大均詞中抒寫的「香草美人」

　　就屈原辭賦創作而言，他吟詠於山澤草野之際，受天地萬物之感，而有騷辭二十五篇，其中最能體現其創作特色的是「香草美人」的手法。此「香草美人」，寓意甚遠，王逸早有解釋：「故善鳥香草，以配忠貞」；又說：「靈修美人，以媲於君；宓妃佚女，以譬賢臣」〔註1〕。屈大均服膺王逸章句，自然深諳此說。他的《蘭》詩說：「蘭

〔註1〕　屈原撰，王逸章句，洪興祖補注，《楚辭補注》，第2～3頁。

葉青青蘭葉長，美人從古在瀟湘。花多只爲三閭發，採入《離騷》萬古香。」﹝註 2﹞屈大均生逢明末亂世，爲光復明室而顛沛流離，在吟詠感發之際，往往於詩詞中寄寓忠貞的氣節、恢復的志向。

一、屈大均詞中的香草嘉木與清潔之志

大自然的草木蟲獸與人類共存，往往對人類生活方式、思想情感等方面產生深遠影響。孔子鼓勵學《詩》，因爲可識草木蟲獸之名。屈原深悉《詩》教，又生於南方之野，在騷辭之中提到了很多草木蟲獸，並賦予這些物象特殊意義，用於寄寓現實追求。

屈大均詞的題材內容顯著特色之一，就是借香草手法表現自我的高潔志向和堅貞不屈的人生態度。他詞中出現香草嘉木物象的頻率甚高。據筆者統計，屈大均三百七十三首詞中，有近百首詞寫到了各類香草嘉木。又據吳仁傑《離騷草木疏》中列舉四十四種香草嘉木，屈大均詞中出現了十六種，有芙蓉、菊、芝、蘭、蕙、芷芳、杜蘅、蘼蕪、菰、蘋、蒿、桂、椒、松、辛夷、楸。其中又以芙蓉出現次數最多。當然，屈大均詞中出現的香草嘉木，並不一定都表示香草的寓意。有很多詞只把香草嘉木寫入詞中，並沒有特別的意義。所以，對於屈大均詞中出現的香草嘉木還得作進一步區別。下面列舉屈大均詞中香草寓意特別明顯的詞，並作簡單分析。

如《瀟湘神・零陵作》，大概作於康熙十三年秋﹝註 3﹞，屈大均在湖南參與吳三桂反清之事，過瀟湘而作。

> 瀟水長，湘水長。三湘最苦是瀟湘。無限淚痕斑竹上，幽蘭更比二妃香。

又《人月圓・秋蟾光滿雲中塞》，大概作於康熙十五年中秋，爲

﹝註 2﹞ 屈大均撰，《蘭》，《屈大均全集》第二冊，第 1281 頁。

﹝註 3﹞ 屈大均撰，陳永正主編，《屈大均詩詞編年箋校》，廣州：中山大學出版社，2000 年，第 1271 頁，此論文凡涉及屈大均詞創作年代，皆據此本，下文出現不再出注。

悼念亡妻王華姜而作。

> 秋蟾光滿雲中塞，人下玉鞍來。將軍嬌女，秦箏趙瑟，清響含哀。　歡娛一夢，朝雲易化，秋雨頻催。無因相逐，蘭魂蕙魄，同向泉臺。

又《人月圓・秋蟾光滿珊洲水》，與上首詞作於同時，爲悼念繼室黎氏而作。

> 秋蟾光滿珊洲水，人駕彩舟來。劉家三妹，詩香賦豔，閨閣仙才。　糟糠淡薄，松枝未老，蕙草先摧。無因魂返，珊珊細步，燈下徘徊。

又《漁家傲・清明掃二配墓》，大概作於康熙十六年清明，屈大均《繼室黎氏孺人行略》：「（黎氏）祔葬先公湧口之丘，與華姜同穴。」可知此詞是爲悼王華姜、黎氏。

> 雨過爭開山躑躅。餘紅染得香煙足。人共啼鵑何處哭。墳新築。鴛鴦兩兩黃泉宿。　淚似棠梨飛碎玉。柳條千縷情難續。每恨生時多怨曲。愁盈目。蘼蕪忍作羅裙綠。

又《燕歸梁・不是棠梨即杜鵑》，大概作於康熙十八年秋入峽途中，爲悼念繼室黎氏而作。

> 不是棠梨即杜鵑。一路含煙。更多蝴蝶化嬋娟。春如夢，但茫然。　清明幾度披芳草，餘蘭麝，在重泉。三聲寄與峽中猿。向冷月，任哀酸。

又《青玉案・題王蒲衣〈無題百詠〉》，大概作於康熙二十年王隼歸粵之後。

> 琅琊大道風流在。苦春思、如煙海。筆似辛夷初發蕾。玉臺神麗，香奩幽豔，珍爾芳年待。　大珠孕就三千琲。一一脣邊少人採。不嫁朱顏光更倍。繞庭鸑鷟，滿身芳芷，生妒勞眞宰。

又《摸魚兒・柬友》，作於晚年，詞中意氣充沛，可見屈大均雄心未老。

> 送春帆、聖湖歸好，苦寒欲君駐。消魂一路多煙草，

況復亂絲風絮。誰爲主。葭莢際、雕胡但向漁人取。流鶯
未老。且花臥浮丘，月吟香瀨。嬉爾小兒女。　王孫志，
一劍縱橫未許。屠沽休説欺汝。江山一任無人管，自有幾
雙鷗鷺。君莫去。還就我、扶胥北岸題詩處。低斟桂露。
待蘭畹編成，玉杯書畢，始問庾關路。

又《金菊對芙蓉・本意》，作於晚年。

　香沁疏籬，菊英誰伴，芙蓉千瓣含煙。與鵝黃相映，
弄粉爭妍。朱顏一日能三醉，向白衣、笑更嫣然。九華佳
色，玉杯共泛，不覺忘天。　折取插鬢翩翩。向酒家亂
擲，勝似金錢。與新辭芳豔，分付嬋娟。長紅小白同低唱，
更一朵、當錦雙纏。拒霜辛苦，因公晚景，一倍相憐。

又《念奴嬌・荷葉》，不知作年。

　穿波初葉，似錢時、已有明珠無數。紅白難知那一種，
解爲佳人先吐。白鷺東西，紫鴛南北，爭戲田田處。香羅
全展，摘裁裙子應許。　記得西子湖邊，冰蟾已上，猶
唱菱歌去。欲取絲絲纏玉臂，那管芙蓉無主。斜倚冰盤，
靜搖風佩，誰戲蓮心苦。團圓須盡，冷颸容易侵汝。

又《明月逐人來・芙蓉影》，不知作年。

　流光如水。芙蓉初洗。玲瓏影、鏡中誰似。露華沾濕，
多半寒相倚。甚處窺他新蕊。　吹滿紅陰，生怕梧桐亂
爾。蕭疏處、螢穿未已。素颸偏早，催拒秋霜始。乍褪殷
勤結子。

又《賀聖朝・燭花莫剪隨開落》，不知作年。

　燭花莫剪隨開落。況同心梅萼。雙心花大，一心花小，
盡卿斟酌。　霜風不使穿簾幕，怕芙蓉莖弱。知他多事，
更將膏火，多澆春腳。

又《惜秋華・木芙蓉》，不知作年。

　莫拒秋霜，任重臺獨辦，紅衣都染。乍得露華，新妝
更添嬌豔。凌晨已作酡顏，醉滴滴、天漿未厭。堪念。念

芙蓉製裳，湘累得占。 朵朵暮還斂。待明朝醒解，把
薄脂重點。恨水淺。照不徹、鏡雲微掩。何人見爾關情，
折數枝、寄來相賺。那敢。怕駑鴦、露棲葭菼。

從這些詞引用的香草嘉木物象，以及表現的志向、情感而言，可
以歸納出以下幾點值得注意：

（一）就屈大均詞中使用香草嘉木的種類而言，屈大均喜歡寫「芙
蓉」，而且多寫其「製裳」「裁裙」之類。如《念奴嬌・荷葉》、《金菊
對芙蓉・本意》、《惜秋華・木芙蓉》等幾首詞。屈原《離騷》說：「製
芰荷以爲衣兮，集芙蓉以爲裳。」王逸《楚辭章句》說：「言己進不
見納，猶復裁製芰荷，集合芙蓉，以爲衣裳，被服愈潔，修善益明。」
〔註4〕屈大均詞中大量出現「芙蓉」，可見其修潔益明之意。屈大均寫
芙蓉象徵高潔的情操，本體與喻體往往合一，寫自己的艱難處境和不
屈的人格，體現更爲高超的藝術技巧。如《明月逐人來・芙蓉影》中
寫「素颷偏早，催拒秋霜始」，《賀聖朝・燭花莫剪隨開落》中寫「霜
風不使穿簾幕，怕芙蓉莖弱」。在高壓的政治環境下，屈大均的遭逢
恰如芙蓉受霜風摧殘，巧妙地抒寫了自己的高潔志向和堅貞不屈的品
質。另外，屈大均還多次用到蘭、蕙兩種香草。一箭多花叫做蕙，一
箭一花叫做蘭。屈大均《廣東新語》曾說：「《離騷》香草，皆服御恒
珍，而尤以蘭爲貴。」屈大均詞中出現蘭的次數相當多。他又說：「言
蘭必兼言蕙」〔註5〕，所以他詞中有曰「蘭魂蕙魄」之類，取「芳菲
菲其彌章」之意。至於菊、芷、松之類香草嘉木，皆可知屈大均「好
修以爲常」的節操和追求。

（二）就屈大均詞中使用香草物象的年代而言，這些詞基本上都
是作於康熙年間。據目前屈大均所存詞，可確考創作起始時間在順治
十五年左右，當時屈大均二十九歲，逾嶺北遊，於京師作《多麗・春

〔註4〕 屈原撰，王逸章句，洪興祖補注，《楚辭補注》，第17頁。
〔註5〕 屈大均撰，《蘭》，《廣東新語》，《屈大均全集》第四冊，第638
頁。

日燕京所見》。這首詞編於《騷屑詞》前列，且詞中對燕京種種景象
還頗感新奇，推知當爲初到燕京時所作。到了康熙年間，對於屈大均
等遺民來說，一方面他們自己要面臨很多誘惑，在仕隱之間，不得不
作出很多艱難的抉擇；另一方面，在家族社會中，他們後代子孫的功
名前途，也不得不進行權衡。儘管如此，屈大均反清態度較爲堅決。
康熙十三年，吳三桂起兵反清，屈大均也參與謀劃，他有詞《瀟湘神‧
零陵作》始以香草自比高潔。屈大均後來離開叛軍，隱居鄉野。到了
康熙十七年，清廷舉鴻詞博學科，招納遺老故耆，他多年好友朱彝尊
應徵投往京師，屈大均雖也受到徵召，但終以盡孝爲由而拒之。這段
時期，屈大均拒絕出仕，有《燕歸梁‧不是棠梨即杜鵑》等詞，寫自
己「披芳草」以示清潔的志向。屈大均在康熙三十五年去世，晚年雖
時常與清廷官員交往，也寫了不少賀詞、壽詞，但終其一生，並沒有
出仕清廷，他晚年詞中仍出現有香草物象，可以看出他一生奉行的「志
潔而不可涴，行芳而不可躋」〔註6〕的追求。同時，還可以注意到，
屈大均詞中提及的香草嘉木，多是生長在秋季。如幽蘭、秋菊等，還
有夏季的荷，也是在秋風之中，艱難「拒霜」，他還有很多寫落花的
詞，如《攤破浣溪沙》、《一落索‧落花》等詞，皆是秋季凋零的景象。
唐宋詞人都樂於寫春花開愁，但這類題材卻難在屈大均詞中尋得蹤
迹。宋玉曾說：「悲哉！秋之爲氣也」，這是靈心善感的詞人感受到的
末世蒼涼，屈大均詞中到處皆是秋季的香草嘉木，可見他當時抗爭的
艱難和悲苦的處境。他詞中大量採用這類題材內容而形成的風格特
徵，與唐宋詞的側豔風格迥然各異。

（三）就屈大均詞中使用的香草意象的喻體而言，香草意象不僅
用於比附屈大均本人，而且還用之形容其妻妾和朋友。屈大均的妻子
王華姜爲忠烈之後，琴棋書畫、騎馬習射無所不通。屈大均北遊秦地
得此良緣，兩人恩愛甚篤。但因王華姜不習南方水土，加之顛簸流浪

〔註6〕 黃廷璋撰，《翁山詩外序》，《屈大均全集》第一冊，第1頁。

的艱苦生活，年二十五歲即因病去逝。這給屈大均帶來極大痛苦。他的《繼室王氏孺人行略》、《王氏華姜墓誌銘》以及一些悼念詩詞，字字血淚，哀悼極甚。如《人月圓・秋蟾光滿雲中塞》中說「無因相逐，蘭魂蕙魄，同向泉臺」，尤見淒苦。「蘭魂蕙魄」，即是自己與華姜，以「蘭」「蕙」比之，是對屈大均自己的人格追求以及其妻品行的稱美。屈大均的繼室黎氏，也是英年早逝，他在詞中曰「蕙草先摧」，以「蕙草」比之，即是對黎氏品行的高度讚賞。屈大均在《繼室黎氏孺人行略》中詳述黎氏一生行迹，將其擬爲閨中性命之友〔註7〕，兩人於患難之際，相濡以沫、同甘共苦。屈大均還用香草異禽物象來讚賞朋友的高潔品行。屈大均在《青玉案・題王蒲衣〈無題百詠〉》詞中讚賞王隼「繞庭鸞鶴，滿身蘭芷，生妒勞眞宰」。王隼，字蒲衣，番禺人，棄家爲僧，居廬山太乙峰，四十後始歸粵，有清潔之志，終身未仕，可見屈大均此句也非泛泛贈頌之辭。劉獻廷曾說：「古人所佩，大抵皆玉，蓋取玉之堅貞潤澤，以表其內德也。然玉止能守己，不能及物，故又於聲色臭味中取其香者以爲之佩，蓋美色、美聲亦俱能美己；不能及物，惟香非特美在於己，並可以薰不香之物變而爲香。當屈子立志之日，豈爲獨善一身、只完一己之事而已哉！直欲使香澤遍薰天下，與天下之人，共處於芝蘭之室也。」〔註8〕屈大均詞中的香草，非言一己之善，涉及其妻妾朋友，芳香與人氣交感，可謂正得屈原的香草之意。

通過以上分析，我們知道屈大均在詞中有意識地運用香草手法抒寫高潔的志向和崇高的人格精神，一定程度上體現尙用的詞學觀念。當然，屈大均詞中香草手法的運用也有不夠嫻熟之處，個別詞中的香草物象只是孤立的擺放和簡單的套用，未能點石成金、鎔鑄成家。如

〔註7〕 屈大均撰，《繼室黎氏孺人行略》，《屈大均全集》第三冊，第118頁。

〔註8〕 劉獻廷撰，《離騷經講錄》，遊國恩纂義，《離騷纂義》，北京：中華書局，1980年，第33頁。

《摸魚兒‧柬友》「待蘭畹編成」之類。總之，屈大均的這些運用「香草」手法的詞，在創作上堅持言志抒情的詩學傳統，脫離了明詞淺俗、流鄙之低下趣味，體現了以騷辭爲祖述的特點。但還有部分詞在藝術技法上還顯得生硬而不夠融通，有待他進一步的自我調整和提高，才能達到不用楚騷之語，而時得楚騷之意的藝術境界。

二、屈大均詞中的美人託諷與現實追求

詞本是一種多以女子生活爲題材的文體。屈大均詞也不例外，但他多是運用美人託諷手法，表達對現實社會的關注和積極的人生追求。這種作詞態度和方法的選擇，深受《楚辭》美人手法的影響。《楚辭》中美人託諷的闡釋，始自王逸注《楚辭》，並對後世詞的創作和批評產生深遠影響。如隨著閨情詞創作實踐的深入以及時代因素的影響，閨情詞往往改變最初只純粹著眼於感官賞玩的傾向，高潔的愛情甚至士人的抱負都與其渾融一體，情感內涵更爲豐富。

關於閨情詞中美人託諷問題，以張惠言對美人託諷的闡釋爲例，可知美人託諷在詞學批判中之運用。張惠言有《詞選》一編，批評溫庭筠、歐陽修等人的《菩薩蠻》、《蝶戀花》等閨情詞，皆以「感士不遇」、「哲王又不寤」之類託諷說法去解釋。這種解釋往往深文周納、穿鑿附會，難免有「矯枉過正」之譏〔註9〕，但是從常州詞派的發展盛況來看，可知美人託諷手法對詞創作影響之巨。很顯然，張惠言以爲詞近之於「比興變風之義」、「騷人之歌」，以《風》、《騷》精神作爲詞創作的典範，而美人託諷的闡釋正是作爲這種觀點的理論支撐。在清代詞壇，張惠言這種理論雖不甚周全，卻對浙西末流有矯弊之功。

同張惠言對美人閨情詞的認識一樣，屈大均對這些詞的認識也是基於《風》、《騷》觀念，主張詞中應包含有對現實的積極關注，蘊含有作者的現實追求，使詞具有批判現實、指導現實的實用特點。具體

〔註9〕 陳廷焯撰，《白雨齋詞話自序》，唐圭璋編，《詞話叢編》，第 3750 頁。

而言，可從屈大均詞對美人託諷手法的運用技巧以及寄託的現實追求中去討論。

　　屈大均詞中寫到美人戀情方面的詞甚多，其中某些詞是否運用美人手法也難確切界定，此就他較明顯寄託有現實追求的部分詞，大概分為兩類，舉例並論述之。

　　第一類，屈大均的關於「湘妃」和「神女」為詠寫題材的詞。有以下這些詞，大概作於康熙十三年。如《湘春夜月》：

　　　　又黃昏。夕陽斜映湘陰。可惜一片江聲，都瀉作愁心。欲抱月光同臥，奈月光如雪，不暖香衾。怕素娥笑客，殷勤玉指，起弄鳴琴。　　楓林瑟瑟，螢吹鬼火，葉助猿吟。早掩船窗，休更作、楚王迷惑，神女荒淫。雲朝雨暮，斷人魂、終古情深。恨宋玉託微辭諷諫，風華寂寞，誰與知音。

　　又《瀟湘神‧零陵作》三首：

　　　　瀟水長，湘水流。三閭愁接二妃愁。瀟碧湘藍雖兩色，鴛鴦總作一天秋。

　　　　瀟水長，湘水長。三湘最苦是瀟湘。無限淚痕斑竹上，幽蘭更作二妃香。

　　　　瀟水深，湘水深。雙雙流出逐臣心。瀟水不如湘水好，將愁送去洞庭陰。

　　又《瀟湘神》：

　　　　斑竹叢，斑竹叢。淚花成暈綠重重。葉葉枝枝因帝子，聲含瑤瑟怨秋風。

　　還有一些相關詞作，大概作於康熙十八年。如《賀聖朝》：

　　　　巫山一望堪愁絕。況蒼蒼煙月。三聲猿嘯，一聲流淚，兩聲流血。　　瞿塘才上，那知白髮，已皚皚如雪。多因神女，氤氳香雨，無端相接。

　　又《傳言玉女‧巫峽》：

棹下瞿塘，忽見滿天蒼翠。玉姬纖手，疊煙螺十二。魂夢未冷，作雨今還香膩。君臣非惑，仙靈多媚。　　二暮三朝，已黃牛、又白帝。卻看娟妙，若明霞水際。胭脂水傾，半染楚妃衣袂。香溪微飲，使人如醉。

又《巫山一段雲》：

片片瑤姬影，飛來最有情。朝朝暮暮不分明。愁與夢魂凝。　　雲濕疑行雨，峰開似列屏。鬢鬟染得一天青。一朵一仙靈。

還有一些作年難考的詞作，如《一落索》：

不分柳煙花雨。暗將春去。歌慵笑懶向花朝，恁得似、鶯多語。　　最恨匆匆神女。彩雲無主。巫峰十二已迷人，更一片、香含霧。

又《歸去來‧詠雨山中》：

生怕春眉人見。無物為紈扇。煙雨濛濛教遮面。天風外，似花顫。　　十二峰俄變。笑神女、楚襄空薦。風流但使詞人羨。荒淫好，諷中勸。

又《一落索‧落花》：

消受春光無幾。流鶯催爾。無端開落太匆匆，枉去爭紅紫。　　苦被東皇驅使。夢中相似。行雲行雨總無情，教宋玉、空悲淚。

關於「湘妃」的歌詠吟歎，其源當在《楚辭》。當初，屈原為世俗不容，憂愁憤懣，渡沅、湘而南征，向舜帝陳述心迹。舜崩於蒼梧山，在楚國邊境，後有關於湘妃的傳說。屈原《九歌》中的《湘君》、《湘夫人》，以其男女難以遇合的惆悵貫穿始終，蘊含「時不可驟得」、「孰離合之可為」的無奈。關於「神女」的傳說，始於宋玉的《高唐》、《神女》二賦。此二賦雖未被收入《楚辭》，但是其作者宋玉，明顯模倣《湘君》、《湘夫人》等辭賦，寫人神相遇而未合、纏綿悱惻之情思以及最後歸於惆悵無奈之感觸。所以，「神女」之傳說，其文化內涵與湘妃的文化內涵大體相似。對於古代士大夫來說，這種情感很容

易就聯想到君臣之間的離合，所謂「巫山神女湘君似，好色都於諷諫宜」，「湘妃」之對於重華、神女之對於楚襄王，本身就含有君臣離合的暗示。聯繫屈大均當時的處境，關於「忠君愛國」的重大情感，就易與他所作的詞相結合，使詞的思想內容顯得更為厚重、情感內涵更為豐富。

　　從上述詞中可以注意到，可以確定創作時間的詞，主要集中在兩個時間段。如《瀟春夜月》、《瀟湘神》等詞，大概作於康熙十三年。在康熙十二年十一月，吳三桂殺雲南巡撫朱國治，以反清復明為口號，以蓄髮復衣冠號召天下。屈大均立刻響應，是年自粵北入湘從軍。《湘春夜月》即是康熙十三年春，於湘江上即景所作，而《瀟湘神》中有「秋風」一詞，可知作於是年秋季。屈大均一生之中，惟有此年由春季至秋季待在湖南。後來，屈大均即赴桂林為監軍，康熙十五年春回粵，直至康熙十八年可能再次避禍而入湘。關於屈大均投靠吳三桂，似乎出於常理之外，但又在常理之中，尚需附帶說明。所謂常理之外，因吳三桂為弒君之賊，明脈因之而斷，於屈大均當有弒君之仇，此為不當投效之絕對理由；而所謂常理之中，因屈大均一生為復明而奔波，凡反清之事業都樂意參與其中，而且當時政治鬥爭形勢非常複雜，文人身處其中，往往也感到無所適從，如李成棟、金聲垣、吳三桂等軍閥，皆有叛明又反正之舉，屈大均惟以反清為終極目標，投靠吳三桂亦是可以理解之舉動。在這樣的看似矛盾又不矛盾的思想指導下，屈大均在《湘春夜月》中說「恨宋玉，託微辭諷諫，風華寂寞，誰與知音」，《瀟湘神》中說「葉葉枝枝因帝子」，可知他當時複雜而矛盾的心態。還有《瀟湘神·零陵作》中說「鴛鴦總作一天秋」，「將愁送去洞庭陰」等句子，可以推測，當時吳三桂反清，屈大均見復明希望尚存，詞中尚有「鴛鴦」、「送去」之語，他對於理想之事業尚未徹底絕望。

　　屈大均還有《賀聖朝》、《傳言玉女·巫峽》、《巫山一段雲》三首記遊三峽的詞，可以確定的創作年代是康熙十八年。陳永正《屈大均

詩詞編年箋校》將其疑爲康熙十八年避地漢陽時入峽而作。提供的證據是其《詠懷》詩中有「我昔觀魚復，八陣如星陳」之語。今觀《四庫禁燬書叢刊》所收有屈大均詞的康熙年間李肇元等刻本，以及康熙年間淩鳳翔補修本，除了李肇元刻本沒有收《傳言玉女·巫峽》外，這幾首詞的順序大概一致。屈大均詩詞集中的作品多數順序混亂，但是也有部分同時期的詞列在相近位置，其中仍有規律可循。上述兩個刻本皆爲康熙年間補修本，比較接近屈大均自定本，所以值得參考。關於《賀聖朝》、《傳言玉女·巫峽》、《巫山一段雲》三首詞的創作年代，還可根據相關詞作的編排順序大概確定爲康熙十八年。因根據兩個康熙刻本，可以注意到有一首也是在三峽記遊時寫的《燕歸梁》一詞，這首詞都編在前述三首詞後面不遠的位置，且這首詞寫的是悼亡人，詞意辛酸。康熙十八年屈大均避地漢陽期間，王華姜之媵陳氏苦毒熱，病劇而死。屈大均在《燕歸梁》中悼念之，可證在遊三峽期間發生了此事，而此年正是康熙十八年。由此推知，這三首詞可以暫定爲作於康熙十八年。

這幾首詞創作年份清楚後，就容易理解屈大均此時遭遇及作詞的心境了。康熙十八年屈大均避地漢陽，純是因爲陳恭尹被逮，而自己爲吳三桂監軍兩年，比之於陳恭尹，得罪情節更重，不得不走避之。屈大均在桂監軍期間，識得吳三桂有僭越之心，料其必敗，加之這次投軍本有其不合常理之處，所以屈大均毅然辭退歸鄉。此次避地漢陽，實在是迫不得已。他再遊三峽，心境已不同於康熙十三年投軍之初。對於屈大均來說，一方面，此時復明希望已經徹底破滅，另一方面又對明室念念不忘，所以其詞中有「愁絕」、「兩聲流血」之類詞語，又有「無端相接」、「君臣非惑」之類託寄之語，可見他當時的心境如是。至於還有三首年代未定的詞，皆寫有神女行雨之類，語調甚爲哀戚，如「無主」、「空薦」、「空悲淚」等詞語，很可能是作於晚年。

屈大均這些寫「湘妃」、「神女」的詞，皆不自覺地融入了現實生活中的體驗和感受，寄託有對理想抱負之執著和追求，抒發的情感頗

爲厚重。他有詩說：「姑射僊人不降生，茫茫天下皆臣妾。」〔註10〕
他所忠誠的明室政權，恰如姑射僊人之類，遇合無期，渺不可求，而
普天之下的忠義之士，皆爲臣妾。屈大均志在經世，其詞借寫「湘妃」、
「神女」之類，寄託君臣離合之情，與《楚辭》中寫君臣之大義宗旨
一致。而且，這類詞的藝術水準明顯比運用「香草」手法的那類詞更
高超，表現的現實追求與詞體特徵渾融無間，情辭兼勝，無刻露之痕。
不過，由於這類題材的詞往往受創作的地點、時間、情境之類限制較
大，在數量上難以形成規模，也就難以成爲一種可以普遍受到推廣的
詞風。

　　第二類，屈大均詞中所戀之人沒有確指爲誰，但又借美人閨情寄
託身世之感。這些詞大都作年難考，而且數量很多。此處擇選其中藝
術水準較佳的數首如下。

　　如《浣溪沙‧杜鵑》：

　　　　　血灑春山盡作花。花殘人影未還家。聲聲只是爲天涯。
　　有限朱樓當鳳闕，無窮青塚在龍沙。催歸不得恨琵琶。

　　又《鵲踏枝》：

　　　　　乍似榆錢飛片片。濕盡花煙，淚珠無人見。江水添將
　　愁更滿。茫茫直與長天遠。　　已過清明風未轉。妾處春
　　寒，郎處春應暖。枉作金爐朱火斷。水沈多日無香篆。

　　又《惜分飛》：

　　　　　事到傷心無可訴。花落從他滿路。此恨非風雨。東皇
　　自是難爲主。　　片片隨波無一語。化作浮萍自取。應識
　　相思處。莫將香夢東西去。

　　又《荷葉杯》：

　　　　　紫燕雙雙飛去。何處。憑爾寄相思。無書只有一紅絲。
　　紅是口邊脂。　　郎問玉顏消否。如舊。獨宿繡房深。

〔註10〕　屈大均撰，《讀丈人師武夷遺草因懷武夷虎嘯洞諸勝》，《屈大均
　　　　全集》第一冊，第138頁。

又《虞美人影・斷腸何必萋萋草》：

斷腸何必萋萋草。一片落花堪老。試問郎邊嬌鳥。啼得春多少。　　垂楊不把愁心掃。攀折畫樓難到。欲取相思燒了。紅豆憐他小。

又《南歌子・珠淚成紅豆》：

珠淚成紅豆，香心作彩雲。更用好花薰。倩誰遙寄去，桂林君。

又《五張機》：

五張機。千絲萬縷是相思。春暖春寒郎不念。任教紅淚，染成桃瓣，點點污冰姿。

又《一落索》：

杜宇催春從汝。更催人去。人留即是好春留，更一任、風和雨。　　怕見遊絲飛絮。爲伊無主。落花爭似淚花紅，只滴在、分襟處。

又《夢江南》六首：

悲落葉，落葉落當春。歲歲葉飛還有葉，年年人去更無人。紅帶淚痕新。

悲落葉，葉落絕歸期。縱使歸來花滿樹，新枝不是舊時枝。且逐流水遲。

相別久，空與夢兒新。已恨花房雙燕燕，還憎竹簟一人人。有淚濕紅巾。

清淚好，點點似珠勻。蛺蝶情多元鳳子，鴛鴦恩重是花神。怎得不相親。

愁脈脈。最是暮春初。有夢花中爲蛺蝶，無情月裏作蟾蜍。不寄數行書。

紅茉莉，穿作一花梳。絲縷抽殘蝴蝶繭，釵頭立盡鳳凰雛。懸憶故人姝。

又《惜雙雙令》：

蝶去蜂來如有語。愁脈脈、無心聽汝。血淚多如許。亂飛紅豆如紅雨。　龕中定長相思樹。誰擊碎、珊瑚無數。欲把千絲縷。盡穿試遣鶯銜去。

又《點絳唇》兩首：

分付東風，卷愁西向秦天去。竈頭香乳。舊解貂衣處。那日花開，持取歌金縷。鞍難駐。淚和紅雨。半濕關門樹。

看殺花山，翠眉何必長如許。黛邊煙雨。莫使人描取。掩映高樓，花缺偏窺汝。斑枝樹。令栽無數。遮盡芙蓉路。

又《蝶戀花・春情》：

似雨如晴春乍暖。漠漠輕煙，未肯含愁淺。悵望不知人已遠。踏紅似向花間轉。　亂落杜鵑餘幾片。付與遊絲，莫被風吹斷。紫燕銜香知有怨。怨他情與東君短。

屈大均還有很多這樣類似的閨情詞。如《浣溪沙・心似芭蕉抽未已》、《夢江南・紅茉莉》、《明月棹孤舟・恁似桃花容易醉》、《唐多令・魂夢滿江飛》、《霜天曉角・翠樓明月》、《楊柳枝・郎處不須紅豆子》、《清平樂・楊花未作浮萍》、《阮郎歸・琴不弄》等等，因篇幅所限，不再一一列舉。這些閨情春意的詞，創作年代大多未定，所喻之人也不明晰，或許根本就沒有「本事」。當屈大均提筆寫詞之時，考慮到詞家體例，不加入豔情則不能稱作詞。沈義父《樂府指迷》曾言，不作豔語，不成詞家體例〔註11〕。但是，後世很多詞家寫豔情詞，根本就不為寫豔事，而別有寄託。朱彝尊曾說：「老去填詞，一半是空中傳很，何曾圍、燕釵蟬鬢。」〔註12〕所謂「空中傳恨」，就是指別有懷抱了。所以，屈大均在寫這些閨情詞之時，心中有「恨」，自然會不自覺地融入到詞之中。但是，在解讀詞意過程中，萬不能泥。的確，把所有的閨情詞都以美人託諷、君臣大義去解釋，明顯是不恰當的。

明末清初時期，屈大均也注意到詩詞中美人託諷問題，現根據

〔註11〕　沈義父撰，《樂府指迷》，唐圭璋編，《詞話叢編》，第 281 頁。
〔註12〕　朱彝尊撰，《解佩令・自題詞集》，《曝書亭集》，第 312 頁。

他相關論述以及詞意的分析，力求接近他的創作初衷，探討在運用美人託諷手法中的具體情況。在文學創作中，屈大均對寫男女之情以表忠貞之志，有非常深刻的認識。他爲王隼作《無題百詠序》說道：

> 王子蒲衣深於三百篇者，其《無題》七言律百章，予以爲絕麗，麗而不越乎其則，所言不過男女，而忠君愛國之思，溢乎篇外，殆吾黨詩之可傳者也。吾觀《詩》與《易》相爲男女，所言多半男女。蓋男女之道，可以無所不通，明乎男女之道，而《易》與《詩》之精微皆得之矣。予嘗欲著一書，以《易》爲經，以《詩》爲緯，不以《易》傳《易》，而以《詩》傳《易》，合二經爲一，以男女之道貫通之，蓋以天地之大，亦男女而已耳。愚夫、愚婦之心，即日月之所以麗天者，故《易》言《離》麗，即繼以《咸》，《咸》者，感也。天地以日月而感，人以夫婦而感，感得其正而化醇，化生之妙至焉。五倫之間，父子兄弟而外，無不可以夫婦言者，其道蓋本之日月。莊姜不見答於莊公，輒呼日月而訴之，一則曰：「日居月諸，照臨下土」；再則曰：「日居月諸，下土是冒」；三則曰：「日居月諸，出自東方」；四則曰：「日居月諸，東方自出。」《柏舟》之婦則曰：「日居月諸，胡迭而微？」此皆賢婦不得於其夫之所爲辭也。嗟夫，日月者，一大男女而已耳。日月之麗以相交，男女之麗以相合，不得不可以爲麗，於是而哀怨之情生焉。蒲衣隱居不嫁，猶月之未嘗受日之光以爲光，而以陰道自處者也。《洛神》之篇有云：『雖潛處於太陰，長寄心於君王。』嗚呼，此蒲衣之所以爲情者與？又曰：『動朱唇以徐言，陳交接之大綱，恨人神之道殊，怨盛年之莫當。』嗚呼，此蒲衣之所以爲禮義者與。」〔註13〕

此則材料是屈大均爲王隼《無題百詠》所作之序，可以視爲他自

〔註13〕 屈大均撰，《無題百詠序》，《屈大均全集》第三冊，第71頁。

己的文學觀點。可值注意者有三：（一）「所言不過男女，而忠君愛國之思，溢乎篇外，殆吾黨詩之可傳者也」，這一句爲本段文字之綱領，是屈大均對文學創作中男女託諷手法的根本認識；（二）用《詩》、《易》等經典言男女之事，爲以男女之情託諷忠君愛國之思張本。以《易》與《詩》、男與女、日與月相互貫通之，則知男女之道，無所不通，而對於男女託諷手法，屈大均認爲根源於經典，更具存在之合理性；（三）屈大均以曹植《洛神賦》中語句闡釋詩中的「情」與「禮義」，是對於男女託諷手法最終向文學創作的回歸。《洛神賦》以男女託諷君臣，渾融無間，無刻露之迹。屈大均對美人託諷手法的認識，也是追求在有無之間，渾然無隔的境界。

　　根據上面所列詞，可以看出，如《踏枝鵲》、《南歌子》等詞，特別明顯地以男女託諷君臣。《踏枝鵲》寫閨情愁思，提到「朱火斷」，《南歌子》在詞尾甚至直言「桂林君」。屈大均忠於明室，於詩詞中時常有隱射，比如《無題百詠》中論「道」本諸日月之類，日月合而爲「明」，不能不說應有暗指。屈大均這兩首閨情詞一曰「朱火斷」，一曰「桂林君」，也應有所隱射。屈大均生活之世，南明朱氏王朝風雨飄搖，朝不保夕，偏居桂林一隅而命垂一線、難乎爲繼。又如《浣溪沙·杜鵑》，寫「杜鵑」本就有望帝傳說的文化內涵，又說「鳳闕」、「龍沙」、「催歸」等詞語，看似在寫朱樓閨意，實是表達對朱氏王朝的無限思戀。與此類似的詞，還有《一落索》，其中說「杜宇催春」、「更一任、風和雨」、「爲伊無主」等詞語，如此淒苦，不似僅言男女私情。屈大均在詞中表達對逝去王朝的依戀，因閨情詞本就是以相思爲主調，所以，關涉君臣之義的重大情感，很好地融入到閨情詞之中。還有一些詞如《荷葉杯》、《虞美人影》等，不直言相思，相思之情卻貫注其中，把君臣離合之義表達得相對含蓄。又如《夢江南》六首詞，藝術水準尤高，常爲人稱道。如其中第二首末「且逐流水遲」五字，況周頤《蕙風詞話》卷五稱「含有無限淒婉，令人不忍尋味，卻又不容己於尋味。」因爲其中的情感非常豐富，所以才耐人尋味。這一組

《夢江南》詞，雖是短小，葉恭綽稱其「一字一淚」〔註14〕，況周頤稱其「可歌可泣」〔註15〕。皆是因為在這些詞句之中，不僅僅是寫戀情閨意，而且融入了家國之痛、身世之感。

屈大均的這類閨情詞，恰似騷辭的抑遏蔽掩而得《詩》、《書》之隱約，雖不能確定首首皆含君臣之義、家國之痛，但他對逝去王朝的依戀的情感，卻很可能不自覺地浸融湊泊其中。朱彝尊曾說：「善言詞者，假閨房兒女子之言，通於《離騷》、變《雅》之意。」〔註16〕屈大均的這些閨情詞，並非刻意表達家國、君臣之類情感，而是在創作中自然而然地融入這種感情。如《點絳唇》、《一落索·落花》等詞，就深刻體現這方面特點。陳子龍在《三子詩餘序》中說：「夫風騷之旨，皆本言情；言情之作，必託於閨襜之際。」〔註17〕他意在說明閨情詞與風騷之旨的內在理路是相通的。朱彝尊、陳子龍等人與屈大均一樣，同處於明末清初鼎革之際，對閨情詞皆以風騷之旨闡釋，與屈大均對詞的認識類似。當時的詞壇風氣普遍認可以閨情詞蘊涵君臣大義的創作原則，屈大均這些閨情詞有所寄託並非個別之現象。

當然，屈大均還有某些閨情詞也是寫男女相思之類，但根本沒有託諷的深意。如《醉紅妝·銅盤獸火熾香煤》、《醉春風·乍上嬉春騎》、《如夢令·一夕恩情似夢》、《虞美人·燈花並蒂紅藥似》、《臨江仙·前鏡那知儂影好》、《訴衷情·小妓》、《一斛珠·媚兒開袖》、《一斛珠·海棠絲短》等詞，完全類似於花間情調，純粹為豔情而寫豔情，明顯可以讀出沒有重大情感的摻入。所以，這些詞自當別作審視。

概言之，屈大均的很多閨情詞，寫男女離合、閨情相思之類，意志濃深，寄託有現實的體驗和感受，不同於唐宋詞中那些輕薄纖佻之

〔註14〕 葉恭綽編，《廣篋中詞》第一卷，家刻本，1935年。

〔註15〕 況周頤撰，《蕙風詞話》，唐圭璋編，《詞話叢編》，第4518頁。

〔註16〕 朱彝尊撰，《陳緯雲〈紅鹽詞〉序》，《曝書亭集》，第488頁。

〔註17〕 陳子龍撰，《三子詩餘序》，《安雅堂稿》，上海文獻叢書編委會編，《陳子龍文集》，上海：華東師範大學出版社，1988年，第54頁。

作。這些「好色而不淫」的閨情詞，寄託有君臣之大義，合於《風》、《騷》之旨，志氣運轉其中，一掃脂粉之氣，呈現忠厚纏綿、俳惻感傷的特色，體現了較高的藝術價值和審視現實的作用。明末清初，陳子龍、朱彝尊等人都有不少類似的詞，這似乎代表了清詞發展的正確方向。

　　屈大均爲光復明室而顛沛流離、歷盡艱苦。他在詩詞吟詠之中，託寄自己的人格精神和現實追求，他詞中的「香草美人」，就是這種內在情志的外化。他有《屢得朋友書箚感賦》說：「遂使三閭長有後，美人芳草滿禺陽。」〔註18〕屈大均三百多首詞，「香草美人」俯拾皆是，表現了他對志潔的堅持和對事業的執著。也就是說，他詞中的「香草美人」，既是寄託自己的情志，也是繼承屈原的精神，兩者二而一。這兩方面內容的融合，在屈大均詞中的體現，雖在個別地方技巧操作上存有不足，有待進一步調整和改進，但他的詞的總體傾向恰與清代詞壇發展的主流方向是一致的。

第二節　屈大均詞中抒寫的「哀郢」與「招魂」

　　明末清初，屈大均面對民族的屈辱、山河的破碎和民眾的苦難，出於救亡圖存的士人責任感，在詩詞中吶喊呼號，表現民族、社會以及個體的苦痛，抒寫時代的過失和瘡痍。他的詞不僅表現個人的理想精神，當貼近於社會現實的苦難生活時，還具有更爲憂憤深廣的時代內容，深刻體現詞審視、批判現實的功能。具體說來，有兩個方面內容。一方面，屈大均身處亂世，心懷故國，面對廢池喬木、荒草臺榭，多抒寫黍離麥秀之悲，表現時代之瘡疣，審視現實政治之過失。恰如楚頃襄王時期，楚人離開郢都，被迫東遷，屈原傷於郢都的荒蕪、楚人的流離，有《哀郢》一曲。另一方面，在殘酷的鬥爭中，還有很多

―――――――

〔註18〕 屈大均撰，《屢得朋友書箚感賦》，《屈大均全集》第二冊，第1349頁。

仁人志士，忠貞愛國，至死不渝。這些忠貞的亡魂，代表了時代之精
神，反映了社會之苦難，屈大均是非常崇敬的，也為之深沉哀悼，就
好比當年屈原投江殉國之後，宋玉有《招魂》之辭表達對屈原的深沉
哀思。

一、關於屈大均詞中的「哀郢曲」

國運之氣，至於衰敗將盡，於將變未變之際，最能浸染人心、催
人哀憫。屈原有《哀郢》一曲，其辭淒婉異常，既悲故都之荒蕪，又
感去終古之所居，他在《哀郢》中傾述的感傷情懷，還融入了自己的
人生體驗，如傷於主上蒙辱、楚人罹難、小人當道等等。這些複雜的
人生體驗和情感，皆融於黍離麥秀的家國情感之中。後世文人每逢此
境況之衰世，大多易於騷辭中尋得精神慰藉，以抒胸中不平之塊壘。
如南宋之季，世運飄轉，內憂外患。陸游有《哀郢》詩二首。

其一曰：

> 遠接商周祚最長，北盟齊晉勢爭強。
>
> 章華歌舞終蕭瑟，雲夢風煙舊莽蒼。
>
> 草合故宮惟雁起，盜穿荒冢有狐藏。
>
> 離騷未盡靈均恨，志士千秋淚滿裳。

其二曰：

> 荊州十月早梅春，徂歲真同下阪輪。
>
> 天地何心窮壯士，江湖從古著羈臣。
>
> 淋漓痛飲長亭暮，慷慨悲歌白髮新。
>
> 欲弔章華無處問，廢城霜露濕荊榛。 〔註19〕

在國家多事之秋，陸游追慕屈原，借哀郢之題，慷慨悲歌，述一
己之懷抱，甚為沉痛。屈大均生在亂離之世，難免也有「哀郢」之傷。

〔註19〕 陸遊撰，《哀郢》，錢仲聯校注，《劍南詩稿校注》，上海：上海古
籍出版社，1985 年，第 144～145 頁。

順治十五年，屈大均逾嶺北遊，順治十六年他住金陵靈谷寺期間，徐善有《寄屈五金陵》詩說：「傳說靈均裔，經秋尚未還。卜居那有地，縶馬定何山？五嶽朝群帝，孤舟下百蠻。遂令哀郢曲，流傳到人間。」〔註20〕這是對屈大均身世、經歷以及創作情況的簡單描述，這三者是緊密聯繫在一起的。當然，這裏提到的「哀郢曲」，是指其間屈大均的詩詞創作。待到康熙元年，屈大均南歸省母，還居沙亭。這年中秋宴集，陳子升有《喜翁山道人歸自遼陽》詩云：「芙蓉南浦開，開士玉關回。萬里遼城鶴，仍棲朝漢臺。久遊生古貌，相對出新裁。處處蘭荃意，楚魂吟自哀。」〔註21〕陳子升也是聯繫屈大均的經歷，描述他受屈原影響的精神氣質即「處處蘭荃意」，還有他「吟自哀」的創作情況。這其間屈大均近五年的遠遊，結識了不少豪傑之士，遊覽了很多荒臺遺址，還參加了不少反清謀劃，當然也創作有大量詩詞。上述兩詩評述屈大均創作情況時，或曰「哀郢曲」，或曰「楚魂吟自哀」，這是據他友人之眼光，大概而言，此次遠遊在詩詞創作上必有得《哀郢》之神韻者。屈大均詞的確有很多受祖述風氣影響的內容，這裏根據他遊歷地點順序，列舉他的詞中「哀郢曲」，並作簡單分析如下。

在京城，如《多麗·春日燕京所見》：

> 正春晴，畫鼓天街無數。玉河橋、杏花盡吐，八旗人至如雨。更通城、紫駝細犢、逐盤頭、蠕蠕公主。錦剪圓襟，珠圍纖袖，漢嬌蕃豔，對傾駝乳。御渠畔、暖風飄柳，一一作香絮。施貂帳，三弦四板，學唱金縷。　　又三里，豐臺芍藥，玉鞭鞭馬爭去。插雙雙、翠翎年少，並向啼鶯最多處。柘彈穿林，花鈿鋪地，爐頭都解女眞語。恨斜日、上林煙暝，蒼翠欲迷路。牛羊氣、吹滿鳳城，總作香土。

〔註20〕　徐善撰，《寄屈五金陵》，朱彝尊撰，《曝書亭集》，第48頁。

〔註21〕　陳子升撰，《喜翁山道人歸自遼陽》，《中洲草堂遺集》第九卷，《叢書集成續編》第 151 冊，臺北：新文豐出版公司，1989 年，第331 頁。

　　此詞大概作於順治十五年春屈大均初次入京時。他早期詞創作技法上或有不夠嫻熟之處，然其表露的思想情感亦是值得探討。詞作中用了大量語句描述春日燕京所見，可知屈大均實爲初次入京，對京城中滿漢交雜之風俗頗爲新奇。然而，屈大均心中的燕京畢竟還是朱家皇城，而此時卻又不得不與異族雜處，使得滿城吹滿「牛羊氣」，他能不爲之而「哀」？詞中下闋言「恨斜日、上林煙暝，蒼翠欲迷路」，這既是爲京城播遷而哀，也是爲帝子失路而恨。整首詞，雖多數語句寫京城的繁華美麗，但最後的「哀郢」情緒，還是比較明顯的。後來，他有詩說道：「因之萬里蓬萊飛，回首故都心斷絕。」〔註22〕在經歷人世滄桑之後，他回味以前經歷之時，想到如此境況，心境更爲痛苦。

　　在南京，如《戚氏・徐太傅園感舊》：

　　　　是清溪。一曲流水繞平堤。古木過城，亂花飄徑使人迷。淒淒。問蒿藜。東園不見暮煙低。當時玉輦曾駐，向此垂釣樂忘歸。錦鯉三尺，中涓爭買，重勞御手親提。愛張星墓左，南部妖麗，全勝雲西。　　榆柳尚有烏棲。清露咽咽，怕向白門啼。鍾山好，雪餘佳氣，掩映斜暉。逐花泥。咫尺舊院，芳畦脫寇，往日名齊。豔魂不散，總作流鶯，一半分與棠梨。　　太傅風流甚，池多畫舫，洞有飛梯。喜得君王麗曲，擧樓臺、一一乞留題。樂工老頓新翻，女眞雜調，亡國多淫靡。教內人、朝暮長流涕。將往事、思寫悲淒。奈禁林，朔馬方嘶。又彌望、氄悵繞青羝。更秦淮畔，殘紅片片，只覷香蹄。

　　此詞大概爲順治十六年春屈大均寓居南京期間所作。明太祖始建都於南京，兩百多年後，南明王朝也不得不始駐於此，但已是風雨飄搖之季了。屈大均不幸生逢此世，撫今思昔，哀之痛之。他寫「當時玉輦曾駐」的繁華情境，而今物是人非，只剩「榆柳尚有烏棲」。舊院芳畦，豔魂已去，只是化爲流鶯。徐氏舊院的榮衰變遷，

〔註22〕屈大均撰，《有所思》，《屈大均全集》第一冊，第 141 頁。

給屈大均心靈很大的衝擊。《禮記‧樂記》曰：「人心之動，物使之然。感於物而動，故形於聲。」屈大均遊徐達之舊園，「將往事、思寫悲淒」，感明室之傾覆，「感舊」實因「痛今」，與屈原《哀郢》之感昔日之痛、述今日之悲有異曲同工之處，可謂得《哀郢》怨悱幽眇之韻味。

在揚州，如《揚州慢》：

> 螢苑煙寒，雁池霜老，一秋懶弔隋宮。念梅花小嶺，
> 有碧血猶紅。自元老、金陵不救，六朝春色，都入回中。
> 剩無情、垂柳依依，猶弄東風。　　君臣一擲，蚤知他、
> 孤注江東。恨燕子新箋，牟尼舊合，歌曲難終。二十四橋
> 如葉，笳聲苦、卷去匆匆。問雷塘燐火，光含多少英雄。

這首詞大概作於順治十六年秋屈大均客遊揚州時。是年六月，鄭成功以舟師直抵南京，屈大均等遺民皆聚集於此意圖謀事，但鄭師旋即敗退，謀事諸人或死、或遣、或避。屈大均於此間頻繁往來於山陰、秀水、會稽等地。此《揚州慢》一詞，大概亦可定為避地揚州所作。明末清初的揚州，有十日之屠，可謂菹醢之地。屈大均等人謀事敗後，暫經此地，傷今痛往，他說「二十四橋如葉，笳聲苦、卷去匆匆」，化用姜夔詞句，聲調哀苦。屈大均弔隋宮實為弔南明王朝，詞中還有對阮大鋮等人的批判，他說「恨燕子新箋，牟尼舊合，歌曲難終」，又有對戰死英雄的哀悼，「問雷塘燐火，光含多少英雄」，感情都是非常沉痛的。此詞與屈原《哀郢》之曲一樣，傷宮城之荒蕪、恨宵小之誤國，深得《哀郢》之遺韻。

在杭州，如《風入松‧西湖春日》：

> 斷腸人在斷橋邊。橋斷幾時連。無端橋斷因腸斷，今
> 垂楊、千縷還牽。愁裏流霞難滿。夢中明月難圓。　　花
> 開花落總啼鵑。淚染六陵煙。冬青那為君王改，正清明、
> 蒼翠連天。多謝斜陽芳草，莫催客鬢年年。

此詞大概作於順治十八年春屈大均避地杭州時。鄭成功圍南京

之事敗後，清廷尙且搜羅甚烈，當時與謀事的義士即有殉難者。屈大均也不得不東躲西藏，反清復明之事業遭受重大的打擊。這首詞爲以上幾詞中最爲哀苦者，以春日樂景寫亡國哀情，直言「腸斷」、「流霞難滿」、「明月難圓」之類。詞中又說「總鵑啼」、「君王改」，屈大均哀君臣之播遷，痛功業之難成，這些都是與騷辭的情感共鳴之處。

屈大均還有很多作於不同時期的有《哀郢》遺旨的詞，此不再列舉。上述四詞都作於屈大均遊歷南北期間，比較集中地反映屈大均當時之悲涼心境和故國情感。這裏劃定時限範圍，選擇其中最得《哀郢》遺旨之詞，以說明屈大均詞與其先祖屈原以及楚騷之間的情感聯繫。中國古代王朝更替，凡有仁心者，生逢亂世，難免睹物傷情，皆有《哀郢》之傷。相似的歷史處境和時代氛圍，會形成相似的社會心理和創作傾向。有社會責任感的文人，如陸游等，不幸生逢亂世、身遭艱虞，難免會有與屈原同樣的情感體驗和創作取向。同樣，順康詞壇的漢族文人也不例外，亡國之恨、故國之思往往在憑弔遺迹、登臺攬勝之際得以抒發。「哀郢」之傷是清初詞壇常抒寫的主題。屈大均這幾首詞，不過是同類題材的詞中的滄海一粟。

更値得注意的是屈大均在詞中抒寫「哀郢」主題時的技術操作性問題。屈大均這幾首詞，並沒有刻意模倣屈原《哀郢》的痕迹，更沒有裁摘騷辭語句，而是由於發自內心的「哀故都之棄捐，宗社之丘墟，人民之離散」〔註23〕而不得不抒寫胸中鬱憤。因此，除了《多麗·春日燕京所見》的整體情感氛圍遊移而不夠連貫之外，其餘幾首皆體現較高的藝術水準。屈大均的上述四詞，分別作於北京、南京、揚州、杭州四地，而四地當時皆已淪爲外族所居，且目睹戰亂後之人煙蕭瑟、荒草盈野，實與屈原眼中之郢都又有何異？因爲他們共同之憂虞處境，不得已之感情，以及原初就建立起的精神聯繫，而形成相似的

〔註23〕 王夫之撰，《楚辭通釋》，上海：上海人民出版社，1975 年，第77 頁。

創作取向，無意之中與楚騷精神形成的偶合關係。屈大均詞的這種創作取向並不是由於個人刻意祖述騷辭而形成的，而是代表了清初士人社會普遍心理狀態，甚至由此預流了清初詞風的發展方向。

　　總之，同屈原一樣，屈大均詞中的「哀郢」之傷，來源於對國家氣運的敏銳感受和生死與共的責任感。世運如此，人何以堪！他一生輾轉飛蓬，遍覽江山如舊，而朝綱已改，能不搔首嗟歎、隕涕時衰？在他的詞中，可以體會到深沉的憂思和悲痛。即山鑄銅，煮海為鹽，他的詞因之而具有「哀郢」之韻味，得楚騷之意旨。而這種作詞的取向，正是清初詞風普遍的追求，體現清初詞壇普遍的精神狀態和審美趣味。

二、關於屈大均詞中的「招魂曲」

　　關於《招魂》一曲，古今爭議最多的是作者的問題。或曰屈原招之，或曰宋玉所招，聚訟紛紜，難有定議。屈大均對騷辭的認識，除來自於王逸章句外，餘皆摒而不觀。然而他對於《招魂》的理解，卻不囿於章句而時有新解。

關於「招魂」之祖的問題

　　屈大均有《讀莊子》一文，有說：「『嗟來桑戶』之歌，《招魂》之祖也。反其眞，則人而天也。」屈大均認為「《南華》、《離騷》二書，可合為一，《南華》天放，《離騷》人放，皆言之不得已者也。」〔註24〕可知屈大均對於騷辭的認識，是與對《莊子》的理解密切結合在一起的。「嗟來桑戶」之歌，出自於《莊子·大宗師》，有這樣一段文字：子桑戶、孟子反、子琴張，三人相與友，曰：「孰能相與於無相與，相與於無相為？孰能登天遊霧，撓挑無極；相忘以生，無所終窮？」三人相視而笑，莫逆於心，遂相與友。莫然有間，而子桑戶死，未葬。孔子聞之，使子貢往侍事焉。或編曲，或鼓琴，相和而歌曰：

〔註24〕　屈大均撰，《讀莊子》，《屈大均全集》第三冊，第179頁。

「嗟來桑戶乎！嗟來桑戶乎！而已反其真，而我猶爲人猗！」〔註25〕
《大宗師》一文所述，言人與自然渾一、生死無別，倡離形去智、忘
卻生死。此子桑戶、孟子反、子琴張三人，正是遊方之外者，與天地
爲一氣，故死生對他們來說，自是毫無分別。然他們所歌之「嗟來桑
戶」之曲，屈大均認爲是《招魂》之祖，可見屈大均對《招魂》一曲
之認識，從道家死生無別之角度認識，亦可謂一獨特之創見。另外，
《楚辭‧涉江》中有「接輿髡首兮，桑扈裸行。」王逸注曰：「桑扈，
隱士也。去衣裸裎，效夷狄也。」〔註26〕此桑扈亦爲彼子桑戶乎？這
也是難以確定的事實。屈大均此說似爲附會，其價值在於對《招魂》
之另一角度認識而已。

關於《招魂》是招生魂或亡魂的問題

屈大均是認同王逸關於大小招辭分別爲宋玉、景差所作的觀點
的，但是在爲屈原招生魂或亡魂問題上，他卻與王逸有完全不同的
看法。王逸認爲宋玉憐哀其師屈原「忠而斥棄，愁懣山澤，魂魄放
佚，厥命將落。故作《招魂》一曲。」顯然，王逸認爲宋玉招魂之
時，屈原尚未落命，所以是招生魂，希圖屈原能「復其精神，延其
年壽」〔註27〕。而這種說法到了屈大均這裏卻有了改變，他認爲「昔
楚大夫宋玉、景差以其師懷忠蹈義而死，各爲大小招辭以復其魂。」
〔註28〕這種說法顯然是爲屈原招亡魂。不知是屈大均對王逸章句的
誤讀，還是因他爲亡師招魂而有意改換說法，在生魂、亡魂問題上，
兩者意見確實相左，可知屈大均對騷辭之理解，故非步步緊隨前人，
而時有自己之新見。亦或當時戰事慘烈，國殤遍野，又怎能招得生

〔註25〕 莊子撰，郭慶藩集釋，《莊子集釋》，北京：中華書局，1961年，
第226頁。

〔註26〕 屈原撰，王逸章句，洪興祖撰，《楚辭補注》，第131頁。

〔註27〕 屈原撰，王逸章句，洪興祖撰，《楚辭補注》，第197頁。

〔註28〕 屈大均撰，《死事先業師贈兵部尚書陳嚴野先生哀辭》，《屈大均
全集》第三冊，第229頁。

魂？屈大均是根據現實比附而言，對騷辭進行重新闡釋。

關於「反招魂」的問題

何謂「反招魂」？據屈大均自述，他念昔楚大夫宋玉、景差以其師懷忠蹈義而死，各為大小招辭以復其魂。而翟義公門人亦為《平陵》、《松柏》之歌，以寫哀痛。他以陳邦彥先生之弟子，未能先死，則騷些之辭，淋漓嗚咽，應有以嗣音宋、景而慰先生之神靈焉。於是長歌當哭，為哀辭一篇，以為送魂之曲。不忍言招，以先生精爽有所歸也，亦曰《反招魂辭》〔註29〕。屈大均假借《招魂》之形式，為其先師作哀辭，不言「招魂」，故曰「反招魂」。《楚辭》中《招魂》一曲，王逸言「外陳四方之惡，內崇楚國之美」〔註30〕，故招還之。而屈大均卻不忍言招，才能使精爽有所歸，豈不異乎？大概屈大均生存之世，已非昔日之宗土，更難稱上「楚國之美」，故不言招魂，而言送之，使精魂遊於四方而或能得其所。

明乎上述三點，對於屈大均詞中言招魂者，理解自然更容易。但具體情況仍需具體分析，屈大均詞中言招魂者，有如下幾首，試將逐一分析之，以明作者作詞之用心。

如《金縷曲·舊院》：

> 淮水秦時水。接青溪、煙波九曲，影含蒼翠。一代紅顏曲中盡，猶記金陵四媺。有阿馬、班如堂裏。蘭草枝枝薰賦客，鳳凰毛、一半分沙喜。無數女，研箋紙。　歌樓舞榭今餘幾。只桃根、當年渡處，尚餘香膩。三摺畫橋依然在，踏斷長憂朔騎。又惹得、鴛鴦驚起。明月小姑來復往，鼓箜篌、楚調應相倚。魂飄渺，欲招爾。

此詞為屈大均在順治十六年左右作於南京，舊院即為當時妓家所居處。屈大均對「金陵四媺」等薄命女子的哀悼，實際上暗含對逝去

〔註29〕 屈大均撰，《死事先業師贈兵部尚書陳巖野先生哀辭》，同上，第229頁。
〔註30〕 屈原撰，王逸章句，洪興祖撰，《楚辭補注》，第197頁。

故國的痛惜。此詞末句所云「魂飄渺，欲招爾」，既可以說爲這些煙塵女子招魂，實際上何嘗不是爲金陵之繁榮往景而招魂呢？也可以說何嘗不是爲故國之逝去而招魂呢？不過魂已飄渺，故國茫茫，雖欲招爾，良不易也。

如《念奴嬌·潼關感舊》：

> 黃流嗚咽，與悲風、晝夜聲沈潼谷。天府徒然稱四塞，更有關門東束。未練全軍，中涓催戰，孤注無邊腹。閭鄉秋蚤，乍寒新鬼頻哭。　誰念司馬當年，魂招不返，與賊長相逐。麾下興平餘大將，難作長城河曲。朔騎頻來，秦弓未射，已把南朝覆。烏鳶饞汝，國殤今已無肉。

此詞爲屈大均在康熙四年左右作於潼關。詞中「魂招不返」的司馬，當指孫傳庭。崇禎十五年，孫傳庭任兵部侍郎，總督陝西。潼關一戰，壯烈殉國。呂履恒《潼關用崆峒原韻弔孫司馬》說：「中官賜劍來何疾，司馬麾戈去不還。」﹝註31﹞屈大均詞中「魂招不返」、「與賊長相逐」等語，既可知戰事之慘烈，表達對忠烈最崇高之敬意。

如《惜黃花慢·易水弔古》：

> 送送魂銷。正暮山淡淡，寒水蕭蕭。就車不顧，勸觴未酹，悲歌變羽，怒髮衝飆。素冠賓客紛流涕，白虹貫、斜日光搖。怕過橋。馬驚豫子，魚怪王僚。　夫人匕首橫腰。正撞鐘御殿，貢匣趨朝。大王環柱，美人鼓瑟，屏風奮越，衣斷單綃。未應豎子同生劫，漸離好、怎不相邀。況素要。毅魂費爾空招。

此詞爲屈大均於康熙六年途經易水而作。屈大均詞弔荊軻，慷慨有餘哀。據其他詩詞及其行蹤推測，屈大均初次北遊期間，似有刺秦之舉動。如此言之，他與荊軻聲氣相通，能不意氣慷慨？詞中言「毅魂費爾空招」，亦可見其必死之決心。

﹝註31﹞　呂履恒撰，《夢月岩詩集》，《四庫全書存目叢書》，集部，第261冊，濟南：齊魯書社，1987年，第148頁。

如《輪臺子‧粵秀山麓經故太僕霍公池館作》：

> 一片寒煙蔓草，忍再弔、沈淵太僕。閨人共赴漣漪，
> 不少佩環魚腹。佳兒佳婦嬉嬉，媵湘累總作蛟龍族。想忠
> 魂未遠，尚抱烏號林中哭。　　荒園咫尺朝臺，望龍馭、
> 水濱未復。恨江山、與金湯四塞，難歸青牘。但玉殿虛無，
> 翠旗反覆。化海思雲愁，杜鵑啼相續。莫招魂、持衣上屋。
> 想隨帝、被髮天門，哀訴身難贖。

此詞為屈大均晚年經粵秀山麓的霍公池館所作。太僕霍公即是明末死事大臣霍子衡。屈大均《皇明四朝成仁錄》有傳。南明隆武政權立，起霍子衡為太僕寺正卿，後廣州城破，慷慨殉國難。詞中云「莫招魂、持衣上屋。想隨帝、被髮天門，哀訴身難贖」，亦可知霍子衡之肝膽忠心也。

如《南樓令》：

> 無奈葉蕭蕭。未秋含素飆。染霜深、怎得紅消。碧樹
> 無端成錦樹，片片血，作花飄。　　寫恨滿空寥。斷魂何
> 處招。怎相思、難報瓊瑤。青女多情能醉汝，休落盡，為
> 南朝。

此詞作於何年無考。詞中寄寓亡國之思，所謂「斷魂何處招」，招帝之魂乎？招國之魂乎？皆不得而知；而這句「斷魂何處招」，亦是詞中感情最為沈痛處。

概言之，以上五詞皆言及「招魂」，向亡魂表達哀悼和崇敬之意。這自然不同於王逸所言宋玉為屈原招生魂之類說法。屈大均對「招魂」意象的運用，切近於自己所處現實的具體情況，是對《楚辭》相關題材的重新改造和發揮。以上五詞所言之「招魂」，皆未招回亡魂，或曰「魂招不返」，或曰「空招」，或曰「莫招魂」之類，此即所謂「反招魂」乎？當年屈原忠而見斥，憤懣山澤，魂魄放佚，厥命將落，故宋玉作《招魂》，以延其年壽。而《楚辭》中「招魂」的意義，在明末清初屈大均詞中，成為對忠烈的痛悼以及故國的哀思。雖此「招魂」

已非彼「招魂」，但屈原曾說：「雖體解吾猶未變兮，豈予心之可懲。」可知「招魂」之意義，就是形化而心有所堅守，這正是明清之際士人所追求的自由獨立的人格精神的基本內核。

屈大均這類詞深刻體現了審視和批判現實、抒情言志的實用傾向，成為具有戰鬥性和批判性的精神武器，詞風上因「招魂」這類題材內容的運用而呈現出特異的色彩。這種特異色彩之詞風，既不同於晚唐宋初的綺豔輕狹，又不是宋季姜夔、張炎的清空騷雅，而是在悲痛沉雄的抗爭基調中夾雜著無可奈何的末世悲涼。但「招魂」這類題材內容的玄妙怪奇而又沉鬱悲痛的濃烈色彩，運用到詞中是否恰當呢？而且屈大均詞體現了比較明顯的「無意不可入」的傾向，但終究要涉及到詞創作中技術操作的嫻熟問題。顯然，根據上面列舉的關於「招魂」意象的詞，屈大均還是很善於寫感情異常沉痛、色彩非常強烈的、給人以強烈感官衝擊和情感激盪的詞的。但是，類似這種強烈而怪奇的情感抒發傾向，似乎與清初的政治形勢的好轉以及社會心理傾向於溫柔敦厚的趨勢不相協調，零星出現自是情理之中，但卻不能代表清初詞發展的必然方向。

第三節　屈大均詞中抒寫的「自適」心態

一、屈大均「自適」心態的經典支撐及淵源

屈大均的「自適」心態是他的詞表現的重要內容之一。在明清易代之際，士人皆思報效國家，有為而作，以益天下。黃宗羲說：「扶危定傾之心，吾身一日可以未死，吾力一絲有所未盡，不容但已。」〔註32〕顧炎武說：「保天下者，匹夫之賤，與有責焉耳矣。」〔註33〕

〔註32〕 黃宗羲撰，《兵部左侍郎蒼水張公墓誌銘》，黃宗羲撰，沈善洪主編，《黃宗羲全集》第十冊，杭州：浙江古籍出版社，2005 年，第 288 頁。
〔註33〕 顧炎武撰，黃汝成集釋，《日知錄集釋》，上海：上海古籍出版社，

屈大均辭故鄉，涉塞上，奔走謀劃，力圖對世道有所匡補。當然，他痛於死國破巢之酷，縱博飲酒，倘蕩佯狂，也間或求之於自適，行爲作風上具有特定的時代內涵。

　　屈大均的「自適」心態往往與追求人格獨立和自由精神聯繫在一起的。當用世之心頻遭打擊，現實的挫敗不斷侵擾，社會群體的人格理想和道德精神被世俗力量瓦解之後，他對理想人格的執著必然走向個人獨善的精神追求。他的自適之求不是貪戀聲色享樂的世俗追求，而是追求人格獨立的一種自由境界。這種對人格獨立的追求，往往是以與儒道中庸精神不和諧的行爲方式呈現的，因此過度狂縱的自適之求往往多受世人菲薄。但是，屈大均對理想人格的崇尙來自於屈原，他的自適之求爲尋得經典支撐，也多以屈原精神比附言之。屈原性情剛直不阿，難容於世，爲脫離愁城苦海，也時有自適之求，如《招魂》中描寫的尋樂場景最爲人熟知。實際上，就思想淵源而言，這還體現了楚騷文化與莊子思想的關聯之處。《莊子·駢拇》篇說：「夫適人之適而不自適其適，雖盜跖與伯夷，是同爲淫僻也。」〔註34〕就是說，即使盜跖與伯夷，皆爲適人之適；惟有自適其適，才是最被推崇的。這也可以看出莊子思想對儒家理想和道德建設的破壞精神，而在楚騷文化中，如《遠遊》篇中言「虛以待之兮，無爲之先」，特別典型地表現屈原的老莊式的理想〔註35〕。

　　屈大均對莊騷之間思想上的聯繫也有深刻認識。他說：「《南華》、《離騷》二書，可合爲一，《南華》天放，《離騷》人放，皆言之不得已者也。」〔註36〕他還舉例言之，「三閭之《天問》，亦猶莊子之放言也。不必有其人，不必有其事，不必有其言，怨憤、無聊、不平，呵

　　　　1985 年，第 1015 頁。
〔註34〕　莊子撰，郭慶藩集釋，《莊子集釋》，北京：中華書局，1961 年，
　　　　第 327 頁。
〔註35〕　梁啓超撰，《老子所衍生之學派》，《飲冰室合集》專集之四十，
　　　　上海：中華書局有限公司，1936 年，第 23～26 頁。
〔註36〕　屈大均撰，《讀莊子》，《屈大均全集》第三冊，第 178 頁。

而問之，佯狂而道之，不可以情理而求之。」〔註37〕屈大均認爲，《莊子》與《離騷》兩者普遍的精神聯繫，皆是「言之不得已」，故可合爲一。所謂「天放」、「人放」，兩者合一，正是莊子所倡的泯同天一、混同物我的精神追求。所謂「言之不得已」，即心中有不得不言者，故發而爲聲、形之於言，但「不得以情理求之」，是因爲對現實社會的強烈不滿，有怨憤、不平之類，不必訴諸於情理，「佯狂而道之」，正體現了莊子思想中對儒家道德的解構精神。屈大均或也暗示，如莊子指示的天人合一的道路，也不失爲擺脫現實中「不得已」之一途徑。

對於莊子思想中的自適精神，屈大均是非常留意的。他說：「自聞所以爲聰，自見所以爲明，不自見而見彼，不自得而得彼，是得人之得，而不自得其得者也。不自得其得，則不能自適其適，是淫僻之行也。莊子之學，貴乎自得，大與吾儒相同。」〔註38〕「吾儒」當指以天下蒼生爲念的儒者，屈原被稱爲「儒之醇者也」，屈大均也自認爲儒者，有《歸儒說》一文。儒者當積極入世，但是，當濟世精神嚴重受挫之時，又不得不轉而求之於精神之自適。這種由儒入道的精神追求，是對現實惡劣境況的極端反抗方式。當自適之求仍不能解決心中之憤懣時，儒家濟世思想復占主導地位，形成對立的思想矛盾，反覆角力，相互牽引。甚或兩種思想由對抗反而走向消融，達到不知物我、不知生死的境界。《遠遊》中之屈原言「虛以待之，無爲之先」，思想上與老莊純然一致，《招魂》中之屈原，仕女雜坐，荒淫尋樂，可見楊朱所倡現世享樂之風氣。最終屈原依彭咸之遺則，從子胥之自適，懷沙自沉汨羅，大概他也是因悟得天人泯一、死生不二的道理了吧。

與屈原同處戰國亂世的莊子，倡天人、生死之說，以求精神上的自適，不僅啓發了屈原追求人格獨立的方式，對千百年後屈大均而言，同樣也是如此。屈大均推崇屈原的人格精神，往往以之標榜而作

〔註37〕 屈大均撰，《讀莊子》，同上，第 178 頁。
〔註38〕 屈大均撰，《讀莊子》，同上，第 179 頁。

爲的經典支撐。他又以儒者的眼光去審視莊子，他眼中的莊子，「大與吾儒相同」。亂世之中的莊子，「寧遊戲於污瀆之中自快，無爲有國者所羈。終身不仕，以快吾志焉」〔註39〕。莊子追求的人格境界和精神獨立，正是屈大均時刻標榜和追求的。所以，屈大均追求人格獨立的自適精神，實際上以屈原爲經典支撐，思想淵源來自於莊子的自適精神。

二、屈大均詞抒寫「自適」心態之具體表現

　　屈大均的《歸儒說》一文，崇尙儒術，排斥異端〔註40〕，但他思想世界的複雜狀況仍帶有很強烈的老莊精神色彩。觀古代文人的思想世界，往往呈多彩斑斕的特色。以杜甫爲例，他以儒冠自命，窮年憂黎元，尙有抱怨「誤身」的牢騷語，又說「儒術於我何有哉，孔丘盜跖俱塵埃」〔註41〕。屈大均少遭變亂，國脈既斬，宗廟既覆，他追求的理想人格的群體價值的失落，使得他不能不轉而尋得個人精神境界的完善，往往在楚騷精神中尋得經典支撐，又與莊子思想有深厚的精神聯繫。屈大均詞表現這方面精神追求的內容，鎔鑄經、子方面的思想，體現他一貫堅持詞的抒情言志的實用傾向，以及記錄時代士人心史的現實功能。

　　比如屈大均詞中寫「佯狂」。他有《東風第一枝・壬申臘月廿九日立春，值內子季劉生辰賦贈》一詞，說：「念楚狂、妻已冰清，莫比女花還瘦。」又有《眞珠簾・送杜十五不黨返淮安》說：「遲暮。恨多日佯狂，功名難取。」屈大均本是儒者，或以「楚狂」自比，或直言佯狂，皆他所謂的「不得已」。關於「楚狂」，《楚辭・涉江》說：「接輿髠首兮，桑扈裸行。」王逸注說：「接輿，楚狂接輿也。髠，

〔註39〕　司馬遷撰，《老子韓非列傳》，《史記》，第 2145 頁。
〔註40〕　屈大均撰，《歸儒説》，《屈大均全集》第三冊，第 123 頁。
〔註41〕　杜甫撰，《醉時歌贈鄭廣文》，杜甫撰，楊倫箋注，《杜詩鏡銓》上海：上海古籍出版社，1962 年，第 60 頁。

剔也。首，頭也，自刑身體，避世不仕也。」〔註42〕屈大均又有《贈友》詩說：「我本接輿流，披髮歌鳳衰。」〔註43〕又有《題周梨莊戴笠圖》詩說：「接輿髡首且相對，佯狂於道亦良宜。」〔註44〕當時，屈大均哀天下之沈濁，傷周道之淩遲，憤國恥難雪、師仇未復，所以他漆身髡髮、佯狂而期於適意，並作爲心史記錄在他的詞中。又據爲屈大均《翁山詩外》作序的周炳曾所述，他晚年盛暑著羊皮襖，狂怪不可近〔註45〕，這種刻意自別於世俗之舉，豈不讓人想起屈原之高冠奇服？

又如屈大均詞中寫「求仙」。他有《石州慢·爲百又三歲潘仁需翁壽》詞說：「笑我學神仙，尙流連妖麗。」又有《驀山溪》詞說：「英雄有恨，白首事難成，將好色，當求仙，放誕過年月。」還有《霓裳中序第一》詞說：「衰損。求仙休晚。且導引、熊經一轉。」又說：「早躅愁、荒淫不返。從師去，女生相逐，玉女一行滿。」屈大均這些求仙之舉、荒淫之意，皆異於經典，有悖常理；但其中自有不得已之處，他有《雙頭蓮》詞說：「把壯志、銷向邊頭紅粉。決絕欲向蓬壺，便成仙誰忍。」其實他不欲求仙，確因壯志難成，欲逃之爾。觀宋玉《招魂》所述之歡娛，或說「娭光眇視，目曾波些」，或說「士女雜坐，亂而不分些」，或說「鄭衛妖玩，來雜陳些」，招屈原之魂返於此中，荒淫之意，較之屈大均自述求仙，豈不過之？

還如寫屈大均詞中寫「醉飲」。他韜精沈飲，爲了解除一切痛苦，達到縱慾自棄的境界。他有《金菊對芙蓉》詞說：「朱顏一日能三醉，向白衣、笑更能嫣然。九華佳色，玉杯共泛，不覺忘天。」他於痛飲中放縱忘我。又有《紫萸香慢·代州九日作》詞說：「盡駝酥、更傾

〔註42〕 屈原撰，王逸章句，洪興祖撰，《楚辭補注》，第197頁。第131頁。

〔註43〕 屈大均撰，《贈友》，《屈大均全集》第一冊，1996年，第76頁。

〔註44〕 屈大均撰，《題周梨莊戴笠圖》，同上，第129頁。

〔註45〕 周炳曾撰，《翁山詩外序》，《翁山詩外》，《續修四庫全書》，集部，第1411冊，第254頁。

千盞，一秋沉醉，忘卻欲射妖星。」此非言意志消沉，而是雄志無成，憤而發爲無奈之辭。還有《醉香春》詞說：「果嬴二豪何有。天上酒星吾友。解沉湎，即成仙，醉鄉日月誰能取。」竹下劉伶飲酒有二豪侍側，清狂不拘禮法，藉以推脫俗務，以絕仕路。早年屈大均的「狂」可謂接輿式的「狂」，所謂「佯狂於道亦良宜」。待到晚年，復明大業已屬無望，他的「狂」是更似竹林之士的清曠疏狂，對世俗風氣之蔑視和反抗，對當權者名教作風的極力抵制。自然而然，醉飲成爲自我慰藉的一種手段，杜甫有詩說「沈飲聊自適」，又說「如何不飲令人哀」，屈大均於醉飲中尋得自適，深衷亦自見。《招魂》說：「酎飲盡歡，樂先故些」，屈大均也於醉飲中「樂先故些」？

　　屈大均詞對這三方面有異於儒家精神的思想行徑的抒寫，體現他詞學觀念的無所不可言的抒情言志傾向，可以看作記載這個時代士人慘痛的心史。這些思想行徑與楚騷中的道家思想密切相關，是否可以作爲題材內容寫入詞中呢？是否符合清初詞壇發展的必然趨勢呢？

三、屈大均詞中的「自適」抒寫與楚騷傳統

　　屈大均在思想、行徑上的自適追求，因殉國難而不得，或佯狂不仕，或遠遊逃禪，或荒淫度日，甚至戀鄉思家。這些內容都記錄在他的詞中，體現了創作思路上沿莊子思想之轍、循楚騷傳統之迹的構思特點。

　　就屈大均詞中寫「佯狂」而言，與莊楚精神密切相關。屈大均說「莊襟老帶何清狂」〔註46〕，他以「清狂」爲標杆，欣賞老莊自拔於世俗的態度。屈大均又說「《衰鳳》之歌，爲《楚辭》之始」，「《懷沙》之賦，爲楚辭之終。」〔註47〕這種言論可謂驚世駭俗。楚狂接輿《衰鳳》之歌，出自於《莊子・人間世》，稱世德之衰。屈大均認爲這是

〔註46〕　屈大均撰，《飲王氏漱園醉賦》，《屈大均全集》第一冊，第 167 頁。

〔註47〕　屈大均撰，《孟屈二子論》，《屈大均全集》第三冊，第 120 頁。

《楚辭》之始,這是把接輿、莊子、楚騷的思想,作爲一個體系整體觀照。屈大均的狂是一種高標的生活方式,執眞性情,不盲從,不附庸,蔑視權威,敢於抗爭。體現他在詞的創作中,就是追求一種無所忌憚、任性所適的表達方式,與莊騷馳騁繽紛、奇麗譎詭的美學追求是一致的。屈大均詞抒寫了類似於莊騷的思想和行徑,形成特異、奇麗的風格面貌。

對於楚騷中所述荒淫事,屈大均詞中借用此類題材,以爲自己自適之求的經典支撐,實在是藉以抒情言志的手段。屈原爲尋得自適,如《招魂》中種種荒淫之事,皆「不得已」而爲之,當然,因此而飽受後世詬病。又如屈原「保厥美以驕傲兮,日康娛以淫遊」,又說「啓《九辯》與《九歌》兮,夏康娛以自縱」。這些「淫遊」、「自縱」之語句,可知荒淫之意。但是,屈原猶「心猶豫而狐疑兮,欲自適而不可」,畢竟荒淫之事未能尋得眞正的自適。屈大均崇尙屈原的理想人格精神,對屈原的荒淫之事,以微言諷諫去解釋。他有詩說:「三閭多微言,遊仙託荒誕。」又有詩說:「湘纍亦寓言,荒淫爲《九歌》。」〔註48〕把屈原荒淫之遊仙,託之於微言諷諫,依之於聖賢之道,同時,也融入自身體驗。所以,屈大均又有詩說:「聖賢發憤詩三百,《風》、《雅》洋洋多好色。公子應知憔悴人,三閭非是荒淫客。」〔註49〕可知「憔悴人」之荒淫,非徒追取酒肉聲色之娛。他《翁山詩外自序》稱:「少年所作,旨多寓言,含吐《莊》、《騷》,非粹然一出於正者,……識者幸推其志焉。」〔註50〕由此可見,屈大均詞在抒寫這些荒淫之事,實在是在藉以抒情言志,表達自己不從流俗、抗然獨立以及對個人理想主義道德完善的追求。朱彝尊對此也有所論述。他說:

> 予友屈翁山爲三閭大夫之裔。其所爲詩多愴悷之言,
> 矯然自拔於塵壒之表。蓋自二十年來煩冤沈菀,至逃於佛

〔註48〕 屈大均撰,《贈友》,《屈大均全集》第一冊,第 11 頁。
〔註49〕 屈大均撰,《玉女峰觀洗頭盆作》,同上,第 167 頁。
〔註50〕 屈大均撰,《翁山詩外自序》,同上,第 2 頁。

老之門，復自悔而歸於儒。辭鄉土，涉塞上，走馬射生，
縱博飲酒，其倜蕩不羈，往往爲世俗所嘲笑者，予以爲皆
合乎三閭之志者也。〔註51〕

　　屈大均堅持貞節，追求人格精神的獨立，「皭然自拔於塵埃之
表」，如劉安所稱之屈原，「蟬蛻於濁穢，以浮游塵埃之外，不獲世之
滋垢，皭然泥而不滓。推此志，雖與日月爭光可也。」因此，屈大均
在詞中抒寫不合於世俗的思想和行徑，實在也是爲了合於三閭之志，
祖述楚騷抒情言志的傳統。

　　但是，楚騷可以是奇麗詭怪的風格，朱彝尊所說的屈大均詩也
可以具有追求怪奇、狂縱的創作傾向，屈大均詞能追求這種創作傾
向嗎？顯然，詞體本色的特殊性決定了採用這類題材內容時必須更
爲謹愼。詞雖然在兩宋迅速發展，並擴展了表現功能，可以作爲抒
情言志的載體，但是當「佯狂」、「求仙」之類進入詞的抒寫範圍，
並比附於楚騷的創作精神，在明末清初詞壇復興的關鍵時期，有其
利弊兩端，應實事求是地分析。一方面，屈大均詞在總體創作追求
上，以楚騷精神作爲經典支撐，發揚楚騷創作上關注現實、抒情言
志的傳統，是符合清初詞壇發展的大趨勢的；但另一方面，他在詞
中抒寫「佯狂」、「求仙」之類的內容，畢竟有違於清初詞壇逐漸走
向溫柔敦厚的美學追求，易於陷入追求怪怪奇奇的審美傾向，所以，
在一定創作階段之後，這種險怪的創作傾向會隨著時代氛圍的轉換
而逐步被整飭和清理。

第四節　小結

　　屈原的騷辭，可謂「衣被詞人，非一代也」。對於唐五代初起的
詞，騷辭以其巨大的影響力，逐漸浸潤其中。尤其在天翻地覆、黃流
亂注之際，詞更容易與騷辭產生緊密聯繫。章學誠曾說：「文體承用

〔註51〕　朱彝尊撰，《九歌草堂詩集序》，《曝書亭集》，第 453 頁。

之流別,不可不知其漸也。」﹝註52﹞觀古今文章流別,或附庸,或滲透,日居月諸,雖各自稱爲開疆拓宇,但無獨立發展之體式。其中重要的滲透方式之一,就是在內容上的相互借鑒,從而對詞壇整體創作風向產生影響。明末清初之際,屈大均詞祖述楚騷,不僅在創作題材上大量引用,而且在創作精神上借鑒吸收,良非偶然。

　　屈大均詞體現了楚騷傳統中批判現實、抒情言志的實用傾向。他詞中的「香草美人」,可亮其高潔的品性、不隨流俗的志行。他追摹先賢之遺風,在發抒胸中志氣之時,非僅拾其香草、獵其豔辭而已。在屈原精神的影響下,他在吟詠之中,不自覺地託寄自己的忠誠和追求。至於屈大均詞中的「哀郢」與「招魂」,吟故都之摧頹,發亡國之哀思,歎「招魂」之不得,哀忠烈之殉難,皆得騷辭之意旨,這些相通之處,在於他們對社會風氣的轉變有切身的感受。屈大均詞中的自適精神,觀瀾於老莊,索源於騷辭,得楚騷之至誠之性。這種抒情言志方式,看似狂縱不羈,實際上在獨善、自放之中,退而全其素志。

　　當然,雖然詞可以作爲抒情言志之工具,但在具體抒發何種情志之時,也將面臨題材內容以至於詞的總體風格的選擇和調整問題。屈大均詞中運用「香草美人」的題材,確實可以增強詞的情感內涵和深度,但同時也應避免過於刻露而無鎔鑄,以至於成爲楚騷語句的簡單引用的弊病。這樣也難以形成獨特的風格面貌。至於他詞中的「哀郢」相關的題材,這是易代之際比較常見的抒寫內容,他也能準確地把握時代內涵和社會風氣,很好地在他的詞中抒寫,成爲當時詞壇風氣的重要推動力量之一。屈大均詞始終以楚騷爲祖述,爲抒情言志的需要,將「招魂」以及自適精神方面的內容寫入詞中,自然無可厚非,但是這類題材內容注定不符合時代審美心理和社會需要,最終將接受被淘汰和清理的命運。當然,屈大均爲了抒情言志的需要,把這些題材內容都寫入詞中,本身各自都具有合理性,但詞壇風氣的轉換以及

〔註52〕　章學誠撰,《詩教下》,章學誠撰,葉瑛校注,《文史通義校注》,
　　　　　第 79 頁。

政治形勢等因素的影響，會使得屈大均晚年對這些作詞傾向進行調整，這個過程就是他自己最終特定風格形成的過程。

第三章　屈大均詞中的騷雅風格及最終形成

　　屈大均崇尙屈原的理想人格，進而推崇楚騷的風雅精神，在詞學觀念上倡導抒情言志的楚騷傳統。他的詞表現的多方面意旨與楚騷精神密切相關，體現抒情言志的需要，而這正是屈大均詞受傳統影響方面的內容。屈大均詞的特定風格的形成當然不是如此簡單，政治形勢的改變、生活境遇的變化、以及整個詞壇風氣的轉換，導致屈大均詞的風貌呈現複雜而變易的特徵。在很長一段時間裏，甚至直到晚年，屈大均詞的總體風貌並不顯得那麼的單純和固定。儘管如此，屈大均對理想人格精神的自覺追求和對楚騷文學傳統的深刻體認，以及在他詞的創作過程中，有意識地抒發自己的情志與追求，並與騷辭建立精神聯繫，這些因素皆是隱藏於他的詞創作風格變易發展過程中的暗流，在適當的契機引領之下，會對特定風格的形成發揮巨大影響。當然，這種特定風格面貌的出現並非驟然呈現，而是一個長久醞釀的過程，呈現複雜而曲折的衍變過程。當外部社會環境與內在精神狀態、情感需求以及詞本身發展規律等各方面條件成熟之後，詞人在創作實踐過程中，由於一些潛在的詞學觀念與時代契機的融合發酵，經過長時期自覺與不自覺地對以前作詞的傾向進行清整和改造，在新的時代氛圍的淨化和洗禮之下，而逐漸呈現出來比較穩定的特定詞風。

　　所以，這部分內容將結合屈大均詞創作的社會背景以及詞壇面貌，對他的詞的風格流變和最終騷雅風格之定型過程作出簡單的清理。並以此爲個例，探討清初詞壇在百派回流、激蕩摩戛之中，如何傾向於統一併建構成清詞復興面貌的內在規律。

第一節　屈大均詞的風格轉換的總體路向

　　風格是指作家、作品給人的總體印象、感受，也就是作家、作品的總體風貌。屈大均詞的總體風格面貌，前人曾有過爭論，分別從豪放、婉約代表的剛柔兩段，各執一說。嚴迪昌先生《清詞史》認爲，屈大均詞的風格面貌可借陳維崧「讀屈翁山詩有作」《念奴嬌》中的「豪氣軼生馬」之句作「概評」〔註1〕，並品評了他豪健風格的代表作《長亭怨・冬夜與李天生宿雁門關作》，還有聲情激楚、憤急悲慨的《紫萸香慢・送雁》。當然，嚴先生考慮到文學史的體例，還選評了兩首悼亡哀逝之作，即《夢江南》和《木蘭花慢》。對此，日本學者清水茂先生首先提出了異議，他在《論屈大均的詞》一文中提到，「屈大均的詩，奔放不羈，評以『生馬』恰如其分。然詩詞有別。陳維崧之語，並非對詞而言，生搬硬套於詞，過於武斷。」清水茂先生從詩詞有別角度說明嚴先生引用之評語不當，並認爲屈大均自己的觀點是詩詞有別的，即屈大均所言「詞者，濟詩之窮者也」，應該尊重作者自己的意見。清水茂先生還認爲，屈大均雖有豪放之作，但「婉約之詞甚多，這在他的悼亡詞以及眾多的題詠詞中都歷歷可見」。顯然，清水茂先生著眼點在於屈大均詞中的婉約方面。這兩位詞學研究前輩對屈大均詞風格特徵的不同把握，正體現了屈大均詞複雜而多變的風格面貌。對此清水茂先生也特別強調，他認爲「硬將詞分爲豪放、婉約兩派本來就屬勉強，而像屈大均這樣，因物賦形，隨物取勢，不

〔註1〕　嚴迪昌撰，《清詞史》，南京：江蘇古籍出版社，1999年，第108頁。

拘一格，剛柔兼用，才是真正的詞壇高手」〔註2〕。所以，對於屈大均詞的風格面貌的探討，當以通變日新的角度進行審視，尋找其中演變的內在軌迹和理路，這樣才能更接近於文學創作的本質規律。

一、屈大均詞的豪放風格的形成與衍變

屈大均是一位具有浪漫氣質的詩人。他翱遊塞外，奔走大川，縱酒淫遊，裘馬輕狂，作詩與李白的風格最近。屈大均自己也說：「樂府篇篇是《楚辭》，湘累之後汝為師。」〔註3〕他還是一位理想主義者，對屈原的人格精神到道德境界都非常推崇。但當殘酷的現實打破理想追求之後，他追求個人的精神獨立和行為自由，又以狂傲不羈、放縱自適的行為方式表現出來。這些都對屈大均詞的創作產生影響，尤其是在特定的創作環境之下，他的縱橫捭闔的創作取向和浪漫氣質更易於發揮。

屈大均作於北遊塞漠期間的豪放詞，可謂這種審美追求的最集中體現。如大概作於康熙四年仲冬的《過秦樓‧入潼關作》：

> 五穀三崤，函關天阻，大河吞渭同流。歎虎狼秦滅，但百二關山，四塞空留。守險少人謀。把西京、御氣全收。剩虛無宮闕，斜陽千里，隱映林丘。　喜華陰廟口，琵琶女、喚征人繫馬，槐麵消愁。教兩三鶯歌，各銜將紫菂，亂作觥籌。看白帝多情，有明星玉女綢繆。且興亡莫問，飛杖明朝，雲外相求。

又《念奴嬌‧潼關感舊》，大概與上首同時。

> 黃流嗚咽，與悲風、晝夜聲沈潼谷。天府徒然稱四塞，更有關門東束。未練全軍，中涓催戰，孤注無邊腹。闒鄉秋蚤，乍寒新鬼頻哭。　誰念司馬當年，魂招不返，與賊長相逐。麾下興平餘大將，難作長城河曲。朔騎頻來，

〔註2〕　清水茂撰、蔡毅譯，《清水茂漢學論集》，第202～204頁。
〔註3〕　屈大均撰，《採石題太白祠》，《屈大均全集》第二冊，第832頁。

秦弓未射，已把南朝覆。烏鳶饑汝，國殤今已無肉。

又《紫萸香慢‧代州九日作》，大概作於康熙五年九月九日。

　　　內三關、胡門偏險，尚餘趙氏長城。愛雲中秋色，欲移帳、出龍庭。正值重陽佳節，有樓煩山戍，畫鼓爭迎。聽扶南小曲、口外兩箏人，教莫憶、故園乳鶯。　　邊聲。萬里相驚。誰聽爾、不傷情。恨橫磨大劍，長驅突騎，雄志無成。一天羽毛飛灑，卻空羨、郅都鷹。盡駝酥、更傾千盞，一秋沉醉，忘卻欲射妖星。弓矢散零。

又《紫萸香慢‧送雁》，作於康熙五年秋太原。

　　　恨沙蓬、偏隨人轉，更憐霧柳難青。問征鴻南向，幾時暖、返龍庭。正有無邊煙雪，與鮮飈千里，送度長城。向並門少待，白首牧羝人，正海上、手攜李卿。　　秋聲。宿定邊驚。愁裏月、不分明。又哀笳四起，衣砧斷續，終夜傷情。跨羊小兒爭射、恁能到、白蘋汀。盡天長、遍排人字，逆風飛去，毛羽隨處飄零，書寄未成。

又《浪淘沙‧綏德秋望》，作於康熙五年秋綏德。

　　　塞門近、西風乍卷，片片沙起。吹作龍鱗萬里，河吞倒入地底。欲飲馬、榆溪無滴水。更無定、凍解全未。向公子扶蘇墓傍坐，天寒苦難已。　　遙指。隤城半壁凝紫。與寸寸長蛇常山勢，斷續無首尾。嗟地脈徒傷，亭障難恃。築愁好止。教漢家、頻得烏孫佳婿。枯蛻茫茫連天白。霜華濕、戰聲易死。濁塵外、牛羊來互市。恨飛將、腐肉成冰，魄未冷，天鵝掠去弓和矢。

又《長亭怨‧與李天生冬夜宿雁門關作》，作於康熙五年雁門關。

　　　記燒燭、雁門高處，積雪封城，凍雲迷路。添盡香煤，紫貂相擁夜深語。苦寒如許，難和爾、淒涼句。一片望鄉愁，飲不醉爐頭駝乳。　　無處。問長城舊主，但見武陵遺墓。沙飛似箭，亂穿向、草中狐兔。那能使、口北關南，更重作并州門戶？且莫弔沙場，收拾秦弓歸去。

又《滿江紅・山陰道中》，大概作於康熙七年山陰。

> 咫尺陰山，黃水外，龍堆相發。最愁見、邊雲群起，牛羊無別。白草已將青草變，平城並與長城沒。倩蘆笳、吹出漢宮春，梅休折。　　天斷處，沙如雪。天連處，沙如月。總茫茫冰凍，未秋寒徹。柳未成條風已斷，鶯將作語春頻歇。勸行人、莫滯紫遊韉，教華髮。

這些詞的風格取向皆是壯懷激烈、激楚剛健，描述了北方塞漠的自然景觀，也抒發了他自己的英雄豪氣。除了這些豪放詞之外，屈大均還有很多類似風格取向的詞。限於篇幅，不再列舉。通過對屈大均豪放詞的排比分析，可以看出，他的多數豪放詞作於逾嶺北遊期間，體現受北方風物所感的特色。如在順治十五年到康熙元年間的那次北遊，他所作的豪放詞有《甘州令》，寫遼東邊塞風物，如「苦風吹散」、「馬愁天遠」之類，非是強作鏗鏘豪邁之語，而是山川風物所感發，詞句自胸臆中流出。據筆者統計，屈大均豪放傾向的詞大概共有三十六首之多，他創作的高峰是在康熙四年到八年的那次北遊，所作的豪放詞竟達二十二首之多，而且優秀篇什盡集於此。如《紫萸香慢・送雁》、《長亭怨・與李天生多夜宿雁門關作》等。屈大均自小生活於東南一隅，燥熱炎暑之氣候，風土山水之習性，與苦寒凜冽之北地迥異，他跋涉於冰天雪窖之中，目睹荊棘銅駝、馬愁天遠的景象，宮闕陵寢、邊塞營壘之廢興，能不觸目驚心、鬱勃於胸而待發於聲乎？如《紫萸香慢・送雁》說「正有無邊煙雪，與鮮飇千里，送度長城」，又說「宿定邊驚」、「毛羽到處飄零」等等。他的《長亭怨・與李天生多夜宿雁門關作》說「記燒燭、雁門高處，積雪封城，凍雲迷路」，又說「無處。問長城舊主，但見武陵遺墓」，非有親身經歷、切實感受，不能有如此之語句。《文心雕龍・物色》說：「若乃山林皋壤，實文思之奧府。略語則闕，詳說則繁。然屈平所以能洞監風騷之情者，抑亦江山之助乎！」[註4]這是說屈原文章得江山之助，而屈大均詞正是如此。

〔註4〕　劉勰撰，範文瀾注，《文心雕龍注》，北京：人民文學出版社，2006

　　屈大均多次奔走在關中地區，此地的作家、作品及其文化氛圍，不能不對屈大均產生影響。他與當時在秦隴地區的詩人交往甚多，如顧炎武、李因篤、李中孚等人。屈大均與李因篤交往最深，王華姜即因李因篤之介紹而入室屈氏。李因篤，字子德，號天生，富平人，關中三李之一，為人急公好義，尚節概、重武勇，曾組織武裝抗擊農民起義軍，奔走三千里營救顧炎武。屈大均對李因篤推崇備至，稱富平縣為關中《風》、《雅》的淵藪〔註5〕。屈大均受此文化氛圍之滋養，其言「予曩至關中，於華陰、三原、富平流連頗久，以其中有詩人焉」，又說「二十年來神思之所注，夢寐之所之，未嘗不營營於二華之麓，漆沮之墟，慈峨、清峪之際。其地土厚水深，風俗剛厲，人鮮驕惰，國易富強，為可畏而愛也」。而他對李因篤詩之「慷慨之氣，重厚質直之姿」，更是認為「規矩子美，咳唾夢陽」，同人一樣「強毅果敢」。對於秦地詩歌，屈大均認為「當以周之典則，漢之經術為本根，其音乃純乎諸夏，既不流於浮靡，亦不過乎廉勁，一唱三歎，有風人溫厚之旨，無西鄙殺伐之聲，斯為篤於仁義，洽於和平」。他甚至認為「《離騷》之賦於三百五篇之終，洋洋乎大放厥辭，譬之河宗，三百五篇為星宿之源，《離騷》則東注於溟渤也。古人祭川，先河而後海，則學詩者，亦先秦而後楚，可乎？」〔註6〕可見，屈大均對於秦地詩歌代表的剛強的關中文化品格，深切敬服並深受其影響，而傾向於創作近似於關中文化品格的豪放傾向的詞。

　　待到晚年，屈大均仍有一些豪放之詞。如《淒涼犯·得舊部曲某某書》說：「回憶沙場上，日日投醪，氣雄相鼓。」又《八聲甘州》說：「任牂牁萬里，含煙吐瘴，全注交州。」還有《雙頭蓮》說：「須發憤，向首飛揚，爭雄一天鷹隼。」他晚年創作的這些豪放詞，缺少早時親歷塞北邊關的激楚和昂揚之氣，也沒有他當時集中創作豪放詞

　　年，第695頁。

〔註5〕　屈大均撰，《荊山詩集序》，《屈大均全集》第三冊，第66頁。

〔註6〕　屈大均撰，《關中王子詩集序》，同上，第62～63頁。

的熱情，只是間歇出現幾首豪放傾向的詞。當然，這時的豪放詞風變得更爲沉雄和老練了。

　　由此看來，嚴迪昌先生《清詞史》中給予屈大均詞「豪氣軼生馬」的評價是有一定道理的。但是，如果稱爲「概評」，就有點不合實際了。因爲屈大均詞現存共三百七十三首，可以稱爲豪放傾向的詞不過三十六首，所佔比例不到十分之一。更重要的是，他婉約傾向的詞也有不少佳作，有不少詞家起而推崇他的婉約詞。如黃拔荊《中國詞史》「明詞的中衰與重振」部分，用了大量篇幅介紹屈大均婉約類作品。至於清水茂《論屈大均的詞》一文，更是直接指出嚴先生品評屈詞風格之失，意在說明其婉約詞不可等閒視之。情況的確如此。屈大均離開塞北後，晚年居於山明水秀、溫潤秀美的南國，很少寫豪放詞，多數則是婉約、清雅風格傾向的詞作了。

二、屈大均詞的婉約風格之形成與發展

　　屈大均往來於幽燕河隴、荊楚吳越之間，既身歷北國邊塞的豪邁悲壯的苦寒之境，又受南方清雅柔麗的風光以及柔質文化取向的薰陶。他的這種南北漫遊的複雜經歷，形成他詞風多樣並存的情況，並使之在特定情境下的總體風格轉換成爲可能。屈大均詞的總體風格尚未轉嚮之前，並非全是豪放類的詞，也有部分婉約傾向的作品。這些早期創作的婉約詞，可以說是他晚年總體風格轉向婉約的早期創作準備和經驗積纍。如關於屈大均與王華姜伉儷之情的詞，貫穿於他的詞的全部創作過程，最能體現他詞創作中風格轉變過程。他早年在北遊期間就創作了一些與王華姜相識、相愛的詞，有《柳梢青‧雙下雕鞍》、《如夢令‧含淚想看上馬》，還有《臨江仙‧折梅贈內子》：

　　　　　梅妻本是梅家女，白頭香雪相偎。同心綠萼總重臺。

　　鳳餐珠蕊結仙胎。　　村號梅花誰不羨，早從梅嶺歸來。

　　南枝暖待北枝開。百年春色忍相催。

　　這首詞雖然不是豪放傾向的詞，但是仍有健朗、明快之氣息貫注

其中，雖是婉約傾向，但非至於柔靡酥軟，體現早期婉約詞風格爽朗的特點。詞中以梅喻妻，以「百年春色忍相催」作結，屈大均竟未料到一語成讖，他結束邊塞漫遊，攜王華姜歸番禺不久，王華姜就病熱毒而去世。這給屈大均帶來極大的痛苦。如作於康熙十年之後的一篇悼亡詞《鳳凰臺上憶吹簫》：

> 至自榆林，迎歸荔浦，人看秦地佳人。正寶箏調月，
> 斑管吟春。忽爾風吹花墜，連嬌女、共化珠塵。曾無語，
> 匆匆入月，渺渺行雲。　　紛紛。淚飛似雪，揮不到黃泉，
> 沾爾羅巾。恨留仙難得，空縐裯裙。欲託哀蟬落葉，爲傳
> 此、魂夢氤氳。光離合，非耶是耶，彷彿誰親。

這首詞爲悼念王華姜及其女雁而作。康熙九年，王華姜病卒，次年六月，王氏之女雁也夭折。此詞上闋以賦法敘王華姜由歸「荔浦」至於「化珠塵」，下闋抒懷，多是悲吟幽咽之音。「光離合，非耶是耶，彷彿誰親」，尤見衷情。這首詞表達的感情雖是非常沉痛，但整首詞從敘事到抒情，詞人並沒有溺於痛苦和傷情之中而無法自拔，從詞中仍可以感受到詞人之錚錚鐵骨在承受巨大痛苦之後，仍是堅強而挺拔的。這類詞因爲寫傷情苦悶，正代表屈大均詞婉約風格逐漸佔據主導地位。待到晚年，屈大均詞的豪健之氣慢慢消釋。作於康熙三十年的《山亭宴》最能表現這種變化：

> 禊餘上巳過三日。正清明、楝花堪摘。知是幾番風，
> 乍寒暖、春醪少力。杜鵑啼得杜鵑開，淚紅處、榴裙無色。
> 辛苦汝流鶯，拾不盡、儂香魄。　　嫣空半逐遊絲入。又
> 吹散、蝶黃蝶白。盡意葬芳菲，做慘淡、煙乾雨濕。新時
> 爭似故時憐，比一度、倍生淒惻。情去枉留仙，絲履那堪
> 執。

這首詞表達的傷情顯然更爲淒苦，情調上也更傾於柔婉迷離，完全擺脫了豪健剛直之氣。這三首詞表現的總體風格面貌的變化，正是屈大均在後期詞創作過程中體現出來的新的風格取向。晚年屈大均創

作大量的婉約詞，正是對他前期詞中豪健之氣的不斷地消釋過程。他早年傾慕豪放激昂的風格，曾說：「詩五古，若《從軍》、《結客》諸篇，激昂慷慨，義烈動人，使聞者掩泣沾襟，盡懷殺身成仁之志，是皆有補於人倫。」〔註7〕這是屈大均尚用傾向的文學觀念。他早期豪放詞的創作也是受到這種觀念的影響。但是，晚年屈大均卻特別熱衷於婉約詞。康熙二十八年，他刊刻《騷屑詞》，邀王隼為序，序中言：「翁山先生緘示《騷屑》一編。遂按以紅牙，被之絃索，摧藏掩抑，嬝嬝動人，含商咀徵，循變合節，義既精粲，律復整嚴。」〔註8〕屈大均詞能按以紅牙，自然不是關西大漢執鐵綽板，唱「大江東去」之類，而是十七八女郎歌「曉風殘月」，此不正是對其詞婉約作風之最好描述嗎？或許這是別人對他詞的評價，恐不足以說明屈大均詞傾向於婉約作風。實際上，屈大均自己也提到他的詞當以低唱出之。他有《復汪扶晨書》說：「新刻騷屑中多四聲諧協，有善歌者，其以是教之小紅低唱，汝吹簫能如是乎？」〔註9〕他又有《金菊對芙蓉‧本意》一詞，其中說：「與新辭芳豔，分付嬋娟。長紅小白同低唱，更一朵、當錦雙纏。」此詞中還說：「因公晚景，一倍相憐。」可知此詞作於晚年，「新辭芳豔」、「長紅小白同低唱」，必當是婉約之作。這類可以低唱的婉約詞和悼亡詞在面貌上雖不大一樣，這類多是閒適酬唱之作，但它們都傾向於柔婉風格，體現了屈大均晚年時期的主要審美追求。

　　屈大均那些可以淺斟低唱的婉約詞，風情婉變，不失周柳本色。如《臨江仙》：

　　　　前鏡那知儂影好，憐人更有菱花。胭脂忘作臉邊霞。
春來無力，日日髻鬟斜。　　不使香貂為抹額，天寒尚束

〔註7〕　屈大均撰，《黎太仆集序》，《屈大均全集》第一冊，第54頁。
〔註8〕　王隼撰，《騷屑詞序》，《翁山詩外》，《續修四庫全書》，集部，第1411冊，第253頁。
〔註9〕　屈大均撰，《復汪扶晨書》，《屈大均全集》第三冊，第245頁。

輕紗。海棠簪罷又山茶。恨伊雙燕，銜去向西家。

又《阮郎歸》：

春來莫使杜鵑知。杜鵑花已飛。海棠更是淚紅時。片片付遊絲。　琴不弄，酒空持。愁心盡在眉。裙邊蛺蝶怕風吹。房簾深自垂。

又《燕歸梁》：

幾片春光燕嘴邊。紅濕露啼鮮。海棠絲短也相牽。殘夢後，斷魂前。　粉欲飛雪，香消沉水，無計更留仙。東風好，送向花田。花麝土，早成煙。

又《蝶戀花·春情》：

似雨如晴春乍暖。漠漠輕煙，未肯含愁淺。悵望不知人已遠。踏紅似向花間轉。　亂落杜鵑餘幾片。付與遊絲，莫被風吹斷。紫燕銜香知有怨。怨他情與東君短。

又《天仙子》：

翡翠蘭開如翡翠。朵朵教人長日醉。玉壺無酒又春愁。因柳色，怕登樓。一任年光逐水流。

這些婉約類的詞，篇章短小，情意纏綿，都是男子為閨音的代言體。類似這樣的詞，《花間集》中俯拾皆是，以供娛情佐酒之歡會。屈大均的這些詞，其中很難尋得寄託的痕迹，應當就是他所說的那些「長紅小白同低唱」的作品了，因此，也可以推知這些詞創作於他晚年時期，而且數量也不是太多。

最能代表屈大均詞婉約風格是他創作的大量詠物詞，可以看出他生活境遇的變遷，直接引起他對婉約傾向的審美追求成為了自覺行為。清水茂先生在《論屈大均的詞》一文中順及提到他的題詠詞，但沒有具體論述。屈大均題詠詞的描寫對象和表現手法常與眾不同。就其題詠對象而言，除了荒臺、舊院等遺迹外，還有杜鵑、雁、梅、菊等常吟詠之物類；而其詞中還題詠諸如檳榔、收香鳥、孔雀、蟹、鹿蔥、莞香、丁髻娘、竹葉符、蓬鬆果等。在清初詞壇，以這些物類入

詞，確實算是與眾不同。因為這是南海一帶之物產，屈大均晚年隱處
鄉野，唱和往返，耳聞目睹之間，把這些物類寫入詞中，率性而作，
也不自介懷。所以，他的題詠詞中有些詞因表現手法拙劣而藝術水準
不高。如屈大均詞正面描寫時，喜用重沓手法，語句太熟，得來太易。
他《風中柳》說「香涇三宿。帆涇三宿」；又《一翦梅·胥口看梅》
說「青失東雷。綠失西雷」；類似這樣重沓手法的句子，還出現在《解
佩令》、《東風第一枝》等詞中。但這些不足卻不能掩蓋屈大均詠物詞
中很多神采遐思之處。由於他詠物詞數量多，題詠的物類也雜，所以，
其中佳作不能一一列舉。他詠落花諸詞，尤得婉約之意，而當別論。
茲舉數首如下，管中窺豹，以得其題詠類詞中婉約體之大略。

如《摘紅英·落花》：

　　朝煙泣。暮煙濕。飛飛爭向鉤簾入。收香蛻。兼紅淚。
煎取黃沈，貪驚精氣。　　當階立。春纖拾。露多不惜沾
裙褶。遊絲繫。風搖曳。裙可留仙，月華多制。

又《醉蓬萊·落花》：

　　問流鶯何事，只管聲聲，與花深語。花落休多，令流
鶯無主。多謝東風，吹來紅片，染一圍朝雨。拾得香魂，
乳泉三浴，黃沈薰汝。　　更用哥窯，古瓷三兩，瘞取殘
英，帶絲連絮。大石樓邊，有麻姑妝處。紫鳳青鸞，盡教
銜玉，造美人香土。一卷金荃，兩枝瑤管，殉君應許。

又《長相思·落花》：

　　一枝低。兩枝低，黃鳥飛東蛺蝶西。雙雙尚自啼。　　朝
煙迷。暮煙迷。紫燕銜時已作泥。

又《一落索·落花》其一：

　　消受春光無幾。流鶯催爾。無端開落太匆匆，枉去爭
紅紫。　　苦被東皇驅使。夢中相似。行雲行雨總無情，
教宋玉、空悲淚。

又《一落索·落花》其二

多謝燕兒銜汝。嘴黏紅雨。紛紛青冢畫梁間，棲宿多
香土。兩兩呢喃香語。粉含脂吐。巢成即是玉鈎斜，魂片
片、恁爲主。

在屈大均詞中，很少有關春花秋月、閒愁閨怨之類的作品，多是
這類題詠落花等意象以抒胸中家國之戀、亡國之恨的婉約詞。因爲落
花意象本身具有輕柔婉媚的特點，這些詠物詞自然傾向於柔媚款約。
如有的詞中言「裙可留仙」、「拾得香魂」、「行雨行雲總無情」、「魂片
片、恁無主」之類，更把亡國之哀戚表現得湊泊無迹。這類婉約風格
的詠物詞的大量出現，標誌著屈大均詞創作取向的調整和改變。他晚
年在長期的鄉居生活中，接觸日常普通的事物和生活節奏，已經沒有
遠遊時期能夠引起豪情激蕩、壯懷激烈的雄闊景觀和英雄壯舉，而只
能留意於身邊微小事物和秀美景觀了。正如屈原《離騷》說：「惟草
木之零落兮，恐美人之遲暮。」當歲月飛快流逝，英雄末路之時，也
只能長歎草木之零落了。

屈大均詞的這種創作取向的改變，並非刻意爲之，而是不自覺之
中轉向對柔婉風格的傾慕，可能他自己也沒有注意到題材內容選擇上
的變化，以及由此帶來詞的總體風格的衍變。實際上，這種衍變正體
現時代環境因素以及詞本身運動發展的必然結果，當然更重要的方面
還有屈大均詞與楚騷傳統之間建立的先天聯繫。因爲他的詞與楚騷精
神的密切結合，在總體審美追求上自然易於趨同。田同之《西圃詞說》
說：「詞之爲體如美人」〔註10〕，楚騷中幽約要渺的美學取向正與詞
體婉約品格契合，屈大均詞轉向婉約風格是自然而然的。如《巫山一
段雲》：

片片瑤姬影，飛來最有情。朝朝暮暮不分明。愁與夢
魂凝。　　雲濕疑行雨，峰開似列屏。鬢鬟染得一天青。
一朵一仙靈。

這首詞述本意，寫新月寄人事，有要渺之美，又含幽怨之意。這

〔註10〕 田同之撰，《西圃詞說》，唐圭璋編，《詞話叢編》，第 1450 頁。

樣的美學追求早就體現在楚騷之中。《湘君》說:「美要眇兮宜修,沛吾乘兮桂舟。」《遠遊》說:「質銷鑠以汋約兮,神要眇以淫放。」歷代詞評家深感於楚騷與詞之間相似的美學追求,引之以喻詞。張惠言《詞選序》曰:「低徊要眇以喻其致。」〔註11〕王國維《人間詞話》曰:「詞之為體,要眇宜修。」〔註12〕屈大均詞對這種風格的追求和選擇,體現了對詞的本體特徵的回歸,也是他對詞體特徵認識深化的結果。當然,屈大均詞的這種創作傾向還是對前代詞學觀念的創作模式的借鑒和模倣,這也是屈大均極力推崇南宋騷雅詞的主要原因。

　　總結上面所言,屈大均詞中豪放和婉約的風格取向,在他的詞中皆得到鮮明體現。由於政治時勢、生活境遇以及詞本身的運動軌迹,他的早期詞多數呈現豪放的風格,而晚期詞多是婉約之風。特別是他的詞對楚騷精神的自覺追求以及與楚騷幽約要眇的美學特徵的契合,使得他更易於接受楚騷精神影響之下的婉約之美。當然,因為他的詞並不是早期豪放詞與晚期婉約詞的絕對劃分,其中又有一些交叉的情況,正反映了屈大均詞整體風格面貌衍變的複雜過程。

第二節　屈大均詞對騷雅風格的追求和呈現

　　屈大均足迹遍涉南北,往返於極溫、極寒之地,親身體會世風日下的社會現實,總其詞風,鏗鏘處如金石之音,幽眇處可謂感泣鬼神。屈大均在壯遊時期,受塞漠風物所感、英雄豪膽的激發,創作不少豪放傾向的詞,將胸中鬱結之激憤噴薄而出。這些詞多數是集中作於一時一地,不能代表屈大均詞的總體風格面貌。他詞集中大量的婉約詞才真正代表他對詞的本體特徵和藝術品格的追求。由豪放傾向的創作追求,轉向婉約風格的詞的大量創作,既因時代形勢的改變和詞體內

〔註11〕 張惠言編,《詞選》,北京:華夏出版社,1999年,第1頁。
〔註12〕 王國維撰,《人間詞話刪稿》,北京:人民文學出版社,1960年,第226頁。

在的發展規律的衍變，也是由於屈大均詞在精神內容上以騷辭爲祖述，而最終容易形成與之類似的溫婉而雅正的品格。從另一角度看，在屈大均婉約詞中，類似花間情調的綺媚風格的詞數量並不多，也可見楚騷對屈大均婉約詞的形成和發展產生的影響。

屈大均詞中騷雅風格的模倣和形成並非一蹴而就，需要長時間地對各種詞風進行調整和融會。在這個過程中，不僅是詞的題材內容的簡單轉換，以及對豪放、婉約詞風的簡單調和，還是詞人對習慣了的作詞方式和情志抒寫的昇華和雅化。屈大均詞最初以騷辭爲祖述，其中表現的情志與楚騷精神相關處，多是原始而樸拙的面貌，還需要在成熟的詞學觀點引導下，對整體詞風進行整合和融會。南宋姜夔、張炎代表的騷雅詞風因本以楚騷爲宗主，自然而然成爲屈大均所模倣的對象。

一、屈大均詞對騷雅風格的推崇和追求

屈大均對南宋騷雅詞特別推崇。他讀過張炎的詞，因相似的歷史處境，在讀詞時之先有尋得情感共鳴的閱讀期待。他《三外野人贊》說：「予嘗見張叔夏《山中白雲詞》，卷首有《三外野人序》，蓋鄭所南氏也。予不幸生於所南之時不異」，又說「乾坤之毀，適逢其會」〔註13〕之類。南宋鄭思肖，號所南，又號三外野人，爲張炎《山中白雲詞》作序，又著有《心史》一書，在明末清初士人之間流傳甚廣。屈大均對鄭思肖欽佩有加，嘗有「二史草堂」，所謂「二史」，即「少陵以詩爲史，所南以心爲史」〔註14〕。在南宋遺民群體中，鄭思肖個性乖張，較爲特出，他的事迹在明末清初被傳爲典型，屈大均自然對其印象深刻。屈大均本是爲讀張炎的詞而特別注意到鄭氏之序，可知他原本的心理期待在於如何與前人尋得情感共鳴、寄託精神追求，由此也可以看出，屈大均對南宋詞推崇的精神追求和思想淵源。

〔註13〕 屈大均撰，《三外野人贊》，《屈大均全集》第三冊，第 209 頁。
〔註14〕 屈大均撰，《二史草堂記》，同上，第 320 頁。

　　當然，屈大均並不是為專門尋找鄭思肖的序，而是為了閱讀張炎
的《山中白雲詞》。他對五代以及北宋的詞不甚留意，卻總是對南宋
詞讚賞有加。如前面引述過的《紅螺詞序》說：「詩所不能言者，以
詞言之，詞者，濟詩之窮者也。詩至唐而亡，有宋之詞，而唐之詩乃
不亡，詞至南宋益轉稱善。吾友鮑子韶喜以玉田、白石、梅谿為宗，
所作《紅螺詞》，驚采絕豔，誠使香山、紫微降格為之，未知其孰勝。」
屈大均認識到詩詞有別，「詩所不能言者，以詞言之，詞者，濟詩之
窮者也」的表述，類似於王國維在《人間詞話》中所言：「詞之為體，
要眇宜修，能言詩之不能言，而不能盡言詩之所能言。詩之境闊，詞
之言長。」對於詩詞各自的本色優勢，當區分言之。實際上，屈大均
在早期豪放詞的創作中，並沒有特別在意詩詞之別，創作了大量「長
短不齊的詩」，他在晚年才特別注意到對詞的本體特徵的藝術追求，
可見他詞學觀念的轉變以及對南宋騷雅品格的婉約詞的推崇是同時
發生的。

　　他在《紅螺詞序》中稱詞發展至南宋而更善，尤以姜夔、張炎特
受矚目。這種觀點，除了此序中有表述外，他在《讀李耕客龔天石新
詞作》中也說：「公子多才年復少，樂府能兼南宋調。」〔註15〕屈大
均讚賞兩位詞人的新詞深得南宋調之遺意，非對「南宋調」有特別的
關注，不能處處皆以「南宋調」作為評判詞的標準。當然，在此序之
中，屈大均對詞的認識也存在偏差，他說「誠使香山、紫微降格為之，
未知其孰勝」，白居易之作還不能稱為詞，朱熹的詞難覓佳品，他們
本不善作詞，如何還能降格為之，與今世詞人較短長？在這點上，屈
大均認識上雖有偏差，卻透露出一個信息，就是他對詞的優劣評價是
以切近現實、關係人倫作為準則，因為白居易、朱熹都以關注現實社
會、道德人倫為世所稱。他主張詩詞對社會現實、道德人倫的關注，
與他推崇騷雅詞的方向是一致的。所以，屈大均用近似調侃的語氣，

〔註15〕　屈大均撰，《讀李耕客龔天石新詞作》，《屈大均全集》第一冊，
　　　　　第 129 頁。

稱「子房若好女子，其手纖柔，不以撫弦動操，而以椎秦，不善其所長者也。」他以張良椎秦的事例，鼓勵鮑子紹從事有用人倫的事業，體現他一貫的堅持的尚用文學觀念。

在序文的最後，屈大均又說：「其恩其怨而相爾汝，吾安能測其中之所存也哉？」他推許這種寄託出入而渾然漫與的手法，正是南宋騷雅詞所最擅長的地方。詞中寄託之說，對清代詞壇影響特著者，有張惠言《詞選序》，其中說道：「詞者，蓋出於唐之詩人，採樂府之音以製新律，因繫其詞，故曰詞。傳曰：『意內而言外謂之詞』。其緣情造端，興於微言，以相感動，極命風謠里巷男女哀樂，以道賢人君子幽約怨悱不能自言之情，低徊要眇以喻其致，蓋詩之比興，變風之義，騷人之歌，則近之矣。」張惠言倡言寄託，矯浙西末流枯槁之弊，又失之於泥。其後，周濟提出「有寄託入，無寄託出」的說法，以糾專爲寄託而寄託的偏頗。實際上，常州詞派特別強調寄託，糾正浙西末流空虛無物之弊病，並不是說浙西詞派沒有「寄託」。朱彝尊就曾說：「善言詞者，假閨房兒女子之言，通之於《離騷》、《變雅》之義。」此說不正是屈大均所推崇的寄託難測的相同表述。相對常州詞派而言，浙西詞派更注重於「騷雅」詞風，而後有「家白石、戶玉田」的盛況。屈大均與朱彝尊相交甚厚，他論鮑子紹詞的恩怨爾汝，讚賞寄託不可測，也是承繼姜夔、張炎詞風而來，切近於清初時期詞壇的騷雅風氣。

屈大均《紅螺詞序》大致作於晚年時期。他有《春從天上來・壽制府大司馬吳公》詞說：「寫五臣謨訓，和騷雅，傳與旂常。」此詞大概作於康熙二十五年，其中言「騷雅」，當是指騷雅詞風了。屈大均還有《琵琶仙・蒲衣將我新詞譜入琵琶楔子，令新姬歌之，賦以爲謝》一詞，此詞作於康熙三十三年間，他自詡其詞爲玉田、白石一路。

> 天授王郎，有誰識、這是琵琶仙子。彈出南宋新聲，
> 詞人任驅使。紅豆好、尊前麗曲，又添得小紅能記，笛已
> 親教，琴如自弄，香閣多喜。　　笑連日、情滿徐妝，爲

梅蕚、紛紛點丫鬢。催我暗香幽咽，盡騷人風致。須說與、
裁雲剪月，有個儂、俊句相媚。便與分入檀槽，過雲天際。

此詞中有「彈出南宋新聲」、「催我暗香幽咽」等語，可知屈大均
對自己騷雅詞風的認同。另外，此詞中還有化用騷雅派詞人的語句。
如「情滿徐妝」句，出自史梅溪《夜合花》中「向銷凝裏，梅開半面，
情滿徐妝。」〔註16〕史梅溪亦是屬於騷雅一派，被稱爲姜夔之羽翼，
能如此化用語句，說明屈大均對梅溪詞是非常熟悉的。屈大均的《一
落索・落花》，其中寫燕「兩兩呢喃香語」，也是化用史達祖《雙雙燕・
詠燕》中「又軟語、商量不定」〔註17〕；他的《換巢鸞鳳・蒲衣折梅
歸餉贈之》一詞，又有「多情天肯念王昌。故教換巢，雌雄一雙」一
句，出自史梅溪《換巢鸞鳳・梅意》「天念王昌忒多情，換巢鸞鳳教
偕老」〔註18〕；以及他《荷葉杯・雁》：「寫盡雙雙人字。誰寄」，化
用張炎《解連環・孤雁》「寫不成書，只寄得相思一點」〔註19〕。屈
大均關注並模倣南宋詞，化用其語句以自作詞，洵非虛言。

總之，屈大均詞對騷雅品格的推崇和模倣，一定程度上反映了他
對現實的關注以及對詞創作的影響，同時也可以注意到他晚年詞多留
意詞之本體特徵方面的內容，由此而形成婉約而溫潤的風格面貌。這
當然是屈大均詞創作實踐的深入而最終發展的必然結果。屈大均詞並
非一開始就以騷雅詞風作爲最高模倣準則，而是晚年自覺地對詞風進
行調整和清理，最終找到了適合自己的模倣準則。他的詞對騷雅品格
的推崇，體現了有關楚騷的情志在他的詞中的表現方式和手法的進一
步發展。顯然，屈大均對詞中騷雅品格的追求，使得他須對詞中表達
與楚騷相關的情志進行規整和提煉，達到遺貌取神、渾然漫與的藝術

〔註16〕　史達祖撰，雷履平等校注，《梅溪詞》，上海：上海古籍出版社，
　　　　　1988年，第79頁。
〔註17〕　史達祖撰，雷履平等校注，《梅溪詞》，同上，第3頁。
〔註18〕　史達祖撰，雷履平等校注，《梅溪詞》，同上，第138頁。
〔註19〕　張炎撰，吳則虞校輯，《山中白雲詞》，北京：中華書局，1983
　　　　　年，第20頁。

境界。

二、屈大均詞騷雅風格形成的自我調整

　　屈大均推崇屈原的理想人格和道德精神,對他的詞表現的精神意旨等方面產生深遠影響,進而形成特定的風格面貌。如他在詞中用「香草美人」的手法表達高潔之志和現實追求;借「哀郢」、「招魂」的意義形式,寄託故國之思和對英雄的禮贊;他還在詞中抒寫任性放達、狂放不羈的生活方式,因楚騷中有屈原狂傲不俗的獨立精神以及莊子的自適思想,並由此尋得精神依託的經典依據。這些方面的情志抒寫,皆是屈大均詞中的「騷」的因素,體現他在精神人格方面深受屈原影響,並「以三閭爲師」,秉承楚騷的《風》、《雅》傳統方面的努力。他的詞學觀念根治於楚騷的反映社會現實、抒情言志的《風》、《雅》傳統,由此形成經世致用的觀念,使得他在詞中對楚騷精神的表現,更多體現爲一種將「騷」的因素納入詞創作中的自覺態度和努力。

　　但是,詞的本體特徵也就決定了僅把「騷」的內容以詞的形式表現出來是遠遠不夠的,還需要進一步地在兩種文體之間進行的融合和提煉,才能形成詞的特定的風格。這不僅僅是技術操作層面的問題,還涉及政治時勢、詞壇氣運以及個別傑出詞人的引導等方面複雜因素。屈大均詞借楚騷精神來抒發自己的情志,如果僅僅是對楚騷精神的模寫,自然還不能形成自己穩定的風格。如他詞學觀念中的風雅精神和實用傾向,本身就與楚騷文化中的「荒淫之意」、張狂不守禮法方面的內容存在不可調和的關係,他的詞的風格面貌也因此顯得斑駁而紛雜。在風雅觀念與楚騷中「荒淫之意」、狂狷思想不相融的激烈對抗中,政治形勢以及時勢氣運等外部因素的作用,對他詞風走向和衍變產生深遠影響,很快就會使原來思想上的緊張得到平衡與和諧。

　　清初政治形勢逐步走向穩定,飽受戰亂之苦的民眾,多數皆渴望安定平和的生活,屈大均以強烈抗爭意味存在的「荒淫之意」、狂狷不俗的生活方式和精神指向,已經逐漸失去存在的社會價值和精神意

義。同時，在儒家傳統詩學觀念的強大慣性影響之下，詩詞中的風雅傳統佔據絕對的主導地位，屈大均在詞的創作觀念上，會自然而然地對以前固有的一些創作傾向進行清理和刪汰。最明顯的就是對詞的題材內容進行選擇和提煉。如先前在他詞中以香草美人手法表現清潔之志和現實追求方面的內容，因近於風雅傳統而將在此基礎上進一步提煉、融會；而詞中抒寫的一些與楚騷中自適精神相聯繫的「荒淫之意」、狂狷之行，在晚期詞的創作中，則將面臨被捨棄的命運。這就是屈大均詞在題材內容方面因詞學觀念的變化而與楚騷精神形成的某些離合運勢。朱彝尊曾說「善言詞者，假閨房兒女子之言，通之於《離騷》、《變雅》之義」，此詞學觀念預示新時期詞的兩種發展方向：一方面，詞應該表現《離騷》、《變雅》方面的內容，對於不具備騷雅之義者，自然應該規避；另一方面，借閨房兒女子之言，就是倡導詞風偏向於柔端方面的內容取向。屈大均早期多寫邊塞生活的豪放詞，轉向體現楚騷精神的騷雅詞風，正體現了這種發展理路的裁奪和規整。屈大均詞中曾表現的「荒淫之意」、狂狷之行之類，雖也能在楚騷中尋得精神依據，為祖述楚騷的其中一方面，但畢竟不合於騷雅的審美標準，注定會在詞風進一步定型過程中遭到刪汰。簡言之，在屈大均的騷雅詞學觀念形成過程中，「雅」的傾向會對「騷」的內涵進行規整，「騷」的風味會變得更為平和、純正，不再是那樣鋒芒畢露、尖刻狷介了。在「騷」與「雅」的相互牽制影響之中，屈大均的詞風會傾向於更為純粹，並形成一種穩定、統一的騷雅風貌。

　　通過比較創作於不同階段的屈大均詞的風貌，也可以看出他詞中騷雅品格詞風的形成軌迹。如他作有大量以美人閨情託寄現實追求的詞，《鵲踏枝》說：「枉作金爐朱火斷。」《南歌子‧珠淚成紅豆》說：「倩誰遙寄去，桂林君。」這些詞借閨情寫對明宗室的耿耿忠心，直接寫「朱火斷」、「桂林君」之類，表達的情感顯得過於直接刻露，缺少含蓄悠長的韻味，但如《江城子》：

　　　　春魂如雨復如煙。暗吹斷，落天邊。無情花片，相逐

又明年。人笑海棠消瘦盡，明鏡好，尚相憐。　　軟同人柳只多眠。怕鵑啼、到簾前。愁壓春山，不使黛雲妍，枕簟為誰寒欲絕，教寶鴨，斷沈篆。

這首詞看似花間情調，其中的情感甚為沉重，是深含寄託的。這首詞體現了屈大均詞對現實寄託手法的提煉和昇華的技巧，隱約含蓄地表達出了他的精神氣韻和情志，體現閨情幽怨與家國之思鹽融於水的藝術境界，正是他所推崇南宋詞中恩怨爾汝、渾然不可測其所存之處。

屈大均詞對騷雅詞風的提煉和鎔鑄，更成功地體現在很多寫難以名狀之愁緒的詠物詞中。南宋騷雅派詞人的詠物詞別具一格，有尋常人不能道之語，如姜夔詠梅的《暗香》、《疏影》，張炎詠雁的《解連環‧孤雁》，王沂孫詠月的《眉嫵‧新月》，以及南宋遺民周密等人，有《樂府補題》一集，集中詠物以表達故國之思。屈大均晚期詞風以騷雅品格為標尺，他的詠物詞方面也呈現逐漸向騷雅、清空接近的衍變方向。如《念奴嬌‧荷葉》：

穿波初葉，似錢時、已有明珠無數。紅白難知那一種，解為佳人先吐。白鷺東西，紫鴛南北，爭戲田田處。香羅全展，摘裁裙子應許。　　記得西子湖邊，冰蟾已上，猶唱菱歌去。欲取絲絲纏玉臂，那管芙蓉無主。斜倚冰盤，靜搖風佩，誰戲蓮心苦。團圓須蚤，冷飆容易侵汝。

又如《惜秋華‧木芙蓉》：

莫拒秋霜，任重臺獨辦，紅衣都染。乍得露華，新妝更添嬌艷。凌晨已作酡顏，醉滴滴、天漿未厭。堪念。念芙蓉製裳，湘累得占。　　朵朵暮還斂。待明朝醒解，把薄脂重點。恨水淺。照不徹、鏡雲微掩。何人見爾關情，折數枝、寄來相賺。那敢。怕鴛鴦、露棲葭菼。

這兩首詞皆是詠芙蓉，都借用了楚騷中的香草意象，表達自己高潔的品質和追求。如《念奴嬌‧荷葉》說：「香羅全展，摘裁裙子應

許。」《惜秋華‧木芙蓉》說：「念芙蓉製裳，湘累得占。」這體現了屈大均詞祖述楚騷的創作態度，但卻顯得不夠融通，缺少含蓄韻致。騷雅派詞人在詞中對楚騷精神的表達，往往是清空雅致、含蓄隱約，具有煙雨朦朧之美，根本不似這兩首詞對騷辭語句直接引用的情況，卻能夠得楚騷之神韻。當然，屈大均這兩首詞也有如姜夔、張炎詞「一洗華靡，獨標清綺」的地方，如《念奴嬌‧荷葉》說：「記得西子湖邊，冰蟾已上，猶唱菱歌去。欲取絲絲纏玉臂，那管芙蓉無主。」《惜秋華‧木芙蓉》說：「怕鴛鴦、露棲葭菼。」皆可謂是「如瘦石孤花，清笙幽磬，入其境者，疑有仙靈，聞其聲者，人人自遠」〔註20〕。但是，這兩首詞中有些語句有顯得過於清冷、決絕，情感也是比較厚重、質實，整首詞的美感境界又不太似於騷雅清空的審美追求。如《念奴嬌‧荷葉》說：「團圓須蚤，冷飆容易侵汝。」《惜秋華‧木芙蓉》說：「莫拒秋霜，任重臺獨瓣，紅衣都染。」類似這樣的語句，在騷雅派詞人詞作中還是很少能找到的。這都體現了屈大均詞在模倣騷雅派詞過程中，既逐漸接近其詞風又未能徹底擺脫以往作詞痕迹的漸變情況。他另外還有很多詠物詞，顯得與騷雅詞風更為接近。如《疏影‧鴛鴦梅》：

　　　　層層作蕊。更絳跗一一，能結雙子。定是青陵，魂入寒香，催教朵朵連理。雌雄不少相思樹，又恁得、同心如爾。更愛他、飛雪丹成，灼灼杏葩難似。　　堂上鴛鴦慣見，試將七十二，來與相比。臉際凝脂，絕勝明霞，幾片天邊初起。枝枝正發臺關驛，染遍了、白鷳頭尾。記昔年、弄玉同攀，笑向影邊斜倚。

　　姜夔有詠梅的自製麯《暗香》、《疏影》，可以稱為騷雅一派詠物詞的代表作，後世詞人爭以此詞調填詞，但少有得其神意者。屈大均有兩首詠梅詞，也以《暗香》、《疏影》詞調填寫，其中尤以《疏影‧鴛鴦梅》為佳。如其末句云：「記昔年、弄玉同攀，笑向影邊斜倚。」

〔註20〕　郭麐撰，《靈芬館詞話》，唐圭璋編，《詞話叢編》，第 1503 頁。

可謂情深而清，餘音繚繞，令人神往。再觀「愁絕靈娥在遠，思寄去、百房能否」、「雌雄不少相思樹，又恁得、同心如爾」等句，也非泛泛而言，其中借詠物以詠懷，涉故國哀思，君臣之恨，而無淺露、雕刻的痕迹。又如《明月逐人來‧新月》：

> 眉痕輕碧。纖纖初畫，微開鏡、素娥無力。兔兒何處，相顧無消息。待滿雌雄方識。　　誰見娟娟，不向蘭閨深憶。娥長短、無人憐惜。兩頭青黛，應似春山滴。只怕愁煙空積。

這類詞寫景狀物，以婉筆抒寫情懷，無端愁緒繚繞其中，在風格上也類似騷辭。《涉江》說：「吾不能變心而從俗兮，固將愁苦而終窮。」《湘夫人》說：「帝子降兮北渚，目眇眇兮愁予。」《大司命》說：「結桂枝兮延佇，羌愈思兮愁人。」都是抒發迷離朦朧的愁緒。這種含蓄而隱約的愁緒，以婉約柔和之筆寫出，往往更能浸染、溫潤人心。類似這樣的風格取向，在南宋騷雅詞中比比皆是。這首詞詠新月，明顯受王沂孫《眉嫵‧新月》一詞影響，其中曰：「纖纖初畫，微開鏡、素娥無力。」就是化用王沂孫《眉嫵‧新月》「畫眉未穩，料素娥，猶帶離恨。」〔註21〕由此可以看出屈大均詞在模倣騷雅詞風方面的努力以及達到的成績。他詞對楚騷精神的藝術表現，終極追求就是通過模倣騷雅詞風，形成不取楚騷之語而又得楚騷之神的藝術效果。

最後，屈大均詞推崇並模倣騷雅詞風，還表現在對聲律諧協的自覺追求。南宋騷雅詞派重詞的格律，姜夔、張炎等人，皆精於音律，善於製麴，作詞自然以協律爲要。屈大均曾自詡其詞聲律協暢。他在《復汪扶晨書》中說：「新刻《騷屑》中多四聲諧協，有善歌者，其以是教之小紅低唱，汝吹簫能如是乎？」〔註22〕「騷屑」是他初刻辭集名，可見其對《騷屑詞》聲律的自信。不僅如此，他的朋友王隼作

〔註21〕　唐圭璋編，《全宋詞》第五冊，北京：中華書局，1965 年，第 3354頁。

〔註22〕　屈大均撰，《復汪扶晨書》，《屈大均全集》第三冊，第 245 頁。

的《騷雅詞序》，也稱賞屈大均詞恪守聲律之美。他說：

> 夫詞曲一道，嚴於詩賦。措語清新，香麗諧律，四聲
> 陰陽。近代作者，或詞乖於義，或字戾於聲，不審高低，
> 不辨清濁。刻意求工者，以過泥失眞；師心作解者，以率
> 俚欠雅。玉茗詞曲，膾炙人口，獨音律少諧，不無鐵綽板
> 唱大江東去之病，詞場惜之。余善病杜門，屏絕嗜好，唯
> 聲律不能忘懷。今春與諸伶較理詞曲，絲肉鼎沸之際，而
> 翁山先生緘示《騷屑》一編。遂按以紅牙，被之絃索，攫
> 藏掩抑，嫋嫋動人，含商咀徵，循變合節，義既精粲，律
> 復整嚴。昔萬寶常善歌，上帝以天授音律之性，使鈞天之
> 官示以玄微之要。先生此詞，何所自來？其殆有神授耶？
> 天壤元音，一線未絕，笙簧一代，鼓吹千秋，其在斯乎？
> 其在斯乎？〔註23〕

　　王隼稱近代詞人或不審音律，或率俚欠雅，皆不得稱善；而屈大
均詞卻是「義既精粲，律復整嚴」，這是他對屈大均追崇騷雅詞風的
肯定。當時王隼的審美標準也是以詞的騷雅風格爲藝術極則。王隼稱
賞他的詞爲「天壤元音，一線未絕，笙簧一代，鼓吹千秋」，既是稱
賞他的詞的聲律之美，也是感歎他的詞中飽含故國之思、亡國之痛以
及忠君愛國之情。屈大均詞以楚騷傳統爲祖述，所以能夠鼓吹千代。
由此可以看出，屈大均詞的騷雅品格正是他以及友人眞正得意之處。

　　總之，屈大均本非「雅」士，卻有濃厚「騷」的情結，當他脫去
戰袍，隱居山林之時，仍不忘故國，「騷」與「雅」就很容易融合在
一起，在他的詞自然傾向於柔性抗爭的騷雅品格。屈大均對騷雅品格
的追求和模倣表現在詞風上，是對相關題材內容進行重新清整，選擇
適合表現隱約朦朧情感的物象，寫作了大量的詠物詞；而對表現自己
狂傲、怪誕之行方面內容的詞，他在進一步的創作中，顯然是需要進

〔註23〕　王隼撰，《騷屑詞序》，《翁山詩外》，《續修四庫全書》，集部，第
　　　　1411冊，上海：上海古籍出版社，2002年。

行調整的。屈大均對南宋騷雅詞派詞風的推崇，既是對詞本體特徵認識深化的結果，也是他的詞以楚騷爲祖述發展的必然趨勢，當然，清初詞本身的運動規律以及當時詞壇的風氣，政治形勢、社會心理的轉變，都促成了屈大均詞騷雅品格的衍成。

第三節　屈大均詞的騷雅風格與浙西詞風

「春江水暖鴨先知」，清詞復興首先是朱彝尊等幾位詞壇大家的出現，他們引領當時詞風的轉變方向。屈大均詞推崇並追求騷雅品格，並非他一人憑空而起，而是當時整個詞壇風氣皆如是。康熙十七年之後，朱彝尊爲首的浙西詞派，無不崇尚姜夔、張炎的騷雅詞風。在當時詞壇，屈大均詞中騷雅風味並不顯得特別矚目，但是他的詞與浙西詞派審美趣味相投，這種巧合體現了當時詞風發展的必然規律。

一、屈大均與朱彝尊的社會交往和詞學活動

屈大均與朱彝尊結識甚早、交往甚深。屈大均有作於康熙三十二年的《送朱竹垞》一詩，說：「情同楊柳但依依，乍見那堪即送歸。白首相知誰得似？夢魂從此更交飛。」又說：「重來此地莫相違，各已浮生近古希。二十五年還待汝，白頭未肯嫁斜暉。」〔註24〕這年朱彝尊遊謁廣州，臨別之時梁佩蘭設宴送別，當時有屈大均、陳恭尹等人賦詩酬和。相別二十五年後，屈大均與朱彝尊再次會面，詩中表達的友情如此深摯，故非一般酬應而已。他們初次認識在順治十四年，當時朱彝尊投靠時任廣東布政使的曹溶，並在曹溶主持下編《嶺南詩選》，認識了家居嶺南的屈大均。屈大均以詩名天下，也倚靠朱彝尊的褒贊和揄揚，對此屈大均是非常感激的。再說他《送朱竹垞》一詩中「二十五年」以前的相別，是在康熙六年夏朱彝尊過代州，屈大均、

〔註24〕　屈大均撰，《送朱竹垞》，《屈大均全集》第二冊，1996 年，第 1346 頁。

李因篤相攜同遊。後來，朱彝尊離開代州後，屈大均攜朱彝尊愛妓靜憐送至廣武城，朱氏有《青門引》、《尉遲杯》、《金縷曲》等詩懷靜憐，屈大均亦有《南樓令·倩人寄靜憐作》一詞，也是為此而作。兩人的交往再往前推，在順治十六年，他們於祁彪佳寓山園相遇，大概有所圖謀，非僅唱酬詩詞而已了。是年，鄭成功以海上奇兵圍南京，一時朝野震驚，而籌劃響應者，如魏畊、朱彝尊等，皆出入祁園。戰事旋敗後，他們各自避走，在那幾年漂泊歲月裏，他們也時有交接。順治十八年，屈大均回廣東，朱彝尊還有《有寒夜集燈公聽韓七山人彈琴兼送屈五還羅浮》一詩相送。這就是他倆交遊的大致情況，二人年庚僅差一歲，所經歷的變故也大致不差，相同的歷史環境以及共同的精神追求使得他倆的文學創作主張容易傾向一致。

但據現有文獻記載，屈大均與朱彝尊之間幾乎沒有任何可確考的詞學交流活動。在他們的交往過程中，唯有一點值得注意。順治十四年，朱彝尊入曹溶幕，並由此認識了作詩的屈大均。曹溶在詞學觀念上對朱彝尊的影響甚巨，朱彝尊在曹溶《靜惕堂詞序》中說「從先生南遊嶺表」，而尤以小令慢詞唱和；又說「先生搜輯遺集」，還稱「浙西塡詞者，家白石而戶玉田。春容大雅，風氣之變，實由先生」〔註25〕。由此，嚴迪昌先生認為，「朱彝尊說這話是以一派宗主的身份對曹溶的『開先河』地位的確認」〔註26〕。葉嘉瑩也認為，「正是因為曹溶『搜集南宋遺集』，才引起朱彝尊編輯《詞綜》的念頭」〔註27〕。曹溶與屈大均也有交往，他的《雜憶平生詩友十四首》詩曰：「五嶺曾看續楚騷，名家更拾錦成毫。」〔註28〕就是他對屈大均詩的肯定和褒

〔註25〕 朱彝尊撰，《靜惕堂詞序》，陳乃乾編，《清名家詞》第一冊，上海：上海書店，1982 年，第 1 頁。

〔註26〕 嚴迪昌撰，《清詞史》，南京：江蘇古籍出版社，1999 年，第 256 頁。

〔註27〕 葉嘉瑩撰，《清詞叢論》，石家莊：河北教育出版社，1997 年，第 128 頁。

〔註28〕 曹溶撰，《靜惕堂詩集》，《四庫全書存目叢書》，集部，第 198 冊，

揚。在這期間，曹溶與朱彝尊的詞學活動，尤其是對姜夔、張炎的推崇，可能也對屈大均產生了影響。但是，從現存屈大均詞來看，並沒有可以確定爲這段時間所作的詞，直到此後一年，屈大均北遊後，才開始大量作詞。而且他所作的詞，質樸淺露，藝術技巧尚未完全成熟，更非後來推崇的騷雅風貌。此後很長一段時間，屈大均詞還多是慷慨梗概的塞外之音。待到晚年安定之後，他才開始有騷雅品格的詞大量出現。同樣，朱彝尊、曹溶在廣東期間，也都是身遭坎壈、偃蹇不順之時，從他們當時所作的詞上看，也很少有騷雅之音。過後很長時間裏，朱彝尊的詞「時複雜以悲壯，殆與秦缶燕築相摹蕩。」〔註29〕也是直到晚年，他才有《茶煙閣體物集》的結集，才最能集中體現他騷雅詞風的追求。由此可見，朱彝尊、曹溶在早年的詞學活動，並沒有立即對創作產生影響，而是作爲一種隱伏於內心的觀念，一旦時機成熟，就會在特定情形下影響詞的創作。曹溶雅好搜集南宋詞集，這都對處在詞之創作初期的朱彝尊、屈大均產生了影響，在他們晚年皆不約而同地傾向於騷雅風貌。這種影響就像是潛伏著的某種發展傾向的種子，對於後來特定詞風的形成具有先導作用。

二、浙西詞風與當時的政治形勢和社會心理

政治形勢、社會風氣的轉化，以及特定時期社會心理的成熟，更會對騷雅詞風的形成產生影響。明末清初，浙西詞派的騷雅詞風，是在特殊社會心理的推動下逐漸盛行的。亂世之中，士人階層的普遍心理狀態，固然有柔的成分，但畢竟抗爭是主流，剛強的血氣更能適應社會心理的需要。恰如清初詞壇的陽羨詞派掃除一切豔情，而以豪健之氣迅速風靡。但是，隨著政治形勢的穩定，剛的成分已經不再是社會心理的主流，因爲此時剛性的抗爭已無意義。於是，柔的方面又開

濟南：齊魯書社，1987 年，第 384 頁。
〔註29〕 朱彝尊撰，《朱彝尊詞集》，杭州：浙江古籍出版社，1994 年，第 445 頁。

始佔據社會心理之主流。浙西騷雅詞風當然由柔的社會心理導引，它不同於花間詞風之處，就在於它傾向於柔性抗爭的有現實意義的追求和寄託。浙西詞派詞風更具生命力的原因就在於此。

　　具體而言，浙西詞風的醞釀時期，是在順治元年至康熙十七年。在這段時間裏，滿清入主中原，漢族士人雖有零星的抵抗，但在殘酷的政治鬥爭中，已是頹勢不可逆轉了。在政治高壓下的清初詞壇，隨之呈現複雜而斑斕的面貌。如揚州詞人群的花間情調盛行，於歌樓舞榭中尋得精神慰藉。還有大量遺民詞的湧現，如王夫之、屈大均等人的詞風，或長歌當哭，呈現豪邁、悲慨的特色；或纏綿悱惻，顯得凝重、淒切的風貌。即使如曹溶、朱彝尊等人的前期詞，也呈現這種遺民詞的面貌。早早失節的曹溶，仕途卻坎坷，詞風豪放而悲壯，有濃厚的傷時感慨。未入仕前的朱彝尊，年少意氣，積極參與反清活動，與積極有為的遺民無異，這時詞風跌宕爽朗、激楚蒼涼。康熙三年，朱彝尊「西北入雲中」，與屈大均北遊時豪放詞的創作情況大致類似。他們離開邊塞後，豪健之氣也隨之銷落了不少，繼之而起的是一種無可奈何的滄桑之感。這種時代共同感受映照在每個靈心善感的詞人心中。試想，即使如鄒祗謨這類作詞多花間情調的詞人，也有「屈指興亡多少，只柳影鶯聲無數」〔註30〕的感歎，何況屈大均、朱彝尊等慷慨磊落之士？

　　浙西騷雅詞風的形成，在康熙十七年朱彝尊入京之後。他此次應詔入京，攜帶有被稱為「騷人《橘頌》之遺音」的《樂府補題》，既而又編有《詞綜》桴鼓相應，於是開始形成「騷雅」風氣遍被詞林的局面。這與當時政治形勢的好轉和微妙的社會心理有關。一方面，漢族士人階層的民族情結短時間內並無多大改變，他們仍然繫戀明室宗土、漢家故國；另一方面，康熙的民族政策相對寬鬆，給予漢族士人尤其是遺民以極大的尊重，即使如朱彝尊等人也入仕新朝，仍然可以

〔註30〕　鄒祗謨撰，《望遠行·蜀岡眺望懷古，和阮亭韻》，程千帆主編，《全清詞·順康卷》，北京：中華書局，2002 年，第 3016 頁。

不忘故國，在詩詞之中吟詠「騷」之愁緒。還有一些真正的遺民，如屈大均等，雖不入仕，但也結交新貴，詩詞中也沒有了腥風血雨洗禮下的深沉凝重，而逐漸趨向於平和雅正。總體上來說，對於滿清王朝相對開明的統治，民眾的社會心理也隨之傾向於接納。詞壇「騷雅」之音的盛行，既宣泄了士人心中積存的憤懣，又迎合了新朝對雅正風尚的推崇。在朱彝尊、厲鶚等人鼓吹下，江左士人靡然相從，出現了「家白石、戶玉田」的情況。

當然，浙西騷雅詞風發展至於晚期，由於詞人出生昇平盛世，成長的時代環境已經發生巨大變化，故國之思、亡國之痛已經完全弱化，以至於徹底消失，「騷」的情感漸漸離人遠去，漸成為了無病呻吟，這樣的詞自然就顯得枯槁無生氣。浙西詞派騷雅詞風失去了時代的特色，不可避免地走向衰敗的境況。

三、屈大均的騷雅風格與清初詞風發展方向

歷史的發展規律總是偶然與必然的統一。看似偶然的現象，其後有必然的因素起推動作用。詞經過兩宋發展已登峰造極，至於明代，自然難以為繼。詞壇經過漫長的寒冬，自身也在孕育著一場巨大的變革。這場變革從暗處走嚮明處，需某種特別的契機的激發。明末清初，特殊社會情境、社會心理提供了這個契機。對於清詞的復興，朱彝尊也認為「蓋時至而風會使然」，又說「雖由其才，亦遇其時」〔註31〕。朱彝尊、屈大均皆遇此風雲際會之世運，他們詞風的演進也曾現大致相似的軌跡，即由比較混雜的雜陳的風格面貌，逐漸趨向於騷雅詞風的推崇和追求。可以說，他們都是浙西詞風先驅者，引領了詞風發展的方向。

當然，浙西詞派引領詞壇卻是在複雜的角逐、衍變之後才逐漸明朗的。具體而言，在明末清初的鼎革之變的刺激下，詞的發展趨勢迅

〔註31〕 朱彝尊撰，《水村琴趣序》，《曝書亭集》，第 491 頁。

速朝剛柔兩個方向演化。一方面，前期雲間諸子，以及王士禛、鄒祗謨、彭孫遹等人爲代表的廣陵詞人群，他們寫詞務以豔麗爲工，甚至某些詞流於淫穢。陳子龍等雲間諸子的詞作，鄒祗謨《遠志齋詞衷》稱之爲「麗語而復當行，不得不以此事歸之雲間諸子」，而宋徵輿、李雯等人，更是多有春閨柔情方面的詞作。至於讀王士禛《衍波詞》、鄒祗謨《麗農詞》、彭孫遹《延露詞》，僅由詞集名稱可知其詞的風氣所尚。在這一群體的詞人中，彭孫遹認爲當時詞壇衰蔽，在於學柳之過。他說：「柳七亦自有唐人妙境，今人但從淺俚處求之，遂使金荃、蘭畹之音，流入掛枝、黃鶯之調，此學柳之過也。」〔註32〕他認爲詞當恢複本來面目，即以富貴豔情爲特色的金荃、蘭畹之詞。此種復古論調亦是在明詞多《草堂》之習的弊端上求改革，與朱彝尊大力批判明詞的草堂風氣以振詞壇之衰的目的是一致的。但是，這種沒有抗爭而過於「柔」性的作詞傾向在當時是風靡不起來的，不能代表當時詞壇革新和發展的主流。

　　另一方面，在鼎革之際，陳維崧等陽羨諸子對豪放詞風的推進和延續。這一派人物的詞作，以陳維崧爲代表，師法稼軒，沉雄壯闊。朱彝尊《邁陂塘・題其年題詞圖》說：「擅詞場、飛揚跋扈，前身可是青兕？」〔註33〕由此而形成了風靡詞壇的「稼軒風」。這與當時的社會心理也是非常契合的，因爲這是一種把心中無可排遣而堆積的憤懣，以極度悲慨的方式，驟然噴薄，形成縱橫雄健、掃空萬古的特色。這種抒情特色，對於當時心理受到極度壓抑的南方士人來說，是很容易形成共鳴的。朱彝尊、屈大均等人也有不少這種特色的詞。如果不涉及詞人性情、遊歷等方面因素，他們創作大量豪放乖張的詞，也可以說是時勢使然，胸中鬱結的塊壘必須得以排遣。或許是因爲氣雄而必促，這股詞壇陽剛之氣很快就因社會政治的穩定而失去了影響力，殘留於士人心中的亡國之恨，也逐漸噴張不起來，而以浙西詞派所追

〔註32〕　彭孫遹撰，《金粟詞話》，唐圭璋編，《詞話叢編》，第723頁。
〔註33〕　朱彝尊撰，《邁陂塘・題其年題詞圖》，《曝書亭集》，第306頁。

崇的帶有柔性抗爭色調的騷雅詞，因可表現心中若隱若微的故國情懷而逐漸盛行起來。

　　清初詞的發展軌迹表現爲這剛柔兩股潮流碰撞衝擊，排擠融合，隨著政治形勢的轉變，浙西詞風迅速佔領詞壇，延續近百年。屈大均詞作爲典型的個例，預示了這種發展趨勢。他的早期詞風，蒼涼悲壯、慷慨豪放，陽羨詞風或類於是；他晚年所作之詞，騷情雅緒，祖述騷辭，反映清詞發展方向。王隼說「義既精粲，律復整嚴」，又稱「天壤元音，一線未絕，笙簧一代，鼓吹千秋」，這是對屈大均的騷雅詞風之肯定，而由此一側面可以看到，騷雅詞風以其獨特魅力再次風靡詞壇，可謂引領當時之詞風。

第四節　小結

　　從整個清初詞壇風氣去觀察，當時百派回流、異彩紛呈，但主要有豪放、婉約兩種傾向的詞風，分別形成兩個最有影響力的詞派。譚獻在談論清初詞壇概況時說：「錫鬯、其年出而本朝詞派始成……嘉慶以前，爲二家籠絡者十居七八。」〔註34〕朱彝尊引領的浙西詞派，正是傾向於騷雅品格的婉約風格的代表，而陳維崧代表的陽羨詞派，更傾向於蘇辛的豪放詞風。浙西詞派的騷雅詞風延續更久，影響範圍更廣，代表清初詞壇詞風發展的主流方向。

　　與屈大均早年的邊塞遊歷生活相關，他早期詞多是傾向於豪放詞風，而這也正是政治鬥爭最激烈、性情血氣最旺盛的時期，各類因素皆決定了他的詞必然傾向於豪放面貌。但隨著政治形勢、社會心理的轉變以及他自己詞創作實踐的深入，尤其是他對詞的本體特徵有了深入的認識，他的詞風開始慢慢調整衍變爲對婉約傾向的騷雅品格的追求。這固然與他的詞對楚騷精神的自覺追求，以及與楚騷幽約要渺的審美特徵的相似有關，清初詞本身的運動規律以及當時詞壇的風氣、

―――――――――――――

〔註34〕　譚獻編，《篋中詞》今集二，半廠叢書本。

政治形勢和社會心理的轉變，都促成了屈大均詞騷雅品格的衍成。他的詞以南宋騷雅詞派的詞風爲模倣對象，寫作了大量的詠物詞，對以前的抒情言志方式和表現的題材內容進行整飭和清理，最終以表達隱約朦朧的故國之思爲終極審美追求。

屈大均詞對騷雅品格的追求和模倣，與當時詞壇浙西騷雅詞風的盛行偶合。他與朱彝尊交往甚密，卻難以找到詞學觀念交流的痕迹，他們在詞學觀念和作詞傾向上的接近，體現了詞的發展規律中必然與偶然的關係。陽羨詞風的豪放傾向以及揚州詞壇的花間情調，皆不足以抗衡浙西詞風的騷雅品格。由屈大均詞風的衍變過程可以看出，浙西詞派詞風引領詞壇主流確實是各方面因素推動的必然發展趨勢。

結　語

　　屈大均最推崇的是那些「義既精粲」、「律復整嚴」的騷雅詞。他
經歷了長期而複雜地藝術探索和創作實踐，以及對詞的本體特徵和音
律規範更深入地認識，而逐漸開始追崇和模倣南宋騷雅詞。屈大均詞
之騷雅品格形成的內在推動力量，主要來自思想層面上始終以屈原的
理想人格和道德精神作爲楷範，並對他的尚用的文學觀念產生深刻的
影響。由此，他的詞在抒情言志的《風》、《雅》傳統影響下，著力表
現特定歷史契機下楚騷精神和追求，即使他對狂縱放蕩的精神內容的
抒寫，也總是與楚騷精神建立經典支撐的聯繫。而隨著時勢氣運以及
詞的自身運動規律的必然發展，他的詞表現的內容經過反覆地清理和
整飭，最終傾向於清空騷雅的詞風也就衍成了。

　　屈大均詞騷雅品格的衍成與浙西詞派推崇騷雅詞風是大致同步
的，反映了清初詞壇詞風發展的必然方向。他和朱彝尊等詞人皆是經
過一段時間創作實踐的摸索，以及在反覆多次的詞風的碰撞、交融
中，而最終選擇了以南宋騷雅詞的柔婉而不失於溺的藝術極則。清初
詞壇最終以騷雅品格的詞風佔據主流，體現了時勢氣運以及詞自身演
變規律等多方面運動的結果。而如屈大均詞的騷雅品格主要來自於祖
述傳統的影響，也自然在這滾滾潮流中更易傾向於騷雅詞風。隨著康
熙年間政治形勢的初步穩定，以陽羨詞派爲代表的具有戰鬥精神和抗

爭意識的豪邁詞風，顯然已經無法融入上層主流社會而成爲主導詞壇的風向標；同樣揚州詞壇爲代表的柔靡酥軟的花間情調，因太缺少抗爭的心理內容而一味溺於兒女之私情，也同樣與當時整個社會的主流心理傾向相適合。在這種詞壇背景下，朱彝尊倡導的南宋騷雅品格的詞風，既委婉而含蓄地表達了故國情懷，又不失爲溫柔敦厚的盛世雅緒，自然爲主流社會所接納並欣以此爲藝術軌範。

顯然，屈大均詞對騷雅品格詞風的追求和模倣，卻有與其他浙西詞派中人完全不一樣的內在支配力量和衍變軌迹。這就是他的詞堅持祖述楚騷傳統的原則，並進一步對複雜多變的詞風進行清理和整飭，而最終形成具有騷雅品格的特定風貌。我們在探討文學發展內在規律之時，對於文人在認祖歸宗的思想情結上進而祖述前人的人格精神和文學傳統方面的影響，應給予足夠的理解和重視。本文以屈大均的詞風淵源以及衍變爲個案研究對象，並以此切入當時詞壇詞風的內在衍變規律，具有一定的參考意義。

參考文獻

（一）論著

1. 歐初主編，《屈大均全集》，北京：人民文學出版社，1996 年版。

2. 陳永正主編，《屈大均詩詞編年箋校》，廣州：中山大學出版社，2001 年版。

3. 屈大均撰，《翁山詩外》，《續修四庫全書》本，上海：上海古籍出版社，2002 年版。

4. 屈大均撰，《翁山詩外》，《四庫禁燬書叢刊》本，北京：北京出版社，2000 年版。

5. 屈大均撰，《屈翁山詩集·詞》，《四庫禁燬書叢刊》本，北京：北京出版社，2000 年版。

6. 屈大均撰，《道援堂詞》，《明詞彙刊》本，上海：上海古籍出版社，1992 年版。

7. 屈大均撰，《道援堂詩集·詞》，《四庫禁燬書叢刊》本，北京：北京出版社，2000 年版。

8. 程千帆主編，《全清詞·順康卷》，北京：中華書局，2002 年版。

9. 屈大均編，《廣東文選》，《北京圖書館古籍珍本叢刊》本，北京：書目文獻出版社，1987 年版。

10. 朱祖謀撰，《彊村語業》，《續修四庫全書》本，上海：上海古籍出版社，2002 年版。

11. 張惠言編，《詞選》，北京：華夏出版社，1999 年版。

12. 譚獻編，《篋中詞》，半廠叢書本

13. 葉恭綽編，《廣篋中詞》，家刻本，1935 年版。

14. 龍榆生編，《近三百年名家詞選》，上海：上海古典文學出版社，1956 年版。

15. 陳永正編，《嶺南歷代詞選》，廣州：廣東人民出版社，1993 年版。

16. 汪宗衍撰，《屈大均年譜》，《屈大均全集》本，北京：人民文學出版社，1996 年版。

17. 鄔慶時撰，《屈大均年譜》，廣州：廣東人民出版社，2006 年版。

18. 卓爾堪編，《明遺民詩》，北京：中華書局，1962 年版。

19. 謝正光編，《明遺民傳記索引》，上海：上海古籍出版社，1992 年版。

20. 周駿富輯，《明代傳記叢刊》，臺北：明文書局，1991 年版。

21. 唐圭璋編，《全宋詞》，北京：中華書局，1965 年版。

22. 趙崇祚編、李冰若評注，《花間集評注》，北京：人民文學出版社，1993 年版。

23. 史達祖撰、雷履平等校注，《梅溪詞》，上海：上海古籍出版社，1988 年版。

24. 張炎撰、吳則虞校輯，《山中白雲詞》，北京：中華書局，1983 年版。

25. 朱彝尊撰，《朱彝尊詞集》，杭州：浙江古籍出版社，1994 年版。

26. 嚴可均輯，《全上古三代秦漢三國六朝文》，北京：中華書局，1985 年版。

27. 方回撰、李慶甲集評校點，《瀛奎律髓彙評》，上海：上海古籍出版社，1986 年版。

28. 朱彝尊編，《明詩綜》，康熙四十四年六峰閣刊本。

29. 唐圭璋編，《詞話叢編》，北京：中華書局，2005 年版。

30. 譚瑩撰，《樂志堂詩集》，《續修四庫全書》本，上海：上海古籍出版社，2002 年版。

31. 王國維撰，《人間詞話刪稿》，北京：人民文學出版社，1960 年版。

33. 詹安泰撰、湯擎民整理，《詹安泰詞學論稿》，廣州：廣東人民出版社，1984 年版。

34. 唐圭璋撰，《唐宋詞人年譜》，上海：上海古籍出版社，1979 年版。

35. 施蟄存主編，《詞籍序跋萃編》，北京：中國社會科學出版社，1994 年版。

36. 陳乃乾編，《清名家詞》，上海：上海書店，1982 年版。

37. 嚴迪昌撰，《清詞史》，南京：江蘇古籍出版社，1999 年版。

38. 吳熊和撰，《唐宋詞通論》，上海：商務印書館，2003 年版。

39. 方智範等撰，《中國古典詞學理論史》，上海：華東師範大學出版社，2005 年版。

40. 黃拔荊撰，《中國詞史》，福州：福建人民出版社，1990 年版。

42. 張宏生撰，《清代詞學的建構》，南京：江蘇古籍出版社，1998 年版。

43. 葉嘉瑩撰，《清詞叢論》，石家莊：河北教育出版社，1997 年版。

44. 洪興祖補注，《楚辭補注》，北京：中華書局，1983 年版。

45. 王夫之撰，《楚辭通釋》，上海：上海人民出版社，1975 年版。

46. 李陳玉撰，《楚辭箋注》，《續修四庫全書》本，上海：上海古籍出版社，2002 年版

47. 游國恩纂義，《離騷纂義》，北京：中華書局，1980 年版。

48. 朱熹撰，《楚辭集注》，上海：上海古籍出版社，1979 年版。

49. 劉永濟校釋，《屈賦音注詳解》，上海：上海古籍出版社，1983 年版。

50. 楊義撰，《楚辭詩學》，北京：人民文學出版社，1998 年版

51. 洪湛侯撰，《楚辭要籍解題》，武漢：湖北人民出版社，1984 年版。

52. 阮元校刻，《十三經注疏》，北京：中華書局，1982 年版。

53. 朱熹撰，《詩集傳》，上海：上海古籍出版社，1979 年版。

54. 顧炎武著、黃汝成集釋，《日知錄集釋》，上海：上海古籍出版社，1985 年版。

55. 韋昭注，《國語》，上海：上海古籍出版社，1978 年版。

56. 司馬遷撰，《史記》，北京：中華書局，1982 年版。

57. 班固撰，《漢書》，北京：中華書局，1964 年版。

58. 〔美〕司徒琳撰，《南明史》，上海：上海古籍出版社，1992 年版。

59. 原北平故宮博物院文獻館編，《清代文字獄檔》，上海：上海書店，1986 年版。

60. 紀昀撰，《四庫全書總目提要》，北京：中華書局，1965 年版。

61. 劉勰撰、范文瀾注，《文心雕龍注》，北京：人民文學出版社，2006 年版。

62. 鍾嶸撰、陳延傑注，《詩品注》，北京：人民文學出版社，1961 年版。

63. 王灼撰、岳珍校正，《碧雞漫志校正》，成都：巴蜀書社，2000 年版。

64. 方東樹撰，《昭昧詹言》，北京：人民文學出版社，1961 年版。

65. 何文煥輯，《歷代詩話》，北京：中華書局，1981 年版。

66. 宋長白撰，《柳亭詩話》，《續修四庫全書》本，上海：上海古籍出版社，2002 年版。

67. 黃侃撰，《文心雕龍札記》，北京：中國人民大學出版社，2004 年版。

68. 章學誠撰、葉瑛校注，《文史通義校注》，北京：中華書局，1983 年版。

69. 荀子撰、王先謙集解，《荀子集解》，北京：中華書局，1988 年版。

70. 莊子撰、郭慶藩集釋，《莊子集釋》，北京：中華書局，1961 年版。

71. 杜甫撰、楊倫箋注，《杜詩鏡銓》，上海：上海古籍出版社，1962 年版。

72. 曾棗莊主編，《三蘇全書》，北京：語文出版社，2001 年版。

73. 陸游撰、錢仲聯校注，《劍南詩稿校注》，上海：上海古籍出版社，1985 年版。

74. 辛棄疾撰、鄧廣銘箋注，《稼軒詞編年箋注》，上海：上海古籍出版社，1978 年版。

75. 陳恭尹撰，《獨漉堂詩集》，《續修四庫全書》本，上海：上海古籍出版社，2002 年版。

76. 梁佩蘭撰，《六瑩堂二集》，《叢書集成續編》本，臺北：新文豐出版公司，1989 年版。

77. 陳子升撰，《中洲草堂遺集》，《叢書集成續編》本，臺北：新文豐出版公司，1989 年版。

78. 朱彝尊撰，《曝書亭集》，上海：世界書局，1937 年版。

79. 顧炎武撰、華忱之點校，《顧亭林詩文集》，北京：中華書局，1959 年版。

80. 黃宗義撰、沈善洪主編，《黃宗義全集》，杭州：浙江古籍出版社，1987 年版。

81. 陳維崧撰，《迦陵詞全集》，惠立堂本

82. 梁啟超撰，《飲冰室合集》，中華書局有限公司，1936 年版。

83. 陳寅恪撰，《陳寅恪集》，上海：上海古籍出版社，1980 年版。

84. 周勛初撰，《周勛初文集》，南京：江蘇古籍出版社，2000 年版。

85. 何宗美撰，《明末清初文人結社研究》，天津：南開大學出版社，2003 年版。

86. 李醒塵撰，《西方美學史教程》，北京：北京大學出版社，2005 年版。

（二）論文集、期刊論文

1. 龍榆生主編，《同聲月刊》，南京：同聲月刊社，1941 年版。

2. 《古今談》，臺北：古今談雜誌社，1974 年版。

3. 《廣東文獻》，廣州：廣東文獻編輯委員會，1982 年版。

4. 《嶺嶠春秋‧嶺南文化論集（四）》，廣州：廣東人民出版社，1997年版。

5. 〔日本〕清水茂撰，《清水茂漢學論集》，北京：中華書局，2003 年版。

6. 脅洪泉撰，《古代文學論稿》，重慶：重慶出版社，2005 年版。

7. 范松義撰，《論情初嶺南三家詞——兼論嶺南詞派》，《韶關學院學報》，2008 年第 1 期。

（三）碩士論文

1. 陳珈琪撰，《屈大均騷屑詞研究》，臺灣東海大學中國文學研究所碩士論文，2007 年。

2. 程美珍撰，《屈大均及其詞研究》，臺灣東吳大學中國文學系碩士論文，2008 年。

3. 岳林海撰，《論屈大均遺民心態之變對其詞作的影響》，西南大學古代文學碩士論文，2007 年。

4. 陳美撰，《明末忠義詞人研究》，臺灣東吳大學中國文學研究所碩士論文，1985 年。

後　記

　　在西大三年的讀書生活淡如止水，卻讓人甘之若飴。讀書本是辛苦之事，而能以積極之心態對待之，其樂自是無窮。在此三年的讀碩期間，由於以前沒有接受過系統的學術訓練，需得大量閱讀文獻，掌握治學之道，增加知識容量。知不足而後勇，單調的讀書生活，卻能帶來精神之充實與愉悅。在此即將畢業之際，在胥洪泉老師的精心指導下，此碩士論文經反覆修改之後而完成的，也算是自己這三年來學習成果之彙報。我深知這篇碩士論文遠沒達到胥師的要求，但如把它作爲一個起點，繼續努力下去，一定會有所收穫。

　　三年的讀碩生活以及這篇碩士論文的定稿，都傾注了胥師洪泉先生的很多心血。胥師淵雅博懿的學識，親切和靄的待人，以及時時的勉勵、點撥，讓學生無不倍受感動和鼓舞。在這裏，謹向胥師表達最誠摯的謝意。在西大三年的學習生涯中，還有劉明華師、熊憲光師、何宗美師、韓雲波師、黃大宏師的精彩授課，或面授機宜，此皆學生銘記於心之精神財富，師恩似海，無以爲報，謹此致謝！

　　西大是一個很漂亮的學府。每日清晨總在鳴鳥聲聲中蘇醒，在深夜的蟬聲點點中入睡，這種田園般平靜的生活，以及眾多同門、友生的扶持和激勵，皆是不可多得之寶貴回憶。張曉芝、張福洪、余群、王婭、李愷虹、郭遠霜、尕瑪措以及室友王停軍、彭建、彭善麟、譚

勇、秦輝等同學，共同奮鬥、相互勉勵之日子令人難忘，值此表以謝意！

這三年以來，是父母一如既往地供我完成學業，有他們的鼓勵和支持，給予我不斷追求夢想的巨大動力，這都是無以爲報的。還有趙乃瓊老師、周維群老師的關心和愛護，皆令人難以忘懷。當然，我兄弟姊妹們的信任和支持，皆當銘記，謹此一併致以謝意。

歲月流逝，此三年之印迹已定格，有師友、親人們的鼓勵和支持，讓我以更有信心和勇氣面對生活之挑戰，而你們將永遠是我繼續前行之力量源泉。

2010 年 4 月於西大橘園

鄭谷的人生觀、詩學觀及其詩歌意象

陳清雲　著

作者簡介

陳清雲，女，河南駐馬店人，上海師範大學中國古代文學專業博士、上海大學博士後，致力於中國古代詩歌、詩學及東亞漢文學研究，在《江蘇社會科學》、《上海師範大學學報》、《船山學刊》、《中國韻文學刊》等刊物發表論文十餘篇。與博導合著《袁枚學術檔案》，2013 年 9 月由武漢大學出版社出版，該書爲武漢大學陳文新教授主編《中國學術大系》之一。2014 年獲得兩項省部級以上社科基金項目。

提　　要

　　以一首《鷓鴣》詩被人雅稱「鄭鷓鴣」的鄭谷，是唐末宋初產生過重大影響的詩人。置身唐末昏暗動亂時代，鄭谷既無法實現濟世理想又難以眞正高蹈隱逸。兼濟與獨善的矛盾彷徨，使他只好醉心於詩歌。把詩歌作爲科舉「成名」的工具，走上爲科舉而科舉之路；把詩歌作爲後世「垂名」的工具，試圖通過詩歌實現儒家「立言」的人生價值觀。同時又通過終生吟詩賦詩、結交僧侶逃避在詩歌王國、禪靜世界中以求暫時的解脫。而始終未忘「兼濟」之志，使鄭谷堅持把呼喚風雅和盛唐氣象的回歸作爲自己的詩學思想。但他並非步趨前人，而是汲取眾家之長，通過苦吟鍛鍊和學習南方民歌，最終形成了清婉淺切的鄭谷體詩風。避世心理使鄭谷提出了「詩無僧字格還卑」的恬淡格調觀，但這絲毫沒影響他的創作遵循儒家傳統詩教。由於長期躲避戰亂的驚恐奔走和科舉命運的坎壈，鄭谷詩多選習見的意象表現悲涼情韻，呈現出「饒有思致」、「辭意清婉明白，不俚不野」的藝術特色。

目

次

引　言 ………………………………………………………………………… 1

第一章　鄭谷的人生觀 ………………………………………………… 3

　　第一節　無法實現的兼濟之志 …………………………………… 4

　　第二節　無可奈何的獨善之舉 …………………………………… 16

第二章　鄭谷的詩學觀 ………………………………………………… 25

　　第一節　論詩詩顯現的詩歌主張 ……………………………… 26

　　第二節　綜合前人自成一體的傾向 …………………………… 33

　　第三節　對鄭谷詩「格卑」的辨析 …………………………… 38

第三章　鄭谷詩歌意象研究 ………………………………………… 47

　　第一節　自然意象 ………………………………………………… 49

　　第二節　社會意象 ………………………………………………… 62

結　語 ………………………………………………………………………… 73

主要參考文獻 …………………………………………………………… 75

引　言

鄭谷字守愚，袁州宜春（今江西宜春市）人，唐末「咸通十哲」中成就最高的詩人，現存詩歌達三百餘首，數量可觀，頗具特色。其詩「極有意思，亦多佳句」（歐陽修《六一詩話》），「獨饒思致」，「亦晚唐巨擘矣」（《四庫全書總目》卷一五一），在唐末五代及宋初流傳很廣。鄭谷的思想和詩歌創作在唐末詩壇很具有代表性。

以唐懿宗咸通（860）後至唐亡（907）為唐末，為蘇雪林《唐詩概論》所首倡，也為現階段唐代文學研究者所認同。許總《唐詩史》、吳庚舜，董乃斌主編《唐代文學史》（下）、羅宗強《隋唐五代文學思想史》、李定廣《唐末五代亂世文學研究》以及劉寧《唐宋之際詩歌演變研究》等均如此劃分。鄭谷在唐末五代之際詩名極盛，齊己《寄鄭谷郎中》云：「人間近遇風騷匠，鳥外曾逢心印師。除此二門無別妙，水邊松下獨尋思。」推尊鄭谷為當代詩匠。鄭谷的思想和詩歌創作在唐末詩壇具有代表性，對鄭谷詩歌的個案研究，可以蠡測唐末詩壇風貌。

對鄭谷詩歌研究的學術成果主要出現在近二十年間，具體體現在關於鄭谷生平事迹的考證、詩集的整理、作品真偽考辨以及鄭谷詩歌藝術特點、淵源影響的研究等方面。關於作品整理的成果有：嚴壽澄、黃明、趙昌平《鄭谷詩集箋注》（上海古籍出版社 1991 年

5 月出版）；傅義《鄭谷詩集編年校注》（華東師大出版社 1993 年 12 月出版）。學術期刊上發表的研究論文主要有：趙昌平《從鄭谷及其周圍詩人看唐末至宋初詩風動向》（《文學遺產》1987 年第 3 期）；霍有明《鄭谷詩歌美學初探》（《湖南師大社會科學學報》1988 年第 5 期）；王定璋《試論鄭谷的詩歌》（《西南民族學院學報》1992 年第 3 期）；鍾祥《末代風騷——論晚唐詩人鄭谷的詩》（《河南大學學報》1996 年第 3 期）等。碩士論文有：中國大陸 4 篇，分別是：江西師大 2001 年畢業生崔霞的《鄭谷與晚唐詩風試論》；西北大學 2004 年畢業生張小紅的《鄭谷詩歌研究》；四川師大 2005 年畢業生舒越的《晚唐詩人鄭谷及其蜀中詩研究》；吉林大學 2006 年畢業生閻雪瑩的《鄭谷詩歌論稿》。臺灣 2 篇，分別是：政治大學中文所 1995 年金秀美的《鄭谷之交往詩研究論文》；臺灣國立中興大學 2000 年蔡眞的《鄭谷及其詩研究》。

近 20 年來對鄭谷詩歌進行研究的論著雖有不少，但罕見通過對鄭谷詩歌的解讀，來透視其人生觀、詩學觀者，更缺少對鄭谷詩歌意象作具體分析者，故本文擬在這些方面進行挖掘、拓展。

本書前兩章重點通過對鄭谷詩歌的解讀，聯繫唐末特定的社會文化背景，並與同時代其它詩人進行比較，宏觀把握鄭谷的人生觀、詩學觀。第三章從微觀方面，即通過對鄭谷詩歌意象的細緻考察以求對鄭谷詩情感意蘊、詩歌風格特點作深層次的剖析。

鄭谷同鄉今人傅義先生之《鄭谷詩集編年校注》以民國六年（1917）胡思敬刊《豫章叢書》中之鄭谷《雲臺編》三卷爲底本，補以《全唐詩》所收《鄭谷集》第四卷，參校其它版本，錄鄭谷詩 325 首。本文即主要依據此書所收鄭谷詩，並參考嚴壽澄、黃明、趙昌平先生之《鄭谷詩集箋注》開展對鄭谷詩歌的研究。

第一章　鄭谷的人生觀

　　從文人心靈的塑造看，從人生觀的確立與人生道路的選擇看，孔孟學說鑄成了中國文人的心靈模式。孔子開創的儒家，主張積極進取的人生觀，孔子一生就是充分發揚生命精神，自強不息的典範。但他在教導生徒時，又指點他們，要順時而爲，或行或藏，都依據現實狀況來選擇。《論語·述而》：「子謂顏淵曰：『用之則行，舍之則藏。』」《論語·泰伯》：「天下有道則見，無道則隱。」《論語·衛靈公》：「君子哉蘧伯玉！邦有道，則仕；邦無道，則可卷而懷之。」可以看到，不論是「行」，還是「藏」，都是出於對生命的珍愛。前者是希望生命的價值得到充分的實現，生命精神得到高度的張揚；後者是保全生命的純眞，避免塵俗的污損。

　　鄭谷生於儒官家庭，父親鄭史作過國子監易學博士。約五歲啓蒙，以早慧受知於馬戴，「謂他日必垂名」（《雲臺編自序》）。七歲隨父赴永州刺史任，已能題詩岳陽樓。《雲臺編自序》不無驕傲的說：「谷勤苦於風雅者，自騎竹之年，則有賦詠。雖屬對音律未暢，而不無旨諷。」及冠後，受教於復古派詩人曹鄴，見知於「騷雅」宗師薛能、李頻。從地域文化的發展上看，鄭谷世居袁州宜春，袁州發展到晚唐，一方面由於外來被貶謫文人韓愈、李德裕的推動，另一方面也是更主要的原因，是隨著當地經濟文化發展，當地文人

逐漸形成自覺學習儒家思想的風氣，文人們大多數跨出過袁州，奔走於大江南北，與外面的文人、文化相交往、交融，視野更加寬闊，這在鄭谷是最為典型的，相對於其它袁州作家，鄭谷走得更遠、更加儒化。〔註1〕自身的才華和生活環境決定鄭谷深受儒家思想影響。後雖歷經漫長、坎坷的科舉入仕之路，朱梁代唐的重大變故，鄭谷始終恪守儒家的操守。

第一節　無法實現的兼濟之志

一、「兼濟」與「獨善」之志的復雜交織

「窮則獨善其身，達則兼善天下」（《孟子·盡心上》）的儒家立身處世原則，唐末很多士人卻把它誤解為「得位則仕，失位則隱」來遵循。正如宋童宗說《雲臺編後序》所言：「蓋唐自牛、李植黨之後，學士大夫不擇所附，貪得躁進者罕能獨守義命之戒而不牽於名利之域。至於吟詠性情，出處語默之際，能不悖於理者，固希矣，況至於僖、昭之世哉！守愚獨能知足不辱，盡心於聖門六藝之一，豈入而嗇出之。」其實，「『達』與『窮』在此處應理解作政治理想的『通達』與否而不能理解作個人地位的『顯達』與否。」「它要求人們無論政治形勢有利或不利的情況下都要堅持自己的理想和節操。」〔註2〕鄭谷能在末世堅持儒家操守，難能可貴。

鄭谷置身的唐末亂世的特定環境，決定了他不能實現自己的濟世理想；那麼，他只好「不得志，修身見於世」（《孟子·盡心上》），隱於詩、隱於林泉及僧院。因為，「兼濟」是受著時代條件、政治形勢的制約的，時代條件不允許，「兼濟」是不可能實現的；而「獨

〔註1〕參見戴偉華，地域文化與唐代詩歌，北京：中華書局，2006 第260頁。

〔註2〕張安祖，唐代文學散論，北京：生活·讀書·新知三聯書店，2004 第202～203頁，第203頁。

善」則不受時代的制約，是完全可以由個人把握的。但鄭谷始終沒忘「兼濟」之志。

終其一生，鄭谷一直存在著「兼濟」之志。經歷「遊舉場凡十六年」（《雲臺編自序》）的艱辛，終於進士及第後，他抑制不住內心的興奮與喜悅，作了《擢第後入蜀經羅村路見海棠盛開偶有題詠》以爲自己離「兼濟天下」不遠了。可唐末的社會現實是殘酷的，又過了七年，鄭谷始釋褐爲鄠縣尉，歷拾遺、補闕，昭宗乾寧四年（八九七）擢都官郎中，以後再無陞遷。鄭谷初入諫垣，雖露喜色：「玉階春冷未催班，暫拂塵衣就芴眠。孤立小心還自笑，夢魂潛繞御爐煙。（《早入諫院二首》其一）可「其那寰區未宴然」已隱有「不知何語可聞天」（《忝官諫垣明日轉對》）之憂。但「兼濟天下」的豪氣不減：「迂疏雖可欺，心路甚男兒。薄宦渾無味，平生粗有詩。淡交終不破，孤達晚相宜。……自許亨途在，儒綱復振時。」（《詠懷》）然居之既久，「小諫升中諫，三年待玉除」，竟「直言無以報，浩歎欲何如」，而且禍亂頻仍，徒增浩歎：「宮闕飛灰燼，嬪嬙落裏閭。藍峰秋更碧，沾灑望鑾輿。」（《順動後藍田偶作》）但擢遷都官郎中後，值華州回鑾，君王反正，於是《回鑾》、《入閣》大唱頌歌，以爲中興在望，心殊振奮：「二年奔走破驚魂，來謁行宮淚眼昏。……兵革未休無異術，不知何以受君恩。」（《奔問三峰寓止近墅》）頗得杜甫《喜達行在所三首》精髓，表達了對唐王朝中興的渴望。而未幾又成泡影：「武德門前顥氣新，雪融鴛瓦土膏春。夜來夢到宣麻處，草沒龍墀不見人。」（《壬戌西幸後》）悲涼氣韻撲面而來。至晚年退隱宜春仰山故居，初尙有脫羈之適，得輕鬆自由之樂：「一自王喬放自由，俗人行處懶回頭。」（《鶴》）旋復悲唐之亡，常是「衣上淚痕和酒痕」（《寂寞》），而且「昨來聞俶擾，憂甚欲顛狂。」（《寄司勳張員外學士》）則長歌當哭：「縉紳奔避復淪亡，消息春來到水鄉。屈指故人能幾許，月明花好更悲涼。」（《黯然》）此詩蓋指天復四年

朱全忠驅昭宗東遷洛陽途中發生之事。詩人對群臣遭戮表達了無盡的挽傷。雖是月明花好，良辰美景，然情景相忤，悲涼之情壓倒一切滾滾而來。

占《雲臺編》三分之一多的奔亡傷亂之作，客觀地記錄了唐末政權內部之爭，描繪了日趨激烈的各種社會矛盾，折射出當時社會的黑暗面貌，故稱之為唐末咸通以後的一部詩史並不過分。正如《鄭谷詩集箋注‧前言》所云：「黃巢起義後，唐末重大的政治軍事動亂幾乎都能從鄭谷漂流江湖的一葉破舟中直接或間接地得到反映。」〔註3〕這一點難能可貴。唐末，儒家精神與世乖離，鄭谷能如此，顯示出他對社會責任感的執著固守。他頗類杜甫，其作品思想性雖達不到杜詩的高度，但對災難體驗的深刻性卻有過之而無不及。老愁窮困中，他常以這位古聖先賢來聊以自慰：「獨吟誰會解，多病自淹留。往事如今日，聊同子美愁」（《峽中》）。

鄭谷好自稱「老郎」：「惟恐興來飛錫去，老郎無路更追攀。」（《次韻和秀上人長安寺居言懷寄渚宮禪者》）「初升芸閣辭禪閣，卻訪支郎是老郎。」（《重訪黃神谷東禪者》）葛立方《韻語陽秋》卷一一認為鄭谷「未免於炫詫」。其實，鄭谷到老始為郎官，而且久滯不遷，對此他並非自炫，而是自嘲。而且早在入仕之初，鄭谷就發現他的「兼濟」之志很難實現，他又不願和腐朽勢力同流合污來謀取個人榮華富貴，只有「坐看群賢爭得路，退量孤分且吟詩。」（《春暮詠懷寄集賢韋起居袞》）「獨善」已不是鄭谷對自己一般的道德要求：「季鷹可是思鱸膾，引退知時自古難。」（《舟行》）而成為他堅持理想、不變節操的精神支柱，當然也就成為他作品中表現的主要內容：「朝直叨居省閣間，由來疏退較安閒。落花夜靜宮中漏，微雨春寒廊下班。自叩玄門齊寵辱，從他榮路用機關。孤峰未得深歸去，名畫偏求水墨山。」（《朝直》）這首詩簡潔明快的表達了鄭谷「窮不

〔註3〕嚴壽澄、黃明、趙昌平，鄭谷詩集箋注‧前言，上海：上海古籍出版社，1991 第5頁。

失義」、「獨善其身」(《孟子‧盡心上》)的志向。但同時鄭谷還不時
流露出理想得不到實現的感慨:「騷雅荒涼我未安」(《靜吟》),「名
如有分終須立,道若離心豈易寬。」(《宣義裏舍多暮自貽》)並在自
己力所能及的範圍內表達「澤加於民」(《孟子‧盡心上》)的願望,
可見他並不是忘懷了「兼濟」之志:「雅道誰開口,時風未醒心。」
(《郊園》)對現實、對國家命運的關注一直橫亙心中:「江天多暖似
花時,上國音塵杳未知。」(《借薛尚書集》)「後車寧見前車覆,今
日難忘昨日憂。」(《渭陽樓閑望》)。

　　通過上述分析可知,鄭谷的「兼濟」與「獨善」之志是交織在一
起的,很難具體劃出界限。如《試筆偶書》:

　　沙鳥與山麋,由來性不羈。可憑唯在道,難解莫過詩。
　　任笑孤吟僻,終嫌巧宦卑。乖慵恩地恕,冷淡好僧知。
　　華省慚公器,滄江負釣師。露花春直夜,煙鼓早朝時。
　　世路多艱梗,家風免墜遺。殷勤一蓑雨,只得夢中披。

既表達了「獨善其身」之素志,又難以忘懷濟世之理想,「殷勤一蓑
雨」,「只得夢中披」了。由此,看似矛盾的「兼濟」與「獨善」之志
在鄭谷身上巧妙地融為一體。

　　其實,「孟子所說的『達則兼善天下』和『窮則獨善其身』並
不是互相對立的一對矛盾;在講『兼善』的時候並非不講『獨善』,
講『獨善』的時候也並沒有放棄『兼善』之志。它們只是同一政治
品德原則在不同的政治形勢下的不同體現,是完全統一於政治理想
或『道』的。」〔註4〕既然「兼濟」與「獨善」不可分割的統一在
一起,那麼,作為一位深受儒家思想浸淫的文人,鄭谷的詩歌也就
是「兼濟」與「獨善」的外化形式,因此我們不應機械的、徒勞的
為鄭谷的詩歌分出「兼濟」期與「獨善」期來。

〔註4〕張安祖,唐代文學散論,北京:生活‧讀書‧新知三聯書店,2004
　　　第202～203頁,第203頁。

二、科舉實現人生價值

李澤厚指出：「孔子在塑造中國民族性格和文化——心理結構上的歷史地位，已是一種難以否認的事實。」〔註5〕儒家的人生價值觀，以修齊治平爲人生價值的最終實現，以立德、立功、立言的三不朽爲最高理想。晚唐以前的文人有多種實現這種人生價值觀的途徑，然到晚唐，科舉成爲廣大寒士文人實現人生價值的唯一途徑。因此，博取進士及第就成爲廣大文士孜孜矻矻的人生追求。那麼，進士及第也就象徵文人經過十多年乃至三十多年奮鬥和付出獲得社會的肯定，從而得以實現人生價值。鄭谷《轉正郎後寄獻集賢相公》云：「平昔苦心無所恨，受恩多是舊詩篇。」就表達了這種心理。考取進士被稱爲「成名」，李商隱《上令狐相公狀》曰：「今月二十四日禮部發榜，某僥倖成名。」羅隱有名句曰：「我未成名君未嫁，可能俱是不如人。」（《贈妓雲英》）科舉成名和垂名意識在文人的人生理想中顯得相當突出。鄭谷《雲臺編自序》也說：「谷勤苦於風雅者，自騎竹之年，則有賦詠……同年丈人故川守李公朋、同官丈人馬博士戴嘗撫頂歎勉，謂他日必垂名。」

早慧和科舉垂名意識堅定了鄭谷走上坎坷不平科舉之途的意志。鄭谷約咸通末遷居同州，不久又遷長安，並一度赴汝州爲幕賓。雖遷動頻繁，然大致以赴長安應試爲活動中心。「唐代文人外遊，第一目的地爲長安，因爲這裏可以接納聲氣，求取進士及第的出身。」〔註6〕咸通十一年，鄭谷雖曾爲當時最推利市的同州解首薦，但終因門第「孤寒」（父親鄭史曾任國子監易學博士、永州刺史，都非當朝權要）無得力奧援而金榜無名。

唐末亂世文人被殺是難免的（溫庭皓爲徐州兵變中的龐勛所殺，薛能及全家被部將屠殺，劇燕客於河中王重榮幕下，罹「正平

〔註5〕李澤厚，美的歷程，北京：中國社會科學出版社，1984 第59頁。

〔註6〕徐復觀，韓偓詩與《香奩集》論考，香港中國古典文學研究論文選粹（1950～2000），南京：江蘇古籍出版社，2002 第78頁。

之禍」遇害），故而文人們不能不常懷性命之憂。司空圖《狂題二首》曰：「須知世亂身難保，莫喜天晴菊並開。長短此身長是客，黃花更助白頭催。」韋莊《虎迹》詩生動地說明了在這個亂世上文人們沒有一塊能藏身的安全之所。當然，唐末文人最大的悲劇還是他們的科舉命運之悲，他們大多數十年如癡如狂地輾轉科場而難得一第。據《唐語林》卷二《文學》記載：「大中、咸通之後，每歲試禮部者千餘人。其間有名聲，如何植、李玫、皇甫松、李孺犀、梁望、毛潯、具麻、來鵠、賈隨，以文章稱；溫庭筠、鄭澲、何涓、周鈞、宋耘、沈駕、周係，以詞翰顯；賈島、平曾、李淘、劉得仁、喻坦之、張喬、劇燕、許琳、陳覺，以律詩傳；張維、皇甫川、郭鄨、劉庭輝，以古風著；雖然皆不中科。」明胡震亨說：「晚唐人集，多是未第前詩，其中非自敘無援之苦，即訾他人成事之由。」（《唐音癸籤》卷二十六）指出了「晚唐人」（主要是唐末人）詩作中的大部分是對於科舉的哀歎或憤激之辭。「咸通十哲」中鄭谷應舉十六年，許棠三十年，其餘諸人也經試多年，所以寫下了很多落第詩。傅璇琮先生說：「唐人以科舉爲題材的詩篇，還是以寫落第的作品爲最好，這包括兩方面內容，一是對自己久舉不第的感歎，二是對別人不第失意的慰籍。」〔註 7〕切中肯綮地指出了唐人尤其是唐末人「落第詩」的沉痛感人，這正是他們最大的命運之悲──科舉命運之悲的眞實寫照。

鄭谷的落第詩包含這兩方面內容，但唐末社會動亂的現狀，又使他在落第詩中不能不涉及時局。因此，鄭谷蹉跎科舉的牢落感慨之辭既傳達出了相當眾多的中下層知識分子的共同情緒，也在一定程度上折射了不合理的現實制度和不穩定的時局面貌，這就使他的「落第詩」蘊含更豐厚。

鄭谷現存落第詩共十六首，大致可分爲以下三類：

〔註 7〕傅璇琮，唐代科舉與文學，西安：陝西人民出版社，2003 第 424 頁。

（一）歎己落第之詩

唐末科舉競爭激烈，循私舞弊之風泛濫盛行，黑暗的現實往往造成「世冑躡高位，英俊沉下僚」（左思《詠史》八首其二）的不平局面。許多門第孤寒又拙於鑽營的士子都在科舉路上歷盡了坎坷磨難，有的終其一生仍未能及第，有的皓首場屋方得一第。

《下第退居二首》真實、形象地表現了鄭谷進退兩難的痛苦情緒：「年來還未上丹梯，且著漁蓑謝故溪。落盡梨花春又了，破籬殘雨晚鶯啼。」「未嘗青杏出長安，豪士應疑怕牡丹。只有退耕耕不得，茫然村落水吹殘。」在困厄中，鄭谷沒有憤激抗爭的呼喊，只有低回尋覓、黯然神傷的悄吟，這也是儒家文人有代表性的抒發情感的方式。

（二）慰人下第之作

鄭谷和許多求舉士子來往密切，詩作中抒發落第苦惱、人生困頓的頗多。如《贈楊夔二首》云：「散賦冗書高且奇，百篇仍有百篇詩。江湖休灑春風淚，十軸香於一桂枝。」「時無韓柳道難窮，也覺天公不至公。看取年年金榜上，幾人才氣似揚雄」。這兩首詩本是慰友下第之作，但詩人出以「天公不至公」、「幾人才氣似揚雄」等語，實際上是就科舉制度對人才的埋沒與迫害進行尖銳的批評。「見君失意我惆悵，記得當年落第情。出去無聊歸又悶，花南慢打講鍾聲。」（《贈下第舉公》）以自己的切身體會，細膩地表達對下第舉子的同情，展現了同樣蹭蹬科舉的人生悲劇。

唐末科舉命運之坎壈必然使鄭谷及友人更多地哀歎掙扎於科舉前程與奉親歸養隱居兩難的矛盾心態：「不歸何慰親，歸去舊風塵。灑淚慚關吏，無言對越人。遠帆花月夜，微岸水天春。莫便隨漁釣，平生已苦辛。」（《送進士趙能卿下第南歸》）詩人開出的解決辦法是：不要隨便歸隱。因為即使不考慮人生價值的實現與否，隱居最基本的條件是要有一定的經濟基礎，更何況他們大都「平生

已苦辛」，應該得到一定的社會回報。這就從另一方面體現出鄭谷儒家積極進取精神。

《哭進士李洞二首》是鄭谷落第詩藝術特色最顯著的一首。為突出李洞的特性，詩人所使用的筆法超乎人們的想像：「若近長江死，想君勝在生。」（其二）寫李洞的潦倒終生及其對賈島的崇拜，無以復加。內容上也別具特色，李洞去世的沉痛無法排遣，乃以人才被壓抑的一般規律自勸：「所惜絕吟聲，不悲君不榮。李端終薄宦，賈島得高名。」（其一）。

（三）涉及動亂時局的落第詩

時代喪亂、性命之憂及落第困厄的錯綜交織是鄭谷落第詩的特色。

《送進士許彬》詳敘離亂之情，性命之憂：「泗上未休兵，壺關事可驚。流年催我老，遠道念君行。殘雪臨晴水，寒梅發故城。何當食新稻，歲稔又時平。」《送舉子下第東歸》把落第之厄與戰亂之苦交織在一起：「夫子道何孤，青雲未得途。……秣陵兵役後，舊業半成蕪。」詩人的個人感興無不交織著時代喪亂。

雖然科舉之途坎坷不平，在謀得基本生存條件的情況下，唐末大多數文人以詩謀求科舉「成名」的欲望仍十分強烈。因為「大唐王朝尊重科舉、尊重詩人、尊重詩歌的強大歷史慣性沒有中斷，甚至連武夫悍將也愛作詩，也爭相網羅詩人文士，正如清人由雲龍所云：『唐人重詩，至五代風氣猶然。』《定庵詩話續編》卷上）這種風氣也是文人們的不幸之幸。」（註8）所以，鄭谷才能忍受困守長安十年為博一第，十六年方如願的辛酸經歷，並在其落第詩中始終沒有表現出對科舉的完全失望。由於對詩歌的自負，「才大始知寰宇窄，吟高何止鬼神驚。」（《兵部盧郎中光濟借示詩集以四韻謝之》）

〔註8〕李定廣，唐末五代亂世文學研究，北京：中國社會科學出版社，2006
第78頁。

不管對己對友，鄭谷一直報有信心和希望：「鳳策聯華是國華，春來偶未上仙槎。」（《同志顧雲下第出京偶有寄勉》）他認為落第只是偶然的意外而已。詩人相信自己終有得第之時：「只待花開日，連樓出谷鶯。」（《咸通十四年府試木向榮》）堅信詩歌終能使他科舉成名，實現人生價值：「結綬位卑甘晚達，登龍心在且高吟。」（《作尉鄠郊送進士潘為下第南歸》）。

唐末萬方多難，僅帝王因戰亂出奔即有六次，後更遇朱溫劫駕遷都，朱梁代唐的重大變故。這些變亂以及不少地方性的戰亂，鄭谷都親歷其難。「十年五年歧路中，千里萬里西復東。」（《倦客》）為其奔亡巴蜀，淹留巫峽，流寓荊楚吳越的生動寫照。直至光啟三年（八八七）初春，鄭谷方得出峽沿漢江返長安應試，竟然得中。唐末科場黑暗，但廣大寒士為了成名，即使輾轉科場數十年，困頓寒蹇之極，也在所不辭，一旦成名，則揚眉吐氣，百病全消。五代劉崇遠《金華子雜編》卷下載：「許棠常言於人曰：往者未成事，年漸衰暮，行倦達官門下，身疲且重，上馬極難。自喜一第以來，筋骨輕健，攬轡升降，猶愈於少年時。則知一名能療身心之疾，真人世孤進之還丹也。」鄭谷雖不像在科場苦戰 30 年的「咸通十哲」之一許棠已身老神疲，一旦考中，矯健如少年，他的《擢第後入蜀經羅村路見海棠盛開偶有題詠》也同樣表達了科舉成名後的身心輕快：「上國休誇紅杏絕，深溪自照綠苔磯。一枝低帶流鶯睡，數片狂和舞蝶飛。堪恨路長移不得，可無人與畫將歸。手中已有新春桂，多謝煙香更入衣。」前三聯極贊蜀中海棠盛開時美好的色、形、貌，尾聯感情卻一轉，海棠再好，可他「手中已有新春桂」（科舉時代省試例在正月，及第譬為折桂，故曰新春桂）。此詩通過對比烘託，寫出了詩人科舉成名後的愉悅心情。

但不幸的是鄭谷延至景福元年（八九二）方釋褐為京兆鄠縣尉，然此時業已「鶯離寒谷七逢春」（《結綬鄠郊縻攝府署偶有自詠》）。以後雖三轉而至於郎曹，但最後仍只是「冷曹孤宦甘寥落，多謝攜

笟數訪尋。」(《寄題詩僧秀公》)釋褐次年（景福二年）以詩名拜右拾遺，至三年遷補闕。後於乾寧四年（八九七）以尚書右丞狄歸昌薦，遷都客郎中。(以上均據傅義《鄭谷年譜》)唐末政局動亂，轉遷甚速，而鄭谷數十年的辛苦最後只得到一個郎曹清職。而且入仕以後，在唐王朝行將滅亡前的強藩互鬥中，又多次「奔走驚魂」。看來，在唐末特定的歷史條件下，鄭谷科舉「成名」帶給他的僅是虛名。

三、詩歌實現人生價值

科舉「成名」，某種意義上就是詩歌成名，因為唐末科舉主要測試詩賦。而且，即使艱難及第後，「唐末政局讓更多的士人被擯落在與政治近乎無緣的地位。不僅在現實的人事上無緣，而且從朝政到整個時代的灰暗無望，使詩人往往連一種僅僅是屬於主觀上的干預或參與的意識也難以產生和維持。」〔註 9〕他們只能靠創作高水平的詩歌，提高詩名來確立自己的社會地位。正如鄭谷所言：「江湖休灑春風淚，十軸香於一桂枝。」(《贈楊夔二首》其一)因此，他們將詩歌作為人生最重要的事情，深信詩歌不僅為生存的最高意義，還可以使他們留名後世。「凡事有興廢，詩名無古今。」(杜荀鶴《贈李蒙叟》)「文章莫若大於流傳。」(羅隱《陳先生集後序》)值此唐末五代紛亂之時，文士們只能將垂名青史的希望寄託於詩歌。齊己《逢詩僧》云：「禪玄無可並，詩妙有何評。五七字中苦，百千年後清。難求方至理，不朽始為名。珍重重相見，忘機話此情。」也明確表達了對後世詩名的動情追求。鄭谷的名篇《卷末偶題三首》尤其深刻地反映了唐末文人的這種人生價值觀：「一卷疏蕪一百篇，名成未敢暫忘筌。何如海日生殘夜，一句能令萬古傳！」「七歲侍行湖外去，岳陽樓上敢題詩。如今寒晚無功業，何以勝任國士

〔註 9〕余恕誠，唐詩風貌，合肥：安徽大學出版社，2000 第 149 頁。

知？」「一第由來是出身，垂名須爲國風陳。此生若不知騷雅，孤宦如何作近臣。」三首詩都強調了通過詩歌「立言」來證明自己生命價值的人生觀。唐末文人普遍對後世詩名的追求，前所未有的直白和熱烈，這和唐詩的繁盛與唐末政局不無密切關係。科舉難、仕進難使他們被迫走上爲詩歌而詩歌的道路。

鄭谷將詩歌當成垂名青史的工具，以詩歌創作對抗時世紛亂和人生短暫的例子在他的詩集中不勝枚舉。《聞進士許彬罷舉歸睦州悵然懷寄》安慰垂老罷舉的進士莫要哀歎時運不濟、爲世所棄，「吾子雖言命，鄉人懶讀書」，讀書人仍有值得自豪的地方，因此發出勸慰語：「異代名方振，哀吟莫廢初」。雖然這勸慰未必能實現，但體現了鄭谷詩歌能實現人生價值的信念。鄭谷還說過：「得句勝於得好官」（《靜吟》），「不知幾首南行曲，留與巴兒萬古傳。」（《將之瀘郡旅次遂州遇裴晤員外謫居於此話舊淒涼因寄二首》其一）「衰遲自喜添詩學，更把前題改數聯。」（《中年》）胡適在《白話文學史》裏所謂「做詩成了詩人的第二生命」（註10），只有到了唐末才眞正成爲普遍現象，正如俞文豹所謂：「不知唐祚至此，氣脈浸微，士生斯時，無他事業，精神伎倆，悉見於詩。」（《吹劍錄全編·吹劍錄》）。

分析鄭谷詩集中數量眾多的干謁詩，可以幫助我們體味詩歌對他的重要性。鄭谷干謁詩大致可分爲兩類：

（一）申訴不幸命運

《投時相十韻》爲鄭谷對自己仕途坎坷命運的自述：「何以保孤危，操修自不知。眾中常杜口，夢裏亦吟詩。失計辭山早，非才得仕遲。薄水安可履，暗室豈能欺。勤苦流螢信，吁嗟宿燕知。殘鐘殘漏曉，落葉落花時。故舊寒門少，文章外族衰。此生多轗軻，半世足漂離。省署隨清品，漁舟爽素期。戀恩休未遂，雙鬢漸成絲。」出身寒門，半世漂泊，「非才得仕遲」，謹小愼微，雙鬢成絲，尾聯點明干謁

〔註10〕胡適，白話文學史，北京：團結出版社，2006 第 314 頁。

主旨，「戀恩休未遂」。讀此詩讓我們感動的是鄭谷的悲劇命運，對詩歌的執著：「夢裏亦吟詩」，干謁的主題反而退居次要地位。相同的詩意還出現在《春暮詠懷寄集賢章起居袞》中：「長安一夜殘春雨，右省三年老拾遺。……五湖煙網非無意，未去難忘國士知。」雖仕進困難，但由於詩才被「國士知」，使鄭谷不願輕易退隱。

鄭谷最後一首干謁詩《感懷投時相》：「非才偶忝直文昌，兩鬢年深一鏡霜。待漏敢辭稱小吏，立班猶未出中行。孤吟馬迹拋槐陌，遠夢漁竿擲葦鄉。丞相舊知爲學苦，更教何處貢篇章。」據傅義先生考證，詩中的時相指崔胤，崔胤光化二年元月罷相，次年六月復相，谷獻詩又欲有干求。唐末遷轉甚速，谷在中行已滿三年。此後才意念漸灰，不復叩權門，[註11] 但此時離朱溫篡唐僅有數年時間。鄭谷的這種行爲很容易讓人誤解，聯繫此前所作《故許昌薛尚書能……何以繼前賢榮悌在衷遂賦自賀》：「他日節旄如可繼，不嫌曹冷在中行。」即可明白鄭谷的心志，不在於權高位重，而是能夠繼蹤前賢，詩才被社會承認，實現人生價值。

（二）感激知音之賞

鄭谷一生勤苦於「風雅」，「夜夜冥搜苦，那能鬢不衰。」（《寄膳部李郎中昌符》）「得事雖甘晚，陳詩未肯慵。」（《敘事感恩上狄右丞》）鄭谷由於詩才被人賞識推揚而科舉成名，又由於科舉成名，詩名得以更廣傳播，從而被更多人推揚得以仕途陞遷，如此以來更有利於詩名播揚。歐陽修《六一詩話》云：「鄭谷詩名盛於唐末，號《雲臺編》，而世俗但稱其官，爲『鄭都官詩』。」因此，鄭谷對知己的感恩主要是他們給自己提供了通過詩歌實現人生價值的機會：「昔歲曾投贄，關河在左馮。……棲託情何限，吹噓意數重。自茲儔侶內，無復歎龍鍾。」（《敘事感恩上狄右丞》）對「知音」的賞識提拔深懷感激。薛廷珪曾草《授鄭谷右拾遺制》稱：「聞爾

〔註11〕傅義，鄭谷詩集編年校注，上海：華東師大出版社，1993 第 190 頁。

谷之詩什，往往在人口而伸王澤。舉賢勸善，允得厥中。」中書舍人出納王言，如此獎掖，故鄭谷有知遇之感：「舊詩常得在高吟，不禁公心愛苦心。道自瑣闈言下振，恩從仙殿對回深。」（《谷初忝諫垣今憲長薛公方在西閣知獎隆異以四韻代述榮感》）就一個社會地位不高，需要以詩歌體現自己的存在價值的士人而言，這些詩寫出了他眞實的生活形態和內心感受。

鄭谷不僅爲「咸通十哲」中成就最高的詩人，而且因詩名而得官。鄭谷晚年歸隱後，齊己、黃損、孫魴等從之學詩，其時更蜚聲詩壇。齊己《往襄州謁鄭谷獻詩》稱他「高名喧省闥，雅頌出吾唐」。鄭谷最終通過詩歌成就了自己的人生價值。

第二節　無可奈何的獨善之舉

一、難以眞正隱逸

中國歷史上，「不事王侯，高尙其事」（《易·蠱》）的隱逸，受到很高的推崇。在唐末士人中，鄭谷是把隱逸的願望表達得十分強烈的代表人物，早在漫長的科舉之途中，鄭谷就不停地表達歸隱之念：「早晚酬僧約，中條有藥園。」（《遠遊》）身爲朝官時，政治理想的無法實現，江湖之思更屢屢見諸鄭谷辭端：「捧制名題黃紙尾，約僧心在白雲邊」。（《省中偶作》）「秘閣鎖書深，牆南列晚岑。吏人同野鹿，庭木似山林。淺井寒蕪入，迴廊疊蘚侵。閑看薛稷鶴，共起五湖心。」（《秘閣伴直》）爲了尋求心靈的慰藉，他經常訪僧探幽：「寒寺惟應我訪僧，人稀境靜雪銷遲」（《題無本上人小齋》），參悟佛理：「直夜清閒且學禪」（《省中偶作》）。「驚」、「窮愁」、「客」、「喪亂」、「子規」、「水國」、「漁翁」、「僧」等字樣在鄭谷的詩作中俯拾即是。仕宦坎坷，顚沛流離，戰亂不息使詩人生發出無限的感慨，歸隱之心日益強烈。但是，即使是在動蕩的歲月裏，江湖方外

之思也敵不過強烈的仕進願望。黃巢之亂中，鄭谷追隨僖宗入蜀，又寄詩乞憐於朝中從叔：「未便甘休去，吾宗盡見憐。」（《巴賓旅寓寄朝中從叔》）鄭谷雖久困科場，憤恨「天公不至公」（《贈楊變二首》其二），但除了兩年因戰亂停開科考，鄭谷「遊於舉場十六年」（《雲臺編自序》），沒拉下一次。晚年雖有友人勸隱：「四郊多壘日，勉我捨朝簪」（《贈泗口苗居士》），但鄭谷仍然在搖搖欲墜的朝廷為官多年。天祐元年（九○四）歸隱途中作《舟行》詩，末句「季鷹可是思鱸膾，引退知時自古難」，再次用《世說新語・識鑒》張翰事，但此時的歸隱並非完全心甘情願，而是易代之社會使然。鄭谷的言行看似矛盾，其實早年獻給薛能的詩句中，就表明了他儒家積極進取的人生價值觀：「唯有明公賞詩句，秋風不敢憶鱸魚。」（《獻大京兆薛常侍能》）這很能代表他一生在仕隱間的選擇。只要仕進還有希望，江湖之思就會退居其次。鄭谷的選擇，在唐末詩人中很有代表性，詩人們雖然窮通互異，但宦海奔波的命運並無區別，大都常懷江湖歸思但並沒有真正隱逸。

劉寧女士從唐末士人對仕宦的關注，唐末統治者對無心仕宦的高蹈隱逸的不鼓勵，經濟基礎對士人隱逸的限制三個方面論證了唐末雖然政治腐敗但缺少真正隱逸的原因。〔註12〕筆者覺得還應補充上一個原因，儒家功成身退思想的影響。所謂「青雲舊知己，未許釣滄浪」（杜荀鶴《秋日寄吟友》），「皆期早躡青雲路，誰肯長為白社人」（李咸用《與劉三禮陳孝廉言志》）等等，都是以「青雲得志」為隱居的最基本條件。鄭谷的歸隱也每每以功成為身退的條件：「青襟離白社，朱紱始言歸。」（《送徐渙端公南歸》）這種心態，唐代其他時期的詩人也有，大詩人李白的詩集中就比比皆是。只不過在其他時期，詩人不第、不能仕宦的現象沒有這麼突出，唐末士人久

〔註12〕劉寧，唐宋之際詩歌演變研究，北京：北京師範大學出版社，2002
　　　　第 326～330 頁，第 121 頁。

居下層，長久面臨著政治和經濟困境，「名宦兩成歸舊隱」（周繇《送楊環校書歸廣南》）對他們來說很難實現。因此，他們很少因爲世亂而主動選擇歸隱。受上述因素的影響，只要大唐帝國仍然存在，鄭谷絕不會輕易歸隱。

　　既難以眞正隱逸，鄭谷則多選取與隱逸有關的物象，琴、棋、漁舟、鶴、鷺鷥等入詩作爲世路風波的心靈慰藉：「煙蓑春釣靜，雪屋夜棋深。」（《郊園》）「閒立春塘煙澹澹，靜眠寒葦雨颺颺。漁翁歸後汀沙晚，飛下灘頭更自由。」（《鷺鷥》）「一自王喬放自由，俗人行處懶回頭。睡輕旋覺松花墮，舞罷閒聽澗水流。羽翼光明欺積雪，風神瀟落占高秋。應嫌白鷺無仙骨，長伴漁翁宿葦州。」（《鶴》）。

　　具有天然不羈之品格的鷺鷥，風神瀟落的鶴都透露出詩人的林泉之志與江海之趣。鄭谷也多寫對田園隱逸生活的向往，「一徑入寒竹，小橋穿野花」（《張谷田舍》），「村落清明近，秋鞦稚女誇。春陰訪柳絮，月黑見梨花。白鳥窺魚網，青簾認酒家。幽棲雖自適，交友在京華。」（《旅寓洛南村舍》）大自然的寧靜美好與田園生活的閒適樂趣相結合爲一種淡泊詩境。至此，感傷之情已悄悄轉化爲閒適之趣了，大自然似乎成了詩人的避風港灣，但這正是「當國破家亡之際所造之幻境」〔註13〕。

　　鄭谷還把對隱淪的向往轉化爲鄉關之思：「何年歸故社，披雨剪春畦」（《潼關道中》）「孤單所得皆逾分，歸種敷溪一畝春。」（《谷比歲受同年丈人……》）歸鄉即意味著歸隱。鄭谷不會輕易退隱，所以，他的詩中不停地抒發思鄉之情。

二、隱於詩

　　鄭谷在仕隱出處上存在著自卑與自傲的矛盾心理。他一方面自卑身世，用詩不斷干謁，求取中第、仕進。另一方面，其詩作中又

〔註13〕朱東潤，司空圖詩論綜述，中國文學論集，北京：中華書局，1983
　　第 7 頁。

貫串著一種寓時代苦難於一己不平的孤憤之氣：「明朝會得窮通理，未必輸他馬上人。」(《欹枕》) 但更多的是在仕隱之間徘徊的困惑：「孤單小諫漁舟在，心戀清潭去未能。」(《寄獻狄右丞》) 其實，鄭谷這種矛盾心理也不難理解。他的干謁求仕，並非僅為了權力富貴。一方面，作為受儒家文化浸染的正統文人，他想有所作為，但由於朝廷不再像初盛唐時那樣廣開賢路，科舉幾乎成了寒門知識分子的唯一仕途。科舉又往往為權門把持，成為所謂「崔鄭世界」(《金華子雜編》卷上)。另一方面，由於各派政治勢力結黨營私，戰亂頻仍，又使他想有作為而不能，「吏才難展用兵時」(杜荀鶴《贈秋浦張明府》)。而且，隨時還面臨著性命之憂。此時，若他一味不顧形勢醉心權力富貴，必然會粉身碎骨。因此，他的追求科舉仕進只能解釋為：通過科舉，通過詩歌實現自己的人生價值。在科舉不第、仕進不利、被迫歸隱時，鄭谷就只好通過作詩賞詩來消解悲劇情緒。

　　鄭谷詩大量使用「孤」字 (出現 53 次)，表現他孤獨無依的飄零感。「旅退慚隨眾，孤飛怯向前。」(《前寄左省張起居一百言尋蒙唱酬見譽過實卻用舊韻重答》) 一種想有所作為卻又感到勢單力薄的淒涼之情流溢出來。王國維《人間詞話》說：「以我觀物，故物皆著我之色彩。」(卷一第三則) 所以，鄭谷看到的「城」、「煙」也是孤獨的：「白社已應無故老，清江依舊繞孤城。」(《渚宮亂後作》)「孤煙薄暮關城沒，遠色初晴渭曲分。」(《少華甘露寺》)「孤城」、「孤煙」能引起人歷史滄桑、景象迷蒙的深沉思索。聯繫唐末社會現實，士人們無法自主人生，扼住命運的咽喉，社會生活賜予他們的只是永遠的孤獨。

　　孤獨意識自然會引起身世之卑、看破塵世紛爭心理：「自憐孤宦誰相念」(《寄同年禮部趙郎中》)，「孤單小諫漁舟在，心戀清潭去未能。」(《寄獻狄右丞》) 從「孤宦」、「孤單小諫」等語詞，可見鄭谷仕途的艱難和自卑的心理狀態。「孤單所得皆逾分，歸種敷溪一畝春。」(《谷比歲受同年丈人故三川守李侍郎教諭……》) 則

表現了詩人的消極逃避。這種心理必須得到消解，消解的方式主要是吟詩：「坐看群賢爭得路，退量孤分且吟詩。」（《春暮詠懷寄集賢韋起居袞》）鄭谷沒有完全消沉主要是因爲通過吟詩作詩轉移了悲劇情緒。

　　隱居本是唐代文人獲得名聲、謀取仕進的一條途徑，王維開創一種「半官半隱」，白居易更創「中隱」說，隱逸的內涵逐漸豐富。唐末文人在顛沛流離中掙扎，逐漸對仕途政治失望乃至厭倦，正如聞一多先生所說：「每個在動亂中滅毀的前夕都須要休息。」〔註14〕於是，遁世、避世的心態和實踐便成爲這個時代文人的重要人生選擇，正所謂「不愁亂世兵相害，卻喜寒山路入深」（杜荀鶴《送僧赴黃山沐湯泉兼參禪宗長老》）。劉寧女士將唐末五代的隱逸詩人分爲三類：士隱、佛隱和道隱，〔註15〕大致反映了文人避世的類型情況。鄭谷入仕後直到晚年才被迫歸隱宜春仰山草堂，按此，應當把他劃爲士隱一類。但筆者覺得把鄭谷歸入「詩隱」更合適。因爲，鄭谷雖然以官爲隱，多次欽慕「公署如山舍」（《題汝州從事廳》），但他隱逸憑藉的主要媒介是作詩吟詩，並通過寫詩賞詩，消解悲涼情緒，並非靠沉湎酒色和世俗娛樂來獲得心理補償。唐末的文學理論中出現了「緣情寫懷」的主張，皮日休的「文學隱逸說」即是一例。他的《鹿門隱書》六十篇序云：「醉士隱於鹿門，不醉則遊，不遊則息。息於道，思其所未至，息於文，慚其所未周，故復草《隱書》焉。」由此可見，皮日休是把文學當作隱逸閒息時的消遣工具。但鄭谷的「詩隱」與此有別，它是爲了實現人生價值的一種積極的隱逸。

　　「吟詩」則是鄭谷「詩隱」的主要外化方式。

　　古代文人深受儒家思想影響，雖然或屈居下僚，抱負難展；或

〔註14〕聞一多，唐詩雜論，北京：中華書局，2003 第 42 頁。
〔註15〕劉寧，唐宋之際詩歌演變研究，北京：北京師範大學出版社，2002
　　　第 326～330 頁，第 121 頁。

懷才不遇，終身被棄草莽。但他們恥於與污濁的官場同流合污，又不甘和光同塵、隨波逐流，因此保持堅貞不阿的狷介節操，就成爲他們追求的人格理想。鄭谷以詩吟詠情懷，吟詠身世，吟詠患難的時代，吟詩是他作爲亂世文人悲劇人生的主要消解方式。所以，鄭谷不但自己隨時隨地吟詠，而且勸慰友人下第時莫忘吟詩，作尉時「篇章莫廢功」（《送許棠先輩之官涇縣》）。

「咸通十哲」中，鄭谷詩用「吟」字最多，達 61 次，最多的爲「狂吟」、「高吟」、「醉吟」，表現鄭谷在吟詩時的昂揚闊大情緒：「池榭愜幽獨，狂吟學解嘲。」（《池上》）「才大始知寰宇窄，吟高何止鬼神驚。」（《兵部盧郎中光濟借示詩集以四韻謝之》）「紅葉黃花秋景寬，醉吟朝夕在樊川。」（《重陽日訪元秀上人》）還有精神苦悶時的獨吟、孤吟、老吟、哀吟，大都與其孤鬱的心境有關。如：「獨吟誰會解，多病自淹留。」（《峽中》）「亂離時輩少，風月夜吟孤。」（《端居》）「老吟窮景象，多難損精神。」（《梓潼歲暮》）。

鄭谷還把「吟詩」作爲一種有聲的意象與秋夜一起構成了自我欣賞自我陶醉的藝術境界：「吟高風過樹，坐久晚涼天。」（《前寄左省張起居一百言……》）寄情山水、僧侶學禪時，「苦吟」的自我形象常常貫穿其中：「水墨畫松清睡眼，雲霞仙氅掛吟身。」（《所知從事進藩偶有懷寄》）鼓勵下第進士以高吟解放自己：「結綬位卑甘晚達，登龍心在且高吟。」（《作尉鄠郊送進士潘爲下第南歸》）鄭谷「不解謀生只解吟」（《春陰》），幾乎把全部生命都獻給了「吟詩」：「星霜吟欲老，江海業全空。」（《訪題進士張喬延興門外所居》）流亡蜀中之際，貧病交加，生活又百無聊賴，何以自慰，唯有吟詩：「漸解巴兒語，誰憐越客吟。」（《通川客舍》）吟詩成了詩人消解人生痛苦，堅守素志的主要方式。

鄭谷「偷得微吟斜倚柱，滿衣花露聽宮鶯。」（《早入諫院二首》其二）黃周星評此詩云：「此一時亦倚柱偷吟，是眞以詩爲性命者。」（黃周星《唐詩快》第六卷）一語中的。

三、隱於僧院

本文所言鄭谷「隱於僧院」主要是指他愛訪僧探幽并非真正出塵脫俗。

鄭谷詩中多次出現他與僧交遊、寄宿僧院的行徑，原因主要為：

首先，他愛與僧論詩：「他夜松堂宿，論詩更入微。」（《喜秀上人相訪》）「平生粗有詩……茶格共僧知。」（《詠懷》）唐末僧人多為詩僧，如與鄭谷交遊的齊己、虛中、文秀上人、清越等詩僧文學修養都很高。對於以詩歌為生命的鄭谷來說，與詩僧們切磋詩藝不僅有利於提高詩歌創作而且精神上也受到了陶冶。

其次，鄭谷常以與僧交往為清高：「山僧與水禽……只有醉和吟。」（《郊園》）自云「詩無僧字格還卑」（《自貽》）。鄭谷所交之僧人多品行高潔，如圓昉公，僖宗幸蜀，曾堅辭紫衣。會昌法難之後，唐末諸帝一反武宗滅佛之舉，轉而大力弘揚佛教，不少僧人受到極高禮遇，僧人賜紫屢見不鮮。一些詩僧還以文章才學供奉於內廷。鄭谷《贈圓昉公》曰：「天階讓紫衣，冷格鶴猶卑」，對之欽敬不已。圓昉公去世，谷又寫詩弔之。谷曾聲稱自己「愛僧不愛紫衣僧」（《寄獻狄右丞》），「不扣權門扣道門」（《自遣》）。鄭谷批評宣、懿、僖三朝供奉內廷的棲白「其如趣尚卑」（《贈尚顏上人》）。尚顏的恬退與鄭谷十分相投，鄭谷有詩贈之：「相尋喜可知，放錫便論詩。酷愛山兼水，唯應我與師。」（《贈尚顏上人》）處默在長安期間，鄭谷有《題慈恩寺默公院》詩言及：「雖近曲江居古寺，舊山終憶九華峰。」顯然，處默在長安繁華之地，也是心戀雲山，與那些熱衷世俗的詩僧相比，志趣很不相同。對這類僧人的偏愛，折射出鄭谷自身的人格光輝，不媚俗，不趨時，一身清骨，甘受孤獨。鄭谷與他們多有共同志趣：酷愛山水，能吟會詩。

鄭谷訪僧遊寺更主要的原因，還在於：詩人藉此疏散仕宦樊籠之苦，游子之愁，儒家濟世理想得不到實現的苦悶心態。因此，詩

人不會局限於佛釋某個門派，甚至不會局限於佛釋，只要能起到減緩詩人理想得不到實現的苦悶、能從與僧侶交往中獲得安慰就可以了，如「來事紫陽君」（《終南白鶴觀》）、「仙山如有分」（《池上》）、「馬姑乞與女真衣」（《黃鶯》）等詩表達的是道家仙隱思想。《華山》詩中還道釋交織在一起：「絕頂神仙會，半空鸞鶴歸……遠洞時聞磬，群僧晝掩扉。他年洗塵骨，香火願相依。」

所以，鄭谷僧禪詩多寫禪院景色的清幽靜寂。如《少華甘露寺》中「上樓僧踏一梯雲」一句，營造出一種如幻似夢、亦實亦虛之境。李調元《雨村詩話》評論道：「鄭谷詩喜用『僧』字，余獨愛其『上樓僧踏一梯雲』之句，以其神韻遠也。」〔註16〕又如《別修覺寺無本上人》：「松上閒雲石上苔，自嫌歸去夕陽催。山上握手無他語，只約今冬看雪來。」詩中的景物清雅，人物心境平靜安寧，一切盡在不言之中。僧人是如此，詩人的追求亦復如此。「林下聽經秋苑鹿，江邊掃葉夕陽僧。」（《慈恩寺偶題》）僧人悠閒自在，無拘無束的生活，詩人了然於此，亦足平抑內心的躁動。

鄭谷處於唐末亂世，雖有復振儒綱之志，卻又恨生不逢時；雖有歸隱故園之念，卻又感國士相知；雖有「冷曹」、「孤宦」之歎，卻又鄙視「巧宦」鑽營。「直夜清閒且學禪」（《省中偶作》），既是時代環境、社會風尚所造成，也是鄭谷審美情趣和藝術心理的自然流露，更重要的，是鄭谷把它當作心靈自救的工具。如果僧徒們也追名逐利，那麼鄭谷就找不到精神解脫的棲息之地了。

由以上分析可知，唐末的社會現實使鄭谷既無法實現濟世理想也難以真正隱逸，他只有把希望寄託在詩歌上。鄭谷仕由於詩，隱更是憑藉詩，而且詩歌幫助他實現了垂名後世的人生價值，難怪他終身以詩為生命，苦吟不已。

〔註16〕陳伯海主編，唐詩彙評，杭州：浙江教育出版社，1995 第 2856 頁。

第二章　鄭谷的詩學觀

　　鄭谷晚年歸隱宜春後，齊己從之學詩，二人共定詩格。據張伯偉先生考訂：

　　　　黃朝英《緗素雜記》載：「鄭谷與僧齊己、黃損等共定
　　《今體詩格》。」(《苕溪漁隱叢話》前集卷三十一引) 此書
　　在當時頗有影響，黃損謂「為湖海騷人所宗」(《十國春秋‧
　　南漢》)，可惜已佚。《宋秘書省四庫闕書目》文史類錄有「《今
　　體詩格》一卷」，當即此本。鄭谷又撰有《國風正訣》一卷，
　　見《宋史‧藝文志》著錄。據《唐才子傳》卷九載，其書
　　「分六門，摭詩聯，注其比象君臣賢否、國家治亂之意」，
　　則亦為「詩格」類著作。其「分六門，摭詩聯」之格式，
　　或直接影響齊己《風騷旨格》之撰寫。〔註1〕

《國風正訣》也已經亡佚。鄭谷詩作散佚甚多，《雲臺編自序》曰：
「遊舉場凡十六年，著述近千餘首……喪亂奔離，散墜略盡」，且
有詩無文，因此對他的詩歌理論主張，很難準確把握。我們只能通
過對其現存作品的爬梳剔抉，結合唐末世風、詩風來探究其詩歌思
想。

　　天祐元年，朱全忠逼帝遷洛陽，唐亡在眉睫，鄭谷棄官歸隱宜

〔註 1〕張伯偉，全唐五代詩歌彙考，南京：江蘇古籍出版社，2002 第 395
　　　〜396 頁。

春故里。鄭谷的歸隱主要是有感於王室衰微而採取的人生選擇，從思想根源上看，他的行為主要體現了儒家的影響，「危邦不入，亂邦不居。天下有道則見，無道則隱。」（《論語‧泰伯》）他通過隱逸來保持操守，與佛道的出世觀念極不相同，這一點對於理解他詩歌理論的思想背景比較重要。

第一節　論詩詩顯現的詩歌主張

一、對風雅傳統的呼喚

七子風騷尋失主，五君歌頌久無聲。調和雅樂歸時正，澄濾頹波到底清。（《兵部盧郎中光濟借示詩集以四韻謝之》）。

鄭谷以建安七子和顏延之《五君詠》所稱頌的阮籍、嵇康、劉伶、阮咸、向秀五位賢士與唐季詩人相比，推崇漢魏言語剛健、辭情慷慨的詩風，反對時下綺靡繁麗的文學風氣。希望能夠振興風雅，以歸正聲。這首詩集中表述了鄭谷以繼承騷雅為己任的詩歌主張。

鄭谷詩中的「騷雅」有時兼指風雅傳統和詩歌文體兩重含義，「騷雅荒涼我未安，月和餘雪夜吟寒。相門相客應相笑，得句勝於得好官。」（《靜吟》）「相如詞賦外，騷雅趣何長。」（《寄前水部賈員外嵩》）把詩等同於風雅傳統，認為詩就是用來傳播騷雅傳統的，這就是鄭谷的創作思想。《雲臺編自序》云：「谷勤苦於風雅者，自騎竹之年，則有賦詠。雖屬對音律未暢，而不無旨諷。……遊舉場凡十六年，著述近千餘首，自可者無幾。登第之後，孜孜忘倦，甚於始學也。」可見鄭谷從小就深受「風雅」的影響，好學而多詩，這為他日後推崇風雅傳統奠定了基礎。

鄭谷經歷廣明戰亂與唐末混戰，四處奔亡避亂之中，痛感時風浮薄，風雅傳統之失，追復風騷的呼聲相當強烈：「世路多艱梗，家風免墜遺。」（《試筆偶書》）鄭熏咸通年間知禮部，掌貢舉，提拔寒俊。（《新唐書》卷一七七本傳）李頻即是靠鄭熏的提拔而及第。

（《唐詩紀事》卷五十）鄭谷稱讚鄭熏「風騷爲主人，凡俗仰清塵」，慨歎鄭熏沒後「浮華重發作，雅正甚湮淪」（《故少師從翁隱岩別墅亂後榛蕪感舊愴懷遂有追記》）。他在這「風騷頗寂寥」（《寄懷元秀上人》）時，追步風雅，不僅不怕他人譏嘲：「任笑孤吟僻，終嫌巧宦卑。」（《試筆偶書》）而且將復興風雅視爲己任：「一第由來是出身，垂名須爲國風陳。此生若不知騷雅，孤宦何由作近臣。」（《卷末偶題三首》其三）明確表示了以風雅教化的精神反對浮華風的用意。因此他讚賞他人的風雅之作，並寄予希望：「近日文場內，因君起古風。」（《訪題進士張喬延興門外所居》）他稱薛能、李頻二人爲「騷雅」宗師，一生都非常服膺薛能的創作：「篇篇高且眞，眞爲國風陳」（《讀故許昌薛尙書詩集》）。在反對豔冶與僻澀詩風的同時，鄭谷對雅正的藝術風格自覺地加以提倡：「近來雅道相親少，惟仰吾師所得深。」（《寄題詩僧秀公》）稱讚詩僧秀公的作品以雅正之風接續了中斷的風騷傳統。

　　取尙騷雅的願望，使鄭谷借反映現實的諷刺詩推崇風雅詩教觀，鄭谷擅長借詠物寓傷時諷世之意，這些詩冷靜旁觀這個世界，具有清醒的哲理性和歷史穿透性，如《錦二首》:「布素豪家定不看，若無文採入時難。……舞衣轉轉求新樣，不問流離桑柘殘。」「文君手裏曙霞生，美號仍聞借蜀城。奪得始知袍更貴，著歸方覺書偏榮。……禮部郎官人所重，省中別占好窠名。」前首諷刺豪家奢求蜀錦新樣，只爲聲色之樂而不問民貧時亂。後首諷諫作官者在其位應謀其政，頗有白居易諷諭詩的風格。鄭谷還借詠物暴露了晚唐科舉弊政。《唐摭言》卷二載大中七年京兆尹韋澳論當時科舉云:「近日已來，前規頓該，互爭強弱，多務奔馳；定高卑於下第之初，覺可否於差肩之日；會非考覈，盡係經營。奧學雄文，例舍於貞方寒素；增年矯貌，盡取於彭比群強。雖中選者曾不足云，而爭名者益熾其事。」在這樣的社會狀況下，出身孤寒的鄭谷才會有蹭蹬科舉

十六年的人生悲劇。鄭谷的詩中自然要表現這方面的陰鬱情緒:「毿毿金蕊撲晴空,舉子魂驚落照中。今日老郎猶有恨,昔年相虐十秋風。」(《槐花》)一個「猶」字凸現詩人恨之強烈、綿長——青春的美好時光浪費在舉業上。全詩蘊含著一種寓當時科舉弊政於一己不平的孤憤之氣,這裏面難道沒有悲哀?鄭谷曾有詩贈年及知天命才終於及第的許棠說:「白頭新作尉,縣在故山中。高第能卑宦,前賢尚此風」。(《送許棠先輩之官涇縣》)所言似不經意,卻借機指責了科舉的弊端之重。鄭谷還有些詠物詩生動地反映了世態炎涼:「露入庭蕪恨已深,熱時天下是知音。汗流浹背曾施力,氣爽中霄便負心。」從漢班婕妤《怨歌行》詩意翻出,表達了怊憤不平之心緒,發出「綠槐陰合清和後,不會何顏又見尋」(《代秋扇詞》)的質問。《十日菊》:「節去蜂愁蝶不知,曉庭還繞折殘枝。自緣今日人心別,未必秋香一夜衰。」九九甫過,菊英仍繁,而問津之人頓少,暗寓人情冷暖,循名不責實之慨,有一股感慨悲涼的氣韻。

但我們必須認識到鄭谷推崇風雅僅僅停留在吟詠的詩句上。唐懿宗咸通以後的唐末為浮華時代,韋莊《咸通》詩真實地反映了這種社會思潮。鄭谷生活在這樣的時代,既想重建儒家綱常倫理秩序又感到無能為力與絕望:「不知何語可聞天」(《忝官諫垣明日轉對》),「直言無所補」(《順動後藍田偶作》)。因此,詩人不能以積極開闊的現實態度書寫雅樂正聲,而是更多地以個人的獨善自適之趣展現風雅,追求含蓄有味的藝術旨趣。鄭谷感歎:「風騷如線不勝悲」,但他最終卻落實到「只應陶集是吾師」(《讀前集二首》其二)的隱逸情趣上。鄭谷《郊園》詩:「雅道誰開口,時風未醒心。溪光何以報?只有醉和吟。」該詩有感於唐季言路壅塞,但又感到無可奈何,只有靠「醉和吟」打發苦悶。

難能可貴的是,在唐末混亂的局勢中鄭谷堅持抒寫自己的真情實感。「與司空圖同時的鄭谷,也是有節概之士,親身經歷的動亂流寓比司空圖更多。鄭谷在寫自身遭遇詩中往往連帶反映了時代苦

難，並抒發了自己的感憤。」〔註 2〕詩人有感於民生的多艱，百姓的不幸，寫下了不少反映民生疾苦，指責上層統治階級罪惡的優秀詩篇，如《感興》、《偶書》等。同時，崇尚騷雅典正的詩學觀念使鄭谷以清淡的詩風遠離了浮豔輕側的時尚，值得深思的是其詩集中竟無一首豔情詩。《唐才子傳》卷八曾云：「觀唐詩至此間（唐末），弊亦極矣。獨奈何國運將馳，士氣日喪，文不能不如之。嘲雲戲月，刻翠黏紅，不見補於採風，無少裨於化育。」所言極是。與同時諸子相比較，鄭谷詩呈現出獨特的個性風采。他雖不遇於時，卻沒有隨俗俯仰。他以儒家傳統的方式消解著人生的憂愁，從而保持了人格的獨立和完整，這在唐末實屬難能可貴，故爲後人所稱道。鄭谷雖然喪失了理想，喪失了熱情，但尚未喪失知識分子的良心。

二、對盛唐詩風的推崇

一卷疏蕪一百篇，名成未感暫忘筌。何如海日生殘夜，一句能令萬古傳。（《卷末偶題三首》其一）。

殷璠裁鑒《英靈集》，頗覺同才得旨深。何事後來高仲武，品題《間氣》未公心。（《讀前集二首》其一）。

何事文星與酒星，一時鍾在李先生。高吟大醉三千首，留著人間伴月明。」（《讀李白集》）。

鄭谷十分推崇標志著盛唐風調到來的王灣的那首《次北固山下》。鄭谷《讀李白集》，頌李白，詩亦略似李白，《石城》就頗肖李白《登金陵鳳凰臺》。鄭谷詩中反覆強調《詩經》、《楚辭》的傳統，對盛唐詩「既多興象，復備風骨」（殷璠《河嶽英靈集》卷上）的格調尤爲推崇。殷璠選錄《河嶽英靈集》的宗旨是「文質半取，風騷兩挾。言氣骨則建安爲傳，論宮商則太康不逮。」（《河嶽英靈集·集論》）異代同心，鄭谷遙仰前賢，與之頗有共通之感。而高仲武《中興間氣集》取詩主要著眼於「體格新奇、理致清贍、風調閒雅之作，

〔註 2〕余恕誠，唐詩風貌，合肥：安徽大學出版社，2000 第 130 頁。

亦不排斥六朝之『綺靡婉麗』。」〔註3〕與鄭谷「雖屬對音律未暢，
而不無旨諷」(《雲臺編自序》)的創作主旨是不一致的。參以鄭谷
《故少師從翁隱岩別墅》:「喪亂時多變，追思事已陳。浮華重發作，
雅正甚湮淪」，可見他對《中興間氣集》為代表的大曆後漸趨澆薄
的詩風頗多不滿，對晚唐部分詩人之浮華風氣尤為反對。鄭谷生於
儒官之家，初舉階段又受教受知於復古派詩人曹鄴，「小生誠淺拙，
早歲便依投。」(《送吏部曹郎中免官南歸》)他之傾向風雅，推崇
盛唐，也就在情理之中了。鄭谷詩中還多次出現「李白墳」、「杜甫
墳」等意象，表達他對盛唐詩風的緬懷。

　　對盛唐詩風的推崇使鄭谷詩有以神韻、風骨見長者。《唐詩選脈
會通評林》說:「《別同志》《送嚴明經》等篇，往往有高、岑風骨。」
金聖歎對鄭谷《石城》詩讚不絕口:「千古人，只知李青蓮學《黃鶴
樓》，何曾知鄭鷓鴣曾學《黃鶴樓》耶?……吾亦曰:眼前有景道不
得，鄭谷題詩在上頭。」〔註4〕《長安夜坐懷湖外嵇處士》從「浩
然天地秋」襯出「萬裏念江海」，境高曠而語遒勁。《登杭州城》云:
「潮來無別浦，木落見它山。」境界開闊，氣雄勢遠。「潮來無別浦」
句與王灣「潮平兩岸闊」(《次北固山下》)句有異曲同工之妙。《淮
上與友人別》:「揚子江頭楊柳春，楊花愁殺渡江人。數聲風笛離亭
晚，君向瀟湘我向秦。」畫面明麗，音聲婉轉，情韻悠長，尤膾炙
人口。明清詩評家多認為此詩有盛唐風韻。沈德潛把它和被詩評家
分別推為唐人七絕「壓卷」的「秦時明月」、「渭城朝雨」、「黃河遠
上」、「朝辭白帝」等並列(《說詩晬語》卷上)。再如《潼關道中》:
「秋風滿關樹，殘月隔河雞。」雄關大河與秋風殘月相映照，境界
闊大，象徵著大唐王朝的衰落。薛雪《一瓢詩話》即別具隻眼地指
出:「鄭守愚聲調悲涼，吟來可念，豈特為《鷓鴣》一首，始享不朽

〔註3〕周祖譔，隋唐五代文論選，北京:人民文學出版社，1990 第149頁。
〔註4〕〔清〕金雍集，施建中，隋淑芬整理校訂，金聖歎選批唐詩六百首，北京:北京出版社，1989 第513頁，第512頁。

之名？」

　　「盛唐氣象是詩歌史中一個近乎完美的豐碑，但隨著時間的流逝和氣運的衰殘，其渾融完整的境界難以再現。」〔註5〕鄭谷詩中表現的盛唐氣象是他對自己詩歌理論的實踐，也是他推崇盛唐詩人，自覺向盛唐詩風靠攏的結果。鄭谷能以少數篇章和隻言片語觸及其間，已屬難能可貴。面對唐末世風、詩風的凋敝，鄭谷需要抒發哀感。鄭谷雖尊崇騷雅和李杜，但並未從精神上繼承他們關懷現實、謳歌人生理想的憂良傳統，而只是吸取了他們善為怨苦之音的長處，變為個人窮愁失意的低吟。鄭谷有近百首奔亡詩涉及時局，但這些詩一般是從自己的命運遭遇出發，把現實社會的動亂作為背景表現，而非正面直接地反映慘淡的社會人生。「鄭谷與杜甫在生活道路上的相近導致了詩風的相近。宦途的失意，生活的飄零，使兩個不同時期的詩人，對社會、人生有了相同的感受與認識。鄭谷《漂泊》詩『十口飄零猶寄食，兩川消息未休兵』，儼得杜髓。鄭谷也每每與杜甫相比：『往事如今日，聊同子美愁』（《峽中》），『子美猶如此，翻然不敢悲』（《峽中寓止二首》其一）。但鄭谷的沉鬱風格與杜甫的沉鬱同中有異，杜詩之沉鬱如『雪中之松』，蒼勁挺拔；而鄭谷詩的沉鬱則如『霜中之菊』，淒涼悲切。這種不同，不但與詩人個性有關，尤其與時代有關。」〔註6〕

三、師古創新意識

　　劉克莊稱：「鄭谷多佳句，而格苦不高，甚推尊薛能，能自負不淺，其實一謬妄人耳。其《黃河》、《太華》二篇，尤自誇詡。……谷北面之，良不可曉。」（《後村詩話後集》卷一）其實，鄭谷推尊薛能，除了薛能提倡「獨把風騷破鄭聲」（薛能《春日使府詠懷》），

〔註5〕張震英，寒士的低吟——賈島詩歌藝術新探，北京：中國社會科學
　　　　出版社，2006 第42頁。
〔註6〕鍾祥，末代風騷——論晚唐詩人鄭谷的詩，河南大學學報，1996，
　　　　（3）。

「以詩道爲己任」(《北夢瑣言》卷七)，還因爲薛能主張師古創新。鄭谷《讀故許昌薛尙書詩集》詩云:「篇篇高且眞，眞爲國風陳。淡薄雖師古，縱橫得意新。」淡薄是與華縟相對而言，指一種眞樸有遠韻的格調。鄭谷認爲薛能詩能做到古樸淡遠，推陳出新。由此可見，鄭谷主張作詩必須排斥當時的浮華風氣而以古人之淡薄爲師，但又要不落窠臼，「縱橫得意新」，自成一家之體。鄭谷還說過:「近日文場內，因君起古風。」(《訪題進士張喬延興門外所居》)「高名向已求，古韻古無儔。」(《送吏部曹郎中免官南歸》) 都是強調師古而創新，反對當時綺靡文風。

鄭谷論詩求新的觀點可能受到薛能創新意識的影響。元好問在《陶然集詩序》裏談到古今詩人求新求工、刻意創造時說:「『驅駕聲勢，破碎陣敵，囚鎖怪變』……『新詩改罷自長吟』，『語不驚人死不休』，杜少陵語也;『好句似仙堪換骨，陳言如賊莫經心』，薛許昌語也;『乾坤有清氣，散入詩人脾。千人萬人中，一人兩人知』，貫休師語也。」(《遺山先生文集》) 整個唐代只提到杜甫、薛能、貫休三位創新詩人。薛能的自負人所共知，他甚至沒把李白、陶淵明放在眼裏。不過，薛能確實富有強烈的創新意識，從薛能所謂追求「好句」鄙棄「陳言」的表白中可見一斑。實際上薛能不只是口頭說說大話，他曾借閱前輩詩人劉得仁的詩卷，還卷時當面諷刺劉得仁缺少創新:「百首如一首，卷初如卷終。」(《北夢瑣言》卷六) 因此，我們能看出鄭谷對師古而通變態度的認同，鄭谷的詩歌主張據此也可見一斑。

僅有新奇還不行，薛能還要求作詩要有精意，情感平和，風格雅正，明確反對由於內容有乖「平和雅正」而導致的僻澀詩風。據《北夢瑣言》卷七載:「進士高蟾，詩思雖清，務爲奇險，而意疏理寡，實風雅之罪人，薛許州謂人曰:『倘見此公，欲贈以掌。』」可見薛能對作詩「意疏理寡」者嫉惡如仇。歐陽修《六一詩話》曰:「鄭谷詩名盛於唐末……其詩極有意思。」如:「淚濕孤鸞曉鏡昏，近來

方解惜青春。杏花楊柳年年好，不忍回看舊寫眞。」(《爲人題》)「春紅秋紫饒池臺，個個圓如濟世財。雨後無端滿窮巷，買花不得買愁來。」(《苔錢》) 這兩首詩不僅構思精巧，而且意蘊豐厚。鄭谷《寄司勳張員外學士》末聯：「江樓倚不得，橫笛數聲長。」雖然見出向趙嘏「長笛一聲人倚樓」(《長安秋望》)學習的痕迹，但卻能出新而用之，韻味悠遠，表現出詩人對張司勳的深切擔憂與思念。李懷民在《重訂中晚唐詩主客圖》中對鄭谷《旅寓洛南村舍》讚不絕口：「記自十四五時愛此詩，以爲得寒食天氣、心情，今三十餘年矣，每一諷之，仍不能全去。後來周清眞詞『正是夜堂無月，沉沉暗寒食』彷彿此意，而遜其工妙遠矣。」

　　盡管鄭谷詩式樣少，多爲五七言律絕，而且有些詩還有境界較狹，反映面不廣等等不盡如人意的地方，但他欲於難中取巧，富於創新意識，這點無疑是值得肯定的。

第二節　綜合前人自成一體的傾向

　　鄭谷常愛「屬興同吟詠，成功更琢磨。」(《予嘗有雪景一絕……》)晚唐五代又被稱爲「賈島的時代」〔註 7〕。由此，人們多把他歸入賈島苦吟一派，清人李懷民《重訂中晚唐詩主客圖》以賈島爲清眞僻苦主，而以鄭谷爲及門。但僅憑鄭谷詩中多出現苦吟、孤吟的詩句還不能認爲他的詩完全繼承了賈島的衣缽。

　　李定廣先生已對唐末五代的「普遍苦吟現象」做過詳細考察，他認爲：「如果以『苦吟』來分派的話，唐末五代幾乎所有的詩人都是『苦吟派』。」還認爲，「苦吟」的兩種含義：孟郊開創的「吟苦」，劉禹錫立足在「吟」的「苦吟」，到了唐末五代，趨於統一。「苦吟」已成爲絕大部分詩人的一種精神寄託。〔註 8〕鄭谷長期漂

〔註 7〕閒一多，唐詩雜論，北京：中華書局，2003 第 41 頁。
〔註 8〕李定廣，唐末五代亂世文學研究，北京：中國社會科學出版社，2006 第 88～94 頁。

泊在外，需要苦吟來排遣孤獨寂寞，即唐末范攄在其《雲溪友議》中說：「每逢寒素之士，作清苦之吟。」

鄭谷有機融化「苦吟」兩方面的含義。「苦」，既有苦心思考、極力與反覆的意思，又有心靈苦悶的意味：「酒醒往事多興念，吟苦鄰居必厭聞。」（《結綏鄠郊縻攝府署偶有自詠》）「吟」主要言吟詠之快樂與陶醉，意在發泄苦悶：「北渚牽吟興，西溪爽共遊。」（《駐蹕華山……》）「敷溪秋雪岸，樹谷夕陽鐘。盡入新吟境，歸朝興未慵。」（《送司封從叔員外……》）秋雪、溪岸、夕陽、暮鐘等一係列客觀物象構成的「新吟境」激發了詩人創作的興會。鄭谷把人生理想寄託在「苦吟」上：「騷雅荒涼我未安，月和餘雪夜吟寒。」（《靜吟》）《輦下冬暮詠懷》初稿附記發出了：「覓句干名只自勞，苦吟殊未補風騷」的感慨。同時，鄭谷又把吟詩當作人生最嚴肅、最有意義的事：「可憑唯在道，難解莫過詩。任笑孤吟僻，終嫌巧宦卑。」（《試筆偶書》）他本人也確實是身體力行：「眾中常杜口，夢裏亦吟詩。」（《投時相十韻》）。

由以上分析可知，僅憑詩中多「苦吟」不能把鄭谷歸入賈島一派，僅能說明鄭谷像大多數唐末詩人一樣，受到過賈島詩歌創作的影響。

也有從鄭谷論詩重名句、為齊己一字之師等材料，認為鄭谷追隨賈島推敲鍛鍊為詩之法。鄭谷論詩極重名句，如其《卷末偶題三首》其一對盛唐詩人王灣《次北固山下》「海日生殘夜」句，歎為觀止。其《高蟾先輩以詩筆相示抒成寄酬》曰：「張生故國三千裏，知者惟應杜紫薇。君有君恩秋後葉，可能更羨謝玄暉。」拿張祜《宮詞》名句「故國三千裏，深宮二十年」受杜牧賞識作對比，認為高蟾《宮詞》詩句「君恩秋後葉」，可能更使謝朓羨慕。鄭谷也因鷓鴣詩警句傳誦人口，獲得「鄭鷓鴣」名號。鄭谷還自稱「得句勝於得好官」（《靜吟》），「未如何遜無佳句」（《省中偶作》）。鄭谷與齊己「一字師」的故事，士林文苑，傳為佳話。《唐才子傳校箋》考：

「此本宋陶岳《五代史補》卷三：時鄭谷在袁州，齊己因攜所爲詩往謁焉。有《早梅》詩曰：『前村深雪裏，昨夜數枝開。』谷笑謂曰：『數枝非早也，不如一枝則佳。』齊己矍然，不覺兼三衣而叩地膜拜，自是士林以谷爲齊己一字之師。宋潘若同《郡閣雅言》記谷啓發齊己改『別下著僧床』句之『下』字爲『掃』字，亦稱一字師，所記不同，可互參。」〔註9〕傅義《仰山讀書札記‧詩家一字師之祖》考：「稱一字師者，唐以前尙未見諸記載，唐代有三人：李相稱小吏，李頻稱方干，齊己稱鄭谷。惟谷爲齊己改『數枝』爲『一枝』，足稱詩藝之切磋，事又甚確，無有疑竇。故鄭谷當爲詩家一字師之祖。」〔註10〕筆者認爲鄭谷論詩重名句、重推敲與唐末五代摘句評賞、普遍苦吟的風尙有密切關係。我國古代詩文批評向來有摘句評賞的風氣。到唐末五代，此風空前熾盛。如黃滔《泉山秀句集》，李洞《集賈島句圖》，張爲《詩人主客圖》等等，還有爲數甚多的詩格類書，均以稱賞名聯佳句爲能事。有無名句甚至成爲評價詩人高下的首要標準。韋莊以「麗句清詞，遍在人口」（《乞追賜李賀皇甫松等進士及第奏》）作爲「奇才」的標準，以此要求皇上賜他們以進士及第。杜荀鶴自己說：「一句我自得，四方人已知。」（《苦吟》）這一時風促使詩人們改變創作方式，詩人們通常由苦吟獲得一聯一句，然後再湊足成篇，甚或未得全篇而警句已傳人口；社會大眾往往只傳警句而不傳全篇。林嵩《周樸詩集序》稱讚周樸「一篇一詠，膾炙人口……盈月方得一聯一句，得必驚人，未暇全篇，已布人口」。唐末五代人主張要像「浪仙經年，周樸盈月」（徐寅《雅道機要》）那樣苦吟鍛鍊。尤其是五律中的頷聯，往往經千錘百鍊而成爲警句。

　　再從詩歌內部發展規律來看，唐詩之尙刻畫苦思，始自杜甫，貞元時皎然《詩式》曾予以理論總結云：「或曰，詩不假修飾，任

〔註9〕傅璇琮，唐才子傳校箋第四冊，北京：中華書局，1990 第 170 頁。
〔註10〕傅義，仰山讀書札記‧詩家一字師之祖，宜春師專學報，1987，（1）。

其醜樸，但風韻正，天眞全，即名上等。予曰不然。無鹽缺容而有
德，曷若文王太姒有容而有德乎？又云：不要苦思，苦思則喪自然
之質。此亦不然。夫不入虎穴，焉得虎子？取境之時，須至難至險，
始見奇句；成篇之後，觀其氣貌，有似等閒不思而得，此高手也。」
在內外因素的影響下，鄭谷詩自然偏愛推敲鍛鍊，如《自遣》詩云：
「強健宦途何足謂，入微章句更難論。」反覆推敲章句，以求「入
微」之妙。「屬思看山眼，冥搜倚樹身」（《讀故許昌薛尚書詩集》），
「衰遲自喜添詩學，更把前聯改數題」（《中年》）都頗強調創作中
的討論推敲與修訂功夫。

　　誠然，鄭谷的推敲錘鍊詩句不能與賈島詩法毫無關係。鄭谷曾
不止一次地憑弔過賈島墓（《長江縣經賈島墓》）。另外，他又受到
賈島派後勁馬戴、李頻的推賞，與方干、李洞等有較深關係，詩歌
創作必定互相影響。鄭谷「夜夜冥搜苦，那能鬢不衰」（《寄膳部李
郎中昌符》）就是繼承賈島作詩嚴肅認眞態度的明證。這些自然使
人把他歸入賈島一派，但賈島也有一些平淡有味的作品，語言也比
較平易，如《憶江上吳處士》：「閩國揚帆去，蟾蜍虧復團。秋風生
渭水，落葉滿長安。此地聚會夕，當時雷雨寒。蘭橈殊未返，消息
海雲端。」詩中以節物之變，秋風蕭瑟寓懷人之慨，很有「味外之
旨」。韓愈在《送無本師歸范陽》一詩中贊島詩：「奸窮怪變得，往
往造平淡。」可見賈島詩亦有平淡的一面，鄭谷詩於此受賈島影響
是有可能的。正如李懷民在《重訂中晚唐詩主客圖》中所言：「守
愚世但傳其長律、絕句，不知五言詩生刻深細，抉賈氏之精而變其
貌，至於如此之妙也。」因此，鄭谷汲取賈島作詩時推敲鍛鍊字句
的方法，去其僻苦，學其清眞、白描形成了與賈島艱澀風格迥異的
平易曉暢詩風。

　　另外，鄭谷詩常利用字的有意重復，構成一種既清爽流利，又
迴環往復，富於情韻美的風調，使人讀來既感到感情的深永，又不

顯得過於沉重與傷感。〔註11〕如：「年去年來來去忙」（《燕》），「宜煙宜雨又宜風」（《竹》），「半煙半雨江橋畔」（《柳》），「和煙和雨遮敷水，映竹映村連灞橋。」（《小桃》）對於此類詩歌創作特色的成因，趙昌平先生從南方民歌的影響和師承白居易兩方面進行了溯源。〔註12〕

「五代泉州詩壇創作傾向上有一個重要的特徵，即對於唐詩傳統已有自覺的意識和較完整的把握，能夠依照不同詩體、不同題材、不同場合而仿用前輩名家的不同風格，故往往呈現出風格的多樣化和兼綜性。」〔註13〕從上述分析可知，鄭谷的詩歌創作也具此特點。雖然受到多種風格的影響，但就鄭谷詩歌整體來看，以受賈島與白居易的影響為最顯著。但鄭谷又能不為其囿，「縱橫得意新」（《讀故許昌薛尚書詩集》），佳作均表現出宋祖無擇所說的「辭意清婉明白、不俚不野」（《都官鄭谷墓表》），紀昀所說的「風調之中獨饒思致」（《四庫全書總目》卷一五一）的總體特點。如：「揚子江頭楊柳春，楊花愁殺渡江人。數聲風笛離亭晚，君向瀟湘我向秦。」（《淮上與友人別》）「石門蘿徑與天鄰，雨檜風篁遠近聞。飲澗鹿喧雙派水，上樓僧踏一梯雲。孤煙薄暮關城沒，遠色初晴渭曲分。長欲然香來此宿，北林猿鶴舊同群。」（《少華甘露寺》）鄭谷七絕淺而能遠，頗得江南民歌神韻。前詩一、二句三疊「楊」字（揚子亦作楊子），末句又兩疊「向」字，正是民歌家數，而音聲婉轉，情韻悠長，正是其七絕代表作。後詩題材雖與盛唐崔顥名作《行經華陰》略同，但崔詩境界雄渾壯闊，鄭谷此作則語淺情深，神韻悠長。二詩正可見鄭谷詩汲取眾家之長，最終形成了清婉淺切的鄭谷體詩風。

〔註11〕 參見蕭滌非，唐詩鑒賞辭典，上海：上海辭書出版社，1983 第 1350 頁。
〔註12〕 嚴壽澄，黃明，趙昌平，鄭谷詩集箋注·前言，上海：上海古籍出版社，1991 第 11～13 頁，第 7～8 頁。
〔註13〕 賈晉華，唐代集會總集與詩人群研究，北京：北京大學出版社，2001 第 520 頁。

詩是真性情的表達，在鄭谷心目中，為了表情達意的需要，為了便於反覆的、不同時地、不同境遇下的吟詠，詩歌創作自然要尋平易的語言，形成淺切的格調。而為了傳播交流的需要，為了「成名」、「垂名」，就必須意必求新、詞必己出，而艱澀詞句、晦澀意味必不利於廣泛流傳。出於這兩方面的考慮，促使鄭谷詩綜合賈島與白居易作詩的長處，去其僻澀與粗率，雖淺切卻渾然有遠韻。由此可見，鄭谷的苦吟、推敲鍛鍊不是步趨前賢，而是意在創新，拔戟自成一隊。

第三節　對鄭谷詩「格卑」的辨析

歷代詩評家大多認為鄭谷詩「格卑」，而與盛唐詩對舉，但忽略了鄭谷詩中占 1/3 強的那部分感時傷事詩。此類詩頗有社會意義，其直陳時事者，如《渚宮亂後作》：「鄉人來話亂離情，淚滴殘陽問楚荊。白社已應無故老，清江依舊繞空城。高秋軍旅齊山樹，昔日漁家是野營。牢落故居灰燼後，黃花紫蔓上牆生。」此詩約指乾符五年春、乾符六年十月王仙芝、劉漢宏大掠江陵之事。前二聯敘問鄉人之亂，後二聯為鄉人回答。詩中家國之痛彌合無間，水乳交融。《唐詩鼓吹箋注》云：「凡人心所最急者，家耳，然必兼及鄉國，乃為至情至理。看他敘問，曰『白社』、『故老』，由家及鄉也；『清江』、『空城』，由鄉及國也。看他敘答，曰『高秋』、『漁家』，由國及鄉也；『故居』、『灰燼』，由鄉及家也；此真唐人絕妙章法，不可不知也。」〔註14〕全詩由外及內，層次井然，布置有序，傷感彌深。《渼陂》亦寫盡家國之痛。金聖歎評曰：「……我讀此言，而不覺深悲國破家亡又未得死之人，真不知其何以為活也！」〔註15〕許學夷《詩源辯體》卷三十論許渾、鄭谷云：「愚按晚唐諸子體格

〔註14〕陳伯海主編，唐詩彙評，杭州：浙江教育出版社，1995 第 2851 頁，第 2842 頁。
〔註15〕〔清〕金雍集，施建中，隋淑芬整理校訂，金聖歎選批唐詩六百首，北京：北京出版社，1989 第 513 頁，第 512 頁。

雖卑，然亦是一種精神所注。」許氏承認鄭谷等人的詩自有不可抹
煞處，「亦是一種精神所注」，但又言其格卑，這就反映了他評詩的
內在矛盾。鄭谷詩無復盛唐詩的雄渾之氣，但卻未可言其格卑。因
為，他的詩並非沒有精神上的超越，如《初還京師寓止府署偶題屋
壁》，反映了數亂後京城的殘破景象，語句精警動人。《漂泊》、《峽
中寓止》、《重陽夜旅懷》諸作，都自悲身世而又憂患深廣。

一、溯源鄭谷詩「格卑」的評語及緣由

　　鄭谷詩在唐末五代久傳不衰，薛廷珪《授鄠縣尉鄭谷右拾遺制》
云：「聞爾谷之詩什，往往在人口而伸王澤。舉賢勸善，允得厥中。」
人多以得其品評指正為榮。王貞白《寄鄭谷》詩云：「五百首新詩，
緘封寄去時。只憑夫子鑒，不要俗人知。」著名的「一字師」的故
事，即指鄭谷為齊己改詩。余成教《石園詩話》卷二評曰：「雖以
《鷓鴣》得名，而知己之多，享名之盛，為晚唐所未有。」〔註16〕
鄭谷詩在五代，尤其在南方諸國經久不衰。齊己《寄鄭谷郎中》更
稱其「高名喧省闥，雅頌出吾唐。」今存齊己《風騷旨格》、徐寅
《雅道機要》、文彧《詩格》等十種唐末五代詩格類著作，大量引
用了鄭谷及其流裔之詩。可見，唐末五代並沒有關於鄭谷詩格卑的
批評，反而都認為，他的詩包舉雅頌，質厚不俗。

　　鄭谷宋初仍享有盛名，晏殊、柳永等名家都曾化用其詩入詞。
因其詩清新淺近，人們多用以教兒童。歐陽修《六一詩話》首先批
評鄭谷詩格調不高：「其詩極有意思，亦多佳句，但其格不甚高。」
嗣後，對鄭谷詩的批評愈來愈嚴厲。如葉夢得《石林詩話》卷下稱：
「鄭谷『亂飄僧舍……』非不去體物語，而氣格如此其卑。」許學
夷《詩源辯體》卷三十指出：「鄭谷七言絕，較之開成，句語亦不
甚殊，而聲韻益卑，唐人絕句至此不可復振亦。」很多詩評家雖然

〔註16〕陳伯海主編，唐詩彙評，杭州：浙江教育出版社，1995 第 2851 頁，
　　　　第 2842 頁。

承認鄭谷詠物詩的價值，但仍認爲它們氣格孱弱：「（鄭）都官詩格雖不高，《鷓鴣》、《海棠》、《燕》三著題詩亦不可廢也。」（方回《瀛奎律髓》卷二七）「鄭谷《海棠》詩云……五代詩格卑弱，然體物命意，亦有功夫。」（朱翌《猗覺僚雜記》卷上）。

這些批評產生的原因：

（一）大多僅從晚唐五代詩歌的通病出發，而沒細緻分析鄭谷詩的個性就妄下斷語。處於大崩潰前夜的唐季，已經不可能再激盪著奮發踔厲的盛唐朝氣了，鄭谷有些詩自然也難脫時代的暮氣。劉勰說「情與氣偕，辭共體並」（《文心雕龍·風骨》），這是時代氣候使然，不能苛責於古人，所謂「哀怨起騷人」（李白《古風》），「盛唐氣象」並非唯一的審美標準。

（二）「歌謠文理，與世推移」（《文心雕龍·時序》），「一個階段有一個階段的社會形態，民情風俗，語言習慣，亦必有一個階段的格調。如果強以盛唐句格律晚唐諸子，則必不能別有『一種精神所注』，欲其不爲贋鼎，殆無可能。」

「多難的時代、衰退的國運使晚唐詩必定帶有一種蕭瑟的情韻。觸物緣情，詩以寫懷，變盛唐之悲壯爲唐季之悲涼，這正是鄭谷等唐季憂秀詩人『別一種精神』的根本。」〔註17〕

（三）歐陽修作爲宋代詩風改革的前驅，對鄭谷詩的批評說明唐宋詩之別。

各家對鄭谷詩風格卑的評價，大多針對其流傳很廣的名篇。宋人郭若虛《圖畫見聞志》卷五《雪詩圖》稱鄭谷《雪中偶題》：「時人多傳誦之。段贊善善畫，因採其詩意圖寫之。」鄭谷《予嘗有雪景一絕爲人所諷吟段贊善小筆精微忽爲圖畫以詩謝之》尾聯云：「愛予風雪句，幽絕寫漁蓑。」可見此詩在當時傳誦頗廣，且有詩意畫流傳。柳永《望遠行》詞：「亂飄僧舍，密灑歌樓，迤邐漸迷鴛瓦。

〔註17〕嚴壽澄，黃明，趙昌平，鄭谷詩集箋注·前言，上海：上海古籍出版社，1991 第 11～13 頁，第 7～8 頁。

好是漁人，披得一蓑歸去，江上晚來堪畫滿長安，高卻旗亭酒價。」
末二句，化用鄭谷《輦下冬暮詠懷》「雪滿長安酒價高」，前此則全
用鄭谷《雪中偶題》詩。蘇軾《謝人和前篇》云：「漁蓑句好真堪畫」。
《東坡志林》卷三又記：「黃州故縣張憨子，行止如狂人，見人輒罵
云：『放火賊！』稍知書，見紙輒書鄭谷雪詩。人使力作，終日不辭。
時從人乞，予之錢，不受。冬夏一布褐。三十年不易，然近之不覺
有垢穢氣。」甚至稍後的宋哲宗，還「書鄭谷雪詩爲扇，賜近禁。」
（《清波雜志》）可見此詩至北宋猶傳誦不衰，那麼，這種現象就令
人費解了，一方面鄭谷雪詩是有生命力的，否則不會如此受歡迎，
廣泛流播。另一方面，蘇軾等人卻對鄭谷雪詩交口攻擊。筆者認爲，
正反兩方面的評價實反映了，鄭谷《雪中偶題》詩是他的名篇；蘇
軾要糾宋初詩風沿習晚唐之弊，自然要從播於人口、影響極大的名
篇入手，有時難免矯枉過正；此詩亦可以看作鄭谷自成一家之格的
成功嘗試。

　　鄭谷因其《鷓鴣》詩而得名「鄭鷓鴣」，蜚聲詩壇。《鷓鴣》詩
也是歷來被詩評者引用和賞析最多的一首詩。但對於《鷓鴣》詩和
「鄭鷓鴣」的稱號，歷來頗有微辭。《四庫全書總目》卷一五一云
「谷以鷓鴣詩得名，至有鄭鷓鴣之稱。而其詩格調卑下，第七句相
呼相喚字尤重復。寇宗奭《本草衍義》引作『相呼相應』，差無語
病，然亦非上乘。」然而也有相反意見，沈德潛通過對同是詠鷓鴣
的兩首詩進行對比：「雨昏青草湖邊過，花落黃陵廟裏啼。」（鄭谷
《鷓鴣》）「正穿詰曲崎嶇路，更聽鉤輈格磔聲。」（李群玉的《九
子坡聞鷓鴣》）得出結論：「詠物詩刻露不如神韻。三四語勝於『鉤
輈格磔』也。詩家稱鄭鷓鴣以此。」（《唐詩別裁集》卷一六）以鄭
谷詩有神韻來對抗格卑說。冒春榮《葚原詩說》卷二也同樣認同鄭
谷詠鷓鴣詩「以神韻勝」。

　　對鄭谷因哪首詩而被賦予「鄭鷓鴣」的稱號，頗有異議。今人施
蟄存《唐詩百話》評析《侯家鷓鴣》詩後說：「我以爲『鄭鷓鴣』的

代表作應該是這首詩。」〔註18〕羅宗強《唐詩小史》說:「因爲這首詩(《席上貽歌者》),他被人稱爲『鄭鷓鴣』。」〔註19〕翁方綱《石洲詩話》、潘德輿《養一齋詩話》都認爲鄭都官應以《席上貽歌者》之「鷓鴣」得名。這種異議說明,無論鄭谷因哪首詩而獲聲譽,他都不負「鄭鷓鴣」這個稱號。

鄭谷《贈泗口苗居士》中有「詩憐稚子吟」句,可見在當時鄭谷詩歌已經博得了孩童的喜愛。歐陽修稱宋初仍以谷詩教小兒,他亦曾習誦:「以其易曉,人家多以教小兒,余爲兒時猶誦之……原父曰:『昔有鄭都官,今有梅都官也。』」(《六一詩話》)他認同劉原父的觀點,把鄭谷與梅堯臣並稱,但又苦於其詩「格不甚高」,以爲鄭谷詩因爲易曉人家才多以教小兒。宋人祖無擇雖沒明確說鄭谷詩格卑,但在《都官鄭谷墓表》中也認爲人們以鄭谷詩淺易而作爲兒童啓蒙讀物,「士大夫家暨委巷間教兒童,咸以公詩與《六甲》相先後。蓋取諸辭意清婉明白、不俚不野故然。」

幼學啓蒙讀物是與時代趨尚有緊密關聯,更何況詩歌在唐宋的正統地位,詩賦又是科舉必考科目,人們對詩歌的重視可想而知。那麼幼學詩文讀本,首先必須合於風雅詩教,論者對鄭谷詩有益於詩道,沒有異議。「守愚獨能知足不辱,盡心於聖門六藝之一,豐入而嗇出之。論其格雖若不甚高,要其鍛鍊句意鮮有不合於道……惜其有補於風教,而重之者以村學堂中兒童諷誦,往往視爲發蒙之具,曾不獲齒偏裨於李杜詩將之壇。」(宋童宗說《雲臺編後序》)但如果鄭谷詩真如論者所言格調不高,僅由於其詩語言易曉,思想合於道就把它作爲啓蒙讀物,還不能使人信服。而且,汪師韓《詩學纂聞》還以「香山《長慶集》,必老嫗可解;鄭谷《雲臺編》,必小兒可教」相提並論。因此,鄭谷詩不容以格卑簡單斥之。

〔註18〕施蟄存,唐詩百話,上海:上海古籍出版社,1987 第 639 頁。
〔註19〕羅宗強,唐詩小史,西安:陝西人民出版社,1987 第 305 頁。

二、詩評家認為鄭谷詩「格卑」的實質

　　據上述剖析，詩評家認為鄭谷詩「格卑」主要從氣格與內容兩方面立論：

　　（一）沒有盛唐詩雄渾之氣，氣象蕭瑟，氣格卑下。主觀地以盛唐格律晚唐詩，瞧不起悲涼詩風。自《毛詩序》倡「風雅正變說」以來，歷代許多正統文人將文學「正變」視為政治「盛衰」的反映，二者被看成同構一體的關係。政治「盛」則文學「正」，政治「衰」則文學「變」。晚唐以後，詩歌「變態之極」，於是唐末五代詩歌便像當時政局一樣衰變成「一塌糊塗的泥塘」〔註20〕了。歷代詩評家談到晚唐詩壇特別是唐末詩壇，常常一言以蔽之曰：「詩風衰敝」。鄭谷身處唐末詩壇，被批評為氣格卑下，不足為奇。方回贊鄭谷《海棠》「可充海棠案祖」，但紀昀卻批：「三、四似小有致，終是卑靡之音。」（李慶甲《瀛奎律髓彙評》卷二七引）即使眾口一致贊為：「情致微婉，格調高響」（清宋顧樂《唐人萬首絕句選評》）的谷詩《淮上與友人別》也有人以「衰颯」譏之。劉永濟《唐人絕句精華》說：「明胡元瑞稱此詩有一唱三歎之致，許學夷不以為然，謂『『渭城朝雨』自是口語，而千載如新』，並謂此詩『氣韻衰颯』。按氣韻衰颯，乃唐末詩人同有之病，蓋唐末國勢衰微，亂禍頻繁，反映入詩，自然衰颯也。」〔註21〕

　　（二）內容語言淺俗。晁公武《郡齋讀書志》卷四總論谷詩云：「屬思頗切於理，而格韻凡猥，語句浮淺，不為議者所多。」而且詩話對鄭谷的批評又多集中在東坡所引雪詩上：「鄭谷雪詩……人皆以為奇絕，而不知其氣象之淺俗也。東坡以謂此小學中教童蒙詩，可謂知言矣。」（周紫芝《竹坡詩話》）《洪駒父詩話》云：「東坡言鄭谷詩『江上晚來堪畫處，漁人披得一蓑歸』，此村學中詩也。」王

〔註20〕魯迅，南腔北調集・小品文的危機，魯迅全集卷五，北京：人民文學出版社，1973 第 171 頁。

〔註21〕劉永濟，唐人絕句精華，北京：人民文學出版社，1981 年第 284 頁。

士禛《漁洋詩話》卷上更云鄭谷雪詩「益俗下欲嘔。」讓我們具體分析一下《雪中偶題》詩，看是否如詩話所言的淺俗不堪：「亂飄僧舍茶煙濕，密灑歌樓酒力微。江上晚來堪畫處，漁人披得一蓑歸。」詠物忌「巧言切狀，如印之印泥；不加雕削，而曲寫毫芥。」（《文心雕龍・物色》）「詠物之作，須如禪家所謂不黏不脫，不即不離，乃爲上乘。」（王士禛《帶經堂詩話》）對於此詩，周珽曰：「首句見雪之陰舒，次句見雪之寒威，以形容言。後二句見雪之景趣，以想像言。詩中不言雪，而雪意宛然，與杜牧《雨》詩同調。」（《唐詩選脈會通評林》）鄭谷這首《雪中偶題》屬於禁體物語，清淺有遠韻，完全符合詠物詩要求，並非粗俗不可卒讀，難怪後代對此詩有很多借用。宋元小說在描繪雪景時常引證鄭谷的《雪中偶題》，而且據《宣和畫譜》等書記載，宋代畫院招考畫工時，常以古時名句爲畫題，其中就有來自鄭谷的名句：「江上晚來堪畫處，漁人披得一蓑歸。」（《雪中偶題》）。

　　鄭谷詩淺切誠是，凡俗卻未必，早在徐衍的《風騷要式琢磨門》中就有云：「夫用文字要清濁相半，言雖容易，理必求險。句忌凡俗，意便質厚。如鄭谷《送友人詩》……」把鄭谷詩當作質厚的典型。宋高宗紹興間童宗說作的《雲臺編後序》贊谷詩「有補於風教」，認爲不應「以世俗耳鑒決之」。正如上文所指出，鄭谷對王灣《次北固山下》「海日生殘夜」句，深爲歎服。鄭谷拳拳服膺的是盛唐詩人言雖近切而韻味邃遠、自然功妙的藝術境界，所以其詩淺切中實包含對物象的深刻體察，作者的深刻匠心。其五言如：「潮來無別浦，木落見它山。」（《登杭州城》）「碓喧春澗滿，梯倚綠桑斜。」（《張谷田舍》）「漲江垂蠳蛛，驟雨鬧芭蕉。」（《蜀中寓止夏日自貽》）等等均淺而能遠，清婉有韻，有獨特生動的感受。與「十口飄零猶寄食，兩川消息未休兵。」（《漂泊》）「宗黨相親離亂世，春秋閒論戰爭年。」（《宗人作尉唐昌……》）等七律異曲同工，均明白如話卻凝煉堪味，

非親歷其境不能言。周紫芝雖譏鄭谷詩氣象淺俗，但在《竹坡詩話》中他還說過：「谷亦不可謂無好語，如『春陰訪柳絮，月黑見梨花』，風味固似不淺，惜乎其不見賞於蘇公，遂不爲人所稱耳。」

三、鄭谷恬淡的格調觀

分析了詩評家的觀點，我們再來看看鄭谷自己對格調的看法：「秋山晚水吟情遠，雪竹風松醉格高」（《送進士韋序赴舉》），「竹聲輸我聽，茶格共僧知。」（《詠懷》）又曰：「誰知野性眞天性，不扣權門扣道門。」（《自遣》）推崇道門的天然野性，排抵權門的驕奢淫靡。那麼，「格高」就意味著像僧道一樣忘懷世事，吟詠山水。又曰：「詩無僧字格還卑。」（《自貽》）「老郎心是老僧心。」（《春陰》）「天階讓紫衣，冷格鶴猶卑。」（《贈圓昉公》）「僧」、「道」在鄭谷詩中就是人格清高的象徵。唐僖宗廣明亂後，文人們普遍產生厭惡鄙棄官場名爵的心態。成名後不斷陞遷的韓偓，作《格卑》詩，以迷戀官場名爵爲「格卑」。鄭谷寧願與僧交往，吟詩自娛。如《試筆偶書》云：「可憑唯在道，難解莫過詩。任笑孤吟僻，終嫌巧宦卑。」鄭谷在身爲朝官時作《省中偶作》：「捧制名題黃紙尾，約僧心在白雲邊。」又作《秘閣伴直》：「閒看薛稷鶴，共起五湖心。」都表達了對隱逸的向往。《贈尚顏上人》詩更明確地講出了鄭谷的格調觀：「相尋喜可知，放錫便論詩。酷愛山兼水，唯應我與師。風雷吟不覺，猿鶴老爲期。近輩推棲白，其如趣向卑。」以與僧論詩爲樂，與大自然爲友，鄭谷認爲拋棄功名利祿的恬淡才是高格的標志。

由此可見，鄭谷恬淡的格調觀與傳統詩論既有差異，主要與其身處亂世，遠禍避世心理有關；但又有共性，這可從他對風雅的極力推崇看出，他的用世之心並沒有消歇：「風騷如線不勝悲，國步多艱即此時。」（《讀前集二首》）「近來雅道相親少，惟仰吾師所得深。」（《寄題詩僧秀公》）還體現在他感時傷事詩和具有盛唐氣格

的一些詩上，前面已多有論述。

　　另外，我們還必須注意，唐季五代大量詩格著作的出現，表明了他們試圖創新的同時又包含著向平弱碎屑轉化的危機。鄭谷歸隱後詩今存極少，就其醉心詩格看，恐怕格局不大。「輕清細微詩風，爲唐末總趨向。」〔註22〕輕小易弱，易落餖飣，後人稱鄭谷詩格卑，雖然比較武斷但他部分詩作也確有此弊。

　　由以上分析可知，不能簡單的給鄭谷詩下格卑的斷語，知人論世，具體詩作具體分析，方爲明智之舉。詩歌鑒賞批評中，不應因循前代詩評家的成見，而應從詩人的詩作中透析其詩學觀。

〔註22〕趙昌平，從鄭谷及其周圍詩人看唐末至宋初詩風動向，文學遺產，1987，（3）。

第三章　鄭谷詩歌意象研究

　　對鄭谷詩悲涼的風格，一千多年來人們已作了深入的討論，筆者將從意象分析的角度對其風格作進一步的探討，以期對鄭谷的詩歌藝術獲得一種再認識。「一個詩人有沒有獨特的風格，在一定程度上即取決於是否建立了他個人的意象群。」〔註1〕鄭谷詩的風格與他詩中一係列帶有悲涼情調的意象聯繫在一起。

　　意象是詩歌內在構造的基本元素。當代著名詩人艾青在談到藝術思維的時候曾經現身說法，指出：「寫詩的人常常爲表達一個觀念而尋找形象，」「在萬象中，拋棄著、揀取著、拼湊著，選擇與自己的情感與思想能糅合的，塑造形體。」〔註2〕這種選擇實際上也就是客觀物象主觀化（或者借用黑格爾的話把它叫做「心靈化」）的過程。〔註3〕也即是進行意象選擇的過程。因爲「意象是融入了主觀情意的客觀物象，或者是借助客觀物象表現出來的主觀情意。」〔註4〕

〔註1〕袁行霈，中國詩歌藝術研究，北京：北京大學出版社，1996 第 56 頁，第 53 頁。

〔註2〕艾青，詩論，上海：復旦大學出版社，2005 第 144 頁，第 38 頁。

〔註3〕陳植鍔，詩歌意象論，北京：中國社會科學出版社，1990 第 71 頁，第 191 頁，第 192 頁。

〔註4〕袁行霈，中國詩歌藝術研究，北京：北京大學出版社，1996 第 56 頁，第 53 頁。

　　丹納在《藝術哲學》中對藝術創作與時代的關係作過精闢的分析：「苦難使群眾傷心，也使藝術家傷心……在悲傷的時代，周圍的人在精神上能給他哪一類的暗示呢？只有悲傷的暗示；因爲所有的人心思都用在這方面。他們的經驗只限於痛苦的感覺和感情，他們所注意的微妙的地方，或者有所發現，也只限於痛苦方面。」〔註5〕這段話恰好闡釋了鄭谷詩格調悲涼的原因。

　　鄭谷傷時憂國的情懷、生命飄零、命運多舛的傷感借著客觀物象表現出來，形成帶有濃厚悲涼色彩的意象。「鄉人來話亂離情，淚滴殘陽問楚荊」（《渚宮亂後作》）的殘陽，「子規夜夜啼巴蜀，不並吳鄉楚國聞」（《蜀中三首》其三）的子規，「昔事東流共不回，春深獨向漢陂來」（《漢陂》）的流水等等，都是構成鄭谷詩悲涼風格的意象。

　　縱觀鄭谷生平，先是東南遊、南遊，後來蹉跎科場、官場多年，其中北方戰亂不息，鄭谷則在巴蜀、荊楚、吳越間多次奔亡避亂，舟船意象自然要在他的筆下表現顛沛流離之苦，大量水意象的使用又加深了飄泊的悽楚。同時，作爲一位南方人，鄭谷大多借南方禽鳥意象表現思鄉羈旅之愁。因此，鄭谷詩歌選擇的意象大多具有南方地域色彩。

　　鄭谷詩歌意象選擇的獨特性在於：善於選用平易的意象表現悲涼的格調。即鄭谷詩多選些平淡無奇的物象來表情達意，又多借這些意象和意象間的張力，表現歲月空逝、漂泊流離、國破家亡的悲傷。如「黃花徒滿手，白髮不勝簪」（《通川客舍》），「望闕還鄉淚，荊江水共流。」（《寄南浦謫官》）詩中的意象並非賈島式的奇僻淒苦，卻形象地表現了主人公苦悶的生活形態及其感情特徵。這些習見意象本身也體現了鄭谷深入淺出、平易曉暢的詩歌藝術特點。

〔註 5〕丹納，藝術哲學，北京：人民文學出版社，1963 第 36～37 頁，第 32 頁，第 290 頁。

第一節　自然意象

　　鄭谷幼穎悟絕倫，之後雖寒窗苦讀，卷軸盈篋，然由於出身孤寒
屢試春闈不第。受此影響，鄭谷詩中許多自然景物都染上了濃重的灰
暗色彩。它們是詩人命運感的投射與悲傷的外化。

一、花

　　素潔淡雅的「梅」，在唐末詩人鄭谷筆下，亦不得不承載起他那
沉甸甸的苦澀：「漸遠無相識，青梅獨向人」(《南遊》)，「何言落處
堪惆悵，直是開時也寂寥」(《梅》)，「滿枝盡是愁人淚，莫殢朝來露
濕來」(《折得梅》)。羈旅天涯，孤獨飄零，情所難堪。詩人低徊尋
覓，黯然神傷。在形役神傷的愁眼中，盡管寒梅無意苦爭春，卻引
起了詩人的憐花歎己之情。這與詩人常用特有的悲劇眼光去體察萬
物並賦予它們濃重的悲劇色彩有關。正如王國維《人間詞話》所說：
「以我觀物，故物皆著我之色彩。」

　　杏花，作為一種很普通的花卉，在詩中卻往往與科舉有關，主要
是因為：

　　　(1) 唐人春試多在正月進行，二月發榜。杏花開於二月，進士
　　　　　及第亦在二月。

　　　(2) 曲江，唐時為新及第進士聚宴之所。曲江有杏園，新進士
　　　　　及第有杏園宴。

　　　(3) 唐制，新進士集宴於曲江杏園，稱探花宴，又以少俊二人
　　　　　為探花使 (見《說郛》七四引李淖《秦中歲時記》)，此時
　　　　　正值杏花盛開，自然杏花便為少俊之士所企及。

　　科舉對中晚唐士人能否入仕影響甚巨，特別是在唐末，士子們
大多窮其一生應舉，鄭谷也未能免俗。鄭谷《杏花》：「不學梅欺雪，
輕紅照碧池。小桃新謝後，雙燕卻來時。香屬登龍客，煙籠宿蝶枝。
臨軒須貌取，風雨易離披。」劉易斯在《詩的意象》中把意象解釋

爲「一幅以詞語表現的畫」。〔註6〕這首小詩從視覺、嗅覺、花期等
不同側面描繪出了杏花惹人憐愛的俏模樣，不過，「香屬登龍客」
句卻透露了作者喜愛杏花的深層含義。唐封演《封氏聞見記》三：
「當代以進士登科爲登龍門。」那麼，這裏的「登龍客」是用來比
喻新及第進士。因此，這首詩的「杏花」意象該有兩層含義：（1）
作爲自然物的杏花；（2）科舉的代用語。

「杏花」在《曲江紅杏》中竟被直接稱爲「及第花」：「遮莫江頭
柳色遮，日濃鶯睡一枝斜。女郎折得殷勤看，道是春風及第花。」新
進士及第曲江杏園宴時，正值杏花盛開，故稱「春風及第花」，此句
也顯現詩人高昂的情緒。據傅義考證，「此當爲谷登第時所作，時在
光啓三年，見宋祖無擇所撰墓表。」〔註7〕

可能夠金榜題名的畢竟是少數，《同志顧雲下第出京偶有寄勉》
云：「鳳策聯華是國華，春來偶未上仙槎。鄉連南渡思菰米，淚滴東
風避杏花。」唐代禮部發榜，正杏花開時，下第者之所以「避杏花」
就是怕觸花生悲，爲什麼會生悲，還是「杏花」與科舉有瓜葛。

不光是「杏花」，就連「青杏」與科舉也脫不了干係：「未嘗青
杏出長安，豪士應疑怕牡丹。只有退耕耕不得，茫然村落水吹殘。」
（《下第退居二首》其二）《唐摭言》卷三《宴名》條記新進士宴名
有十，中有「牡丹宴」，「怕牡丹」指離京在牡丹宴之前。唐人以折
青杏代稱登第，「未嘗青杏」就是喻下第了。

《輦下冬暮詠懷》：「永巷閒吟一徑蒿，輕肥大笑事風騷。煙含
紫禁花期近，雪滿長安酒價高。失路漸驚前計錯，逢僧更念此生勞。
十年春淚催衰颯，羞向清流照鬢毛。」據「冬暮」、「花期近」及「十
年春淚」等詞語可推測，此處的「花期近」指春試即將舉行，那麼
「杏花」的開放也就爲時不遠了。而且，此詩後面的初稿附記：「煙

〔註6〕轉引自〔美〕阿伯拉姆，簡明外國文學詞典，長沙：湖南人民出版
　　　　社，1987 第 150 頁。
〔註7〕傅義，鄭谷詩集編年校注，上海：華東師大出版社，1993 第 104 頁，
　　　　第 82 頁，第 84 頁，第 225 頁，第 134 頁，第 210 頁，第 103 頁。

開水國花期近，雪滿長安酒價高。」也提到「花期近」、「雪滿長安」。
與科舉有關的「杏花」意象也就難免要常與淚水相伴了。

　　「杏花」意象在鄭谷詩中僅是科舉的借喻，還沒發展到人格的象
徵，這個任務要等到王安石、蘇軾才能完成。

二、鳥

　　鄭谷「嘗賦《鷓鴣》，警絕」，被譽爲「鄭鷓鴣」（《唐才子傳》卷
九）。其實，鄭谷不僅《鷓鴣》詩寫得好，在他現存的 325 首詩作中，
據筆者統計，僅詠物詩就有 40 多首，其中所詠鳥類達 10 種之多。由
此可見他對鳥的喜愛，那麼借禽鳥意象抒情達意也就順理成章了。

　　鄭谷爲袁州宜春（今江西宜春市）人，又由於變亂長期在巴蜀、
荆楚、吳越等地飄零，他筆下的鳥大多具有南方地域色彩，如泛指的
越鳥；特指的鷓鴣、子歸、鷺鷥等等。異地他鄉見到這些禽鳥自然激
起故園之思；鄭谷還喜歡通過鷓鴣、子歸等禽鳥的凄苦悲鳴表現羈旅
鄉思之愁，渲染令人魂消腸斷的氛圍。詩人在詩篇中著意強化這些鳥
纏綿甚至凄厲的叫聲帶給聽者的感受。正是這種種哀鳴促發了，也表
現了詩人對生命短促、懷才不遇、亂離漂泊、游子當歸的感歎。

1、越　鳥

　　《漢語大詞典》說，越作爲古代南方少數民族名，分佈於長江中、
下游以南，部落眾多，地域極廣，有百越、百粵之稱；做爲地名，代
稱廣東、廣西地區；或泛指南方。〔註8〕因此，越鳥應爲南方之鳥的
泛稱。

　　越鳥啼聲悲苦，南方人聞之則思家。在流落南方的北方人耳中，
更是不堪忍受。白居易《山鷓鴣》詩就說：「啼到曉，惟能愁北人，
南人慣聞如不聞。」鄭谷《越鳥》詩：「背霜南雁不到處，倚棹北人

―――――――――――
〔註 8〕羅竹風，漢語大詞典・第九卷，北京：漢語大詞典出版社，1992 第
　　　　1110 頁。

初聽時。梅雨滿江春草歇，一聲聲在荔枝枝。」「越」在此詩中乃指嶺南，鄭谷爲袁州宜春人，他自稱北人則以袁州在嶺南之北緣故。此詩通過「越鳥」在荔枝枝頭的聲聲哀鳴，點染出荒蠻嶺南令人黯然魂傷的氛圍，思鄉深情隱現。

《文選‧古詩十九首》之《行行重行行》：「胡馬依北風，越鳥巢南枝。」李善注：「《韓詩外傳》曰：『詩曰：代馬依北風，飛鳥棲故枝。』皆不忘本之謂也。」即以胡馬、越鳥喻不忘故土。「江帆和日落，越鳥近鄉飛。」（《送徐凝端公南歸》）據《宜春志》，徐凝亦爲袁州宜春人，「南歸」之地不言而喻。「家山春更好，越鳥在庭柯。」（《送京參翁先輩歸閩中》）詩題就直接點明了京參翁所歸何地，閩中古亦百越之地。這兩首送人歸鄉詩都是用家鄉風物的局部——越鳥，代指家鄉，從詩人的選詞造語，「家山」、「近鄉飛」、「在庭柯」等，可見詩人濃濃的鄉情與對友人歸鄉的企羨。

2、鷓　鴣

據崔豹《古今注》可知鷓鴣產於我國南部：「南方有鳥名鷓鴣，向南飛，畏霜露，早與暮稀出。有時夜棲則以樹葉覆其背，燕人亦不知有此鳥也。」《禽經》強調了它的習性：「隋陽越雉，鷓鴣也。飛必南翥。」又說：「晉安曰，懷南《異物記》云：『鷓鴣』白黑成文，其鳴自呼，象小雉，其志懷南不徂北也。」鷓鴣啼聲悲苦，徐凝《山鷓鴣詞》：「南越嶺頭山鷓鴣，傳是當時守貞女。化爲飛鳥怨何人，猶有啼聲帶蠻語。」黃庭堅《戲作零陵李好古居士家馴鷓鴣二首》其一又曰：「此鳥爲公行不得，報晴報雨總同聲。」（《山谷內集》二十）任淵注：「鷓鴣之聲，若雲行不得哥哥。」「『行不得也哥哥』，似在勸阻人們離家遠行，因而容易引起旅人、閨婦的愁思。」〔註9〕由於鷓鴣飛必南向的特性及如言「行不得也哥哥」的悲啼，故詩人常借其以抒寫逐客流人之情：「暖戲平蕪錦翼齊，品流應得近山雞。雨昏青草湖

〔註9〕梁德林，意象與主題，北京：當代中國出版社，2004 第 116 頁，第 104 頁，第 172 頁。

邊過，花落黃陵廟裏啼。遊子乍聞征袖濕，佳人才唱翠眉低。相呼相喚湘江闊，苦竹叢深春日西。」（《鷓鴣》）鄭谷久負盛名的這首《鷓鴣》詩不重形似，也不簡單地摹其聲，而是著意表現由聲而產生的哀怨凄切的情韻：「遊子乍聞征袖濕，佳人才唱翠眉低。」透出詩人沉重的羈旅鄉思之愁：「相呼相應湘江闊，苦竹叢深春日西。」

　　鄭谷雖以詠鷓鴣出名，但除了那首《鷓鴣》詩，鄭谷現存詩作中並沒有出現單純的「鷓鴣」意象，僅有幾首模仿鷓鴣悲鳴的「《鷓鴣曲》」意象，多言思鄉之情。如《席上貽歌者》：「花月樓臺近九衢，清歌一曲倒金壺。座中亦有江南客，莫向春風唱鷓鴣。」鷓鴣，是指當時流行的《鷓鴣曲》，崔令欽《教坊記》已見著錄。許渾就有《聽歌鷓鴣詞》：「南國多情多豔詞，鷓鴣清怨繞梁飛。」可見《鷓鴣曲》是「效鷓鴣之聲」（葛立方《韻語陽秋》卷一五）的，曲調哀婉清怨。詩人為什麼未聽《鷓鴣》情已怯了呢？這頗耐人尋味。盡管詩人在開頭二句極力描繪了春風夜月、花前酒樓的京國之春，從後二句中自稱「江南客」，還是可以見出詩人的思鄉之心，早已被歌聲撩動了。如果這位歌者再唱出他久已熟悉的那首「佳人才唱翠眉低」的《鷓鴣曲》，那就難免「遊子乍聞征袖濕」，終至不能自己了。因而詩人鄭重其事地向歌者請求莫唱《鷓鴣》了。

　　《侯家鷓鴣》中的情況就比較復雜了，它糅合了「鷓鴣」意象與《鷓鴣曲》意象，顯現了獨具的特色：「江天梅雨濕江蘺，到處煙香是此時。苦竹嶺無歸去日，海棠花落舊棲枝。春宵思極蘭燈暗，曉月啼多錦幕垂。唯有佳人憶南國，殷勤為爾唱愁詞。」施蟄存先生認為，這首詩是把歌妓唱的鷓鴣比之為被捕在籠中的鷓鴣，同時，既把鷓鴣比為失去自由的羈旅之人（詩人自己），又把歌女比為失去自由的鷓鴣，更借「佳人憶南國」說出自己的鄉思。「殷勤為爾唱愁詞」是說歌女唱鷓鴣詞，既是唱出了自己的鄉愁，也是代鷓鴣唱出了鄉愁，更唱出了詩人的心聲。惟其「怕聽」、「不慣聽」才覺得佳

人唱之「殷勤」，才覺得這盪氣迴腸的旋律是愁詞。〔註10〕由以上分析可知，無論是「鷓鴣」意象，還是受鷓鴣啼叫啓發的「《鷓鴣曲》」意象，實際上意味著聽者（詩人）乃是歌者、鷓鴣的知音，其中深深地透露出詩人客居異鄉的羇旅之情，南國之思。

3、子　規

其實，鄭谷詩中悲啼最多的是子規鳥（出現 6 次）。《禽經》上言：「巂周，子規也，啼必北嚮。《爾雅》曰：『巂周，甌越間曰怨鳥。夜啼達旦，血漬草木，凡鳴皆北向也。』江介曰子規。啼苦則倒懸於樹，自呼曰謝豹。蜀右曰杜宇。李廣《蜀志》曰：『望帝稱王於蜀時，……望帝修道處西山，而隱化爲杜鵑鳥，或云化爲杜宇鳥，亦曰子規鳥。至春則啼，聞者凄惻。』」上述記載爲我們指明，子規鳥多生活在南方：甌越間、江介、蜀右；具有多種稱呼：巂周、子規、杜鵑、杜宇；爲怨鳥，其啼叫特點：至春則啼，啼必北嚮，夜啼達旦。因此，詩人多用「子規」意象表達思鄉、悲苦的復雜情懷：「灞岸草萋萋，離觴我獨攜。流年俱老大，失意又東西。曉楚山雲滿，春吳水樹底。到家梅雨歇，猶有子規啼。」（《送進士盧棨東歸》）「失意離愁春不知，到家時是落花時。孤單取事休言命，早晚逢人苦愛詩。度塞風沙歸路遠，傍河桑柘舊居移。應嗟我又巴江去，游子悠悠聽子規。」（《送進士王駕下第歸蒲中》）二詩明爲送人下第，實寓一己之傷。

子規又相傳鳴聲如「不如歸去」。梅堯臣就有《杜鵑》詩曰：「不如歸去語，亦自古來傳。」每當人們漂泊在外，對故鄉魂牽夢繞時，就常常借助於它的悲啼，來表現難以撫平的愁思。鄭谷《遊蜀》：「所向明知是暗投，兩行清淚語前流。雲橫新塞遮秦甸，花落空山入閬州。不忿黃鸝驚曉夢，惟應杜宇信春愁。梅黃麥綠無歸處，可得漂漂愛浪遊。」「黃鸝驚曉夢」並沒使詩人惱恨，因詩人之愁已借杜宇

〔註10〕施蟄存，唐詩百話，上海：華東師範大學出版社，1987 第 639 頁。

啼叫引出：「雲橫新塞遮秦甸」（時長安爲黃巢所據）〔註11〕，「梅黃
麥綠無歸處」。既無法歸去，遂自我解嘲說出無奈語：「可得漂漂愛
浪遊」。

　　《蜀中三首》其三：「子規夜夜啼巴蜀，不並吳鄉楚國聞。」鄭
谷家宜春，春秋屬吳，有故居在楚都渚宮（見谷《渚宮亂後作》詩）。
鄭谷認爲，夜夜在巴蜀啼叫的子規，在「吳鄉楚國」並不能聽到。雖
然這不符合自然界的實際情況，可給人的感受卻是眞實的，因讀者已
被詩人的思鄉深情感染。

三、夕　陽

　　陳植鍔曾經說過，「夕陽」、「落日」，從語法上講，意義完全相
同。從意象的角度看，「夕陽」與「落日」引起的美學感受卻很不相
同。「夕陽」常常使人想起天邊一抹火一樣的晚霞，它給人的是溫暖
與和煦，展現給人的是一片鮮紅。因此在詩人的筆下，它常常和春
天、花塢聯繫在一起。「落日」使人引起的聯想則是一片空闊，一片
荒涼，是滿腹的鄉思和離愁。〔註12〕但陳氏的分析不盡符合鄭谷詩
中「夕陽」意象的全部情況。

　　「夕陽秋更好，斂斂蕙蘭中。極浦明殘雨，長天急遠鴻。僧窗
留半榻，漁舸逼疏蓬。莫恨清光盡，寒蟬即照空。」（《夕陽》）鄭谷
這首詩，並非是描繪春日的夕陽，劈空一句就表明觀點：「夕陽秋更
好」。中國文人自古就有悲秋的心理定勢，這是世世代代累積下來的
集體無意識。宋玉《九辨》被認爲「模寫秋意入神」，乃「千古言秋
之祖。六代、唐人詩賦靡不自此出者」（胡應麟《詩藪‧內編》卷三、
卷一），是中國文學史上影響深遠的「悲秋」主題的發端。〔註13〕

〔註11〕傅義，鄭谷詩集編年校注，上海：華東師大出版社，1993 第 104 頁，
　　　　第 82 頁，第 84 頁，第 225 頁，第 134 頁，第 210 頁，第 103 頁。
〔註12〕陳植鍔，詩歌意象論，北京：中國社會科學出版社，1990 第 71 頁，
　　　　第 191 頁，第 192 頁。
〔註13〕參見袁行霈，中國文學史‧第一卷，北京：高等教育出版社，1999

鄭谷此詩卻一反常態,立意新穎,接下來極盡所能描繪了秋日夕陽下的美好景象。「秋日夕陽」意象在這首詩中仍象徵著光明與溫暖。

　　但鄭谷《渭陽樓閒望》詩中的「夕陽」意象帶給人的就不是溫暖與和煦:「千重二華見皇州,望盡凝嵐即此樓。細雨不藏秦樹色,夕陽空照渭河流。後車寧見前車覆,今日難忘昨日憂。擾擾塵中猶未已,可能疏傳獨能休。」詩人 「情以物遷,辭以情發」(《文心雕龍‧物色》),「夕陽空照渭河流」不正是「夕陽無限好,只是近黃昏」(李商隱《樂遊原》)的形象寫照嗎?夕陽映照下的衰草殘花與空自東流的渭水,不正象徵著晚唐時代與詩人自身悲涼的命運嗎?「夕陽」再好,也無力迴天,全詩籠罩著末世的淒涼黯淡情緒,表現出詩人痛苦絕望的心理。作爲詩人,鄭谷有著敏感的靈魂,他已從四周的環境裏感覺到了李唐王朝的衰落,這個偉大的王朝就如夕陽一般即將過去。詩人無法漠視時代的沉淪卻又無力更改國家與時代的命運。時代心理的悲涼與個人內心的矛盾凝聚在了「夕陽」意象之中。

　　《巴賓旅寓寄朝中從叔》詩中的「落日」意象,則又自然回歸到鄭谷的思鄉情結:「驚秋思浩然,信美向巴天。獨倚臨江樹,初聞落日蟬。哀榮悲往事,漂泊念多年。未便甘休去,吾宗盡見憐。」作者因「初聞落日蟬」意識到了秋的來到,「驚」字,表現了鄭谷因秋天的感發,生理與心理都產生了強烈的反應,也眞實地形容了他在這種衝擊下的不堪承受之痛。該詩由見落日、聞蟬聲,引發驚秋、思鄉之感,這也正像陳植鍔先生所分析的那樣,「『落日』使人引起的聯想是滿腹的鄉思和離愁。」〔註14〕《槐花》詩中的「落照」意象揭示了唐末科舉的弊端和冷酷無情:「毿毿金蕊撲晴空,舉子魂驚落照中。今日老郎猶有恨,昔年相虐十秋風。」出身孤寒的鄭谷雖

第 144 頁。
〔註14〕陳植鍔,詩歌意象論,北京:中國社會科學出版社,1990 第 71 頁,
　　　　第 191 頁,第 192 頁。

然「遊於舉場一十六年」(《雲臺編自序》)，方博一第，還算幸運的，終生未第的人比比皆是，鄭谷詩集中不就有很多送友下第詩嗎？因此，「落照」使舉子們感覺到的不是溫暖，而是肆虐的秋風，是科舉帶來的巨大陰影。

「殘陽」意象比「落照」意象表現力更強，且看，鄭谷作於乾符年間的《渚宮亂後作》：「鄉人來話亂離情，淚滴殘陽問楚荊。白社已應無故老，清江依舊繞空城。高秋軍旅齊山樹，昔日漁家是野營。牢落故居灰燼後，黃花紫蔓上牆生。」如血殘陽掛在天邊，詩人站在夕陽之下，帶著無比的惆悵，無比的感傷，只能目送著它一點點消失於眼前，無法挽留。丹納說：「作品的產生取決於時代精神和周圍的風俗」。〔註15〕山河破碎，頹沈的國勢已在唐末人的心中和筆下投下了黯淡的陰影，唐末人唱不出歡快豪邁的歌，時代之暮給詩壇染上了濃鬱的淒冷、沒落絕望的感傷色彩，折射出一種世紀末的哀傷。夕陽——永恒宇宙的一種象徵、人世變遷的歷史見證，在唐末詩人鄭谷筆下，也主要是用來寄寓對國勢衰敗難挽的悲哀感慨。

四、水

鄭谷生在水國，又多年在巴蜀、荊楚、吳越等多水之鄉奔避漂流，詩中的水意象不勝枚舉，如江水、湖水、泉水、溪水、澗水、峽水、池水、泉水……這些「水」意象大多是作為背景襯托主人翁的行動、心情。「意象在詩歌中之所以如此重要，乃是因為在詩歌中，意象可以完成詩歌的多種功能：表現感情、描寫景色、創造氣氛、提示言外之意。」〔註16〕

「作為個體的青春、生命、功名及歷史繁華的『有』，是非永恒

〔註15〕丹納，藝術哲學，北京：人民文學出版社，1963 第 36～37 頁，第 32 頁，第 290 頁。

〔註16〕杜宏偉，論中國古典詩歌的意象美，三門峽職業技術學院學報，2002，(1)。

性的存在，它終究要歸於『無』。而正緣其『無』的不可復返於『有』，才更令人珍重『有』的價值。『有』這一存在，毫不以人的意志為轉移地向『無』單維性奔逝，如同流水的一去不復返。而流水在這種存在向虛無運動的過程中，突出顯示了存在與時間的關係。」〔註17〕因此，「流水」是古代詩歌常用的意象之一，它往往象徵流逝的時光。如鄭谷《錦浦》詩：「不甘花逐水，可惜雪成泥。」「流水」、「落花」都是「春去」的形象寫照。不甘心花隨水逝去，也就是不忍春老、春歸去，想挽留，可結果是徒勞的。「流水君恩共不回，杏花爭忍掃成堆。殘春未必多煙雨，淚滴閒階長綠苔。」（《長門怨二首》其二）「流水」帶走了君恩，帶走了春天，帶走了歡樂。

「流水」常使人因物、事思己，頓發今昔盛衰、瞻前感傷之嗟。「昔事東流共不回，春深獨向溁陂來。亂前別業依稀在，雨裏繁花寂寞開。卻展漁絲無野艇，舊題詩句沒蒼苔。潸然四顧難消遣，只有佯狂泥酒杯。」（《溁陂》）似乎是對眼前景物的實錄，但「昔事」與「東流水」之間，顯然有著特定的聯繫。

「流水」的綿綿無絕期還是永恒時間的象徵：「白社已應無故老，清江依舊繞空城。」（《渚宮亂後作》）滔滔江水，日夜不息地流逝，與天地相終始，而人生則渺小、短暫，無法抗拒歲月的流失。

鄭谷愛以「故溪」代指故鄉，表明深深故園之戀：如「蔌蔌復悠悠，年年拂漫流。差池伴黃菊，冷澹過清秋。晚帶鳴蟲急，寒藏宿鷺愁。故溪歸不得，憑仗繫漁舟。」（《蓼花》）「年來還未上丹梯，且著漁蓑謝故溪。落盡梨花春又了，破籬殘雨晚鶯啼。」（《下第退居二首》其一）。

一些並非故鄉的水，在鄭谷詩中也可用來表鄉思，如《望湘亭》：「湘水似伊水，湘人非故人。登臨獨無語，風柳自搖春。」從「湘水看似伊水，湘人實非故人」的簡單類比中，表達故園心、飄零感。

〔註17〕王立，中國文學主題學——意象的主題史論稿，鄭州：中州古籍出版社，1995 第181頁。

再如：「風雨夜長同一宿，舊遊多共憶樊川。」(《宗人作尉唐昌官署幽勝而又博學精富得以言談將欲他之留書屋壁》)「樊川」與《望湘亭》中的「伊水」一樣雖非是詩人家鄉的水，可由於詩人在長安一帶生活了很長一段時間，對那裏的風物都產生了感情。那裏有他曾遊覽過的勝迹，有他知心的朋友，有他美好的回憶，這也就是人們常說的第二故鄉吧。所以，離別之後，詩人自然也會興起思念之情。

另外，滔滔不盡的江水還被鄭谷用來喻鄉愁：「望闕還鄉淚，荊江水共流。」(《寄南浦謫官》)「還鄉淚」與「荊江水」共流，可見鄉愁之綿長之無窮。

無眠聽水也可表現不絕如縷的思鄉之愁：「愁眠不穩孤燈盡，坐聽嘉陵江水聲。」(《興州江館》)上句，形象地說明詩人愁悶，一夜無眠。下句，詩人內心的羈旅愁悶、故園之思，湧動迴蕩，借江水的聲音意象得到寫照。

除了暗示時間、鄉愁外，「水」意象還往往作爲悠閒、淡泊、自由，與大自然親和的心境的對應體，出現在鄭谷吟詠林泉隱逸之樂的篇章中。

「渼陂水色澄於鏡，何必滄浪始濯纓。」(《郊墅》)「竹院松廊分數派，不空清泚亦逶迤。落花相逐去何處，幽鷺獨來無限時。洗缽老僧臨岸久，釣魚閒客倦綸遲。晚晴一片連莎綠，悔與滄浪有舊期。」(《水》)「滄浪」見於《孟子・離婁》上所載：「滄浪之水清兮，可以濯吾纓；滄浪之水濁兮，可以濯吾足。」《楚辭・漁父》中的漁父曾唱此歌婉勸屈原隱退自全，隨遇而安。此後，「滄浪」便常被用作歌詠歸隱的意象。鄭谷爲了突出水色的「澄於鏡」、「清泚」，環境的寧靜清幽，在這兩首詩中不惜反其意而用之。「何必滄浪始濯纓」，渼陂水照樣可以是隱居之地；「悔與滄浪有舊期」，詩人爲此水所吸引，遂有長住不歸舊隱之意。

《忍公小軒二首》其一又比以上情況稍微復雜些。「松溪水色綠於松，每到松溪到暮鐘。閒得心源只如此，問禪何必向雙峰。」佛氏

所言「雙峰」頗多，傅義先生認爲，此處的「雙峰」應指湖北黃梅「雙
峰」。禪宗四祖道信、五祖弘忍，皆居於此。《宋高僧傳‧信本傳》，
稱其「自入山來，三十餘載，諸州道學，無遠不至。」（註18）末二句
表明作者學禪的觀點：心中有佛，何處不可以參禪。宋釋慧洪《林間
錄》下記三祖大師語：「諸佛悟達法性，皆了自心源。《菩提新論》又
講：「妄心若息時，心源空寂，萬德斯具，妙用無窮。」「松溪水色」、
「松溪暮鐘」使詩人心地澄靜，心源開寂，在此即可悟禪，不必舍近
求遠，非一定要到「雙峰」。這是此詩要表達的一層意思；另一層含
義，詩人認爲在松溪能參禪，主要是爲了突出說明松溪清幽之境，說
禪是爲了襯托水。關於這一點，我們還可以參看鄭谷寫松溪的另一首
詩：「松因溪得名，溪響答松聲。繚繞能穿寺，幽奇不在城。寒煙齋
後散，春雨夜中平。染岸蒼苔古，翹莎白鳥明。澄分僧影瘦，光徹客
心清。帶梵侵雲響，和鐘擊石鳴。淡烹新茗爽，暖泛落花輕。此景吟
難盡，憑君畫入京。」（《西蜀淨眾寺松溪八韻兼寄小筆崔處士》）清
澄潺湲的溪水，恰與詩人超脫塵俗的心境融爲一體。

以上的水，並非名勝，也非險峻的奇山異水，它們只是普通平
常的池水、泉水……但詩人從中感受到了淡泊平靜、心曠神怡，感
到了禪意，感到了飄飄欲仙之樂。因此，詩人著意的是水給人的嫻
靜的感覺：「池榭愜幽獨」；能使人祛除塵世的雜念：「忘機愛淡交」
（《池上》），而並不在意是什麼形式的水。

鄭谷詩中有十多處用到「江湖」意象，「江湖」意象在中國古代
詩歌中大多具有隱逸意蘊，但在鄭谷詩作中，還可以用來表達漂泊、
國家動亂時局、懷人念遠等多種情意。

（1）漂泊江湖的多重象徵意蘊

「江湖」意象首先是指自然界的江河湖海；其次，可以指人生旅
途中的難關、波折；另外，還可以「指『在野』，成爲與『朝廷』相

〔註18〕傅義，鄭谷詩集編年校注，上海：華東師大出版社，1993 第 104 頁，
第 82 頁，第 84 頁，第 225 頁，第 134 頁，第 210 頁，第 103 頁。

對的一種意象。」〔註19〕原由主要爲：

首先，古代由於交通不便，科技不發達，長期在江河湖海上奔波易產生難以排遣的羈旅之苦。而且，在江河湖海上航渡的風險更加重了他們的畏懼心理、漂泊之感。

其次，古代士子爲了赴舉、干謁，尋找人生的出路，常常漂泊在外，在江湖上奔波與他們的人生旅途有相似之處；而且，入仕後還常被貶謫到蠻荒之地，士子們經歷的坎坷與風波險惡的江湖更有相似之處。

最後，這種「在野」並非歸隱，因爲他們是壯志未酬、不能用世，而非主動隱逸。如仕進無門的寒士、被貶賦閒的官吏……都屬於這種情況。他們並沒有忘記「兼濟」之志，隨時都準備建功立業。

事實上，「江湖」意象的這三重象徵意蘊在古代士人的心目中一般是錯綜復雜的糾合在一起的，在鄭谷詩中也不例外。如《遷客》：「離夜聞橫笛，可堪吹鷓鴣。雪冤知早晚，雨泣渡江湖。秋樹吹黃葉，臘煙垂綠蕪。虞翻歸有日，莫便哭窮途。」這裏的「江湖」意象就交織上述三種內涵。

漂泊江湖的多重象徵意蘊還體現在《贈楊夔二首》其一中：「散賦冗書高且奇，百篇仍有百篇詩。江湖休灑春風淚，十軸香於一桂枝。」「春風」「桂枝」都是及第的象徵，如孟郊《登科後》：「春風得意馬蹄疾，一日看盡長安花。」唐人更把及第譬爲「折桂」，如鄭谷的《擢第後入蜀經羅村路見海棠盛開偶有題詠》：「手中已有新春桂，多謝煙香更入衣。」那「灑春風淚」就是喻落第了，詩人告誡楊夔在「江湖」莫「灑春風淚」，因爲，「十軸香於一桂枝」。

（2）隱　逸

「江湖」的隱逸內涵源於《史記・貨殖列傳》的記載：春秋時，范蠡幫助越王句踐滅掉吳國之後，「乃乘扁舟浮於江湖」。據《史記・

〔註19〕梁德林，意象與主題，北京：當代中國出版社，2004 第 116 頁，第 104 頁，第 172 頁。

越王句踐世家》、《國語・越語》所載同樣的史事,「江湖」還可以寫作「江海」、「五湖」。

《送進士吳延保及第後南遊》:「江湖易有淹留興,莫待春風落庾梅。」勸告及第後南遊的吳延保:江湖容易讓人留戀,興起歸隱之念,應及早歸來。「人間疏散更無人,浪兀孤舟酒兀身。蘆筍鱸魚拋不得,五陵珍重五湖春。」(《送張逸人》)「閒看薛稷鶴,共起五湖心。」(《秘閣伴直》)二詩都是借「江湖」意象歌詠隱逸之趣。

第二節　社會意象

一、人事意象

「所謂人事意象,指的是與人的活動、人的行為有關的意象。人在大腦的支配下行動,人的行為總是有目的性的。因此,人事意象所包涵的作者主觀情意相對於其它意象來說,顯得更為明顯。」〔註20〕

1、簪　花

中國古代並非僅女子才戴花,很多男子也喜歡簪花,除了愛美的表層意義,戴花這個動作,在古代詩詞中,常常被塗抹上濃鬱的感情色彩。主要因為花往往象徵青春年華,「戴花」本來是為了珍惜年華、挽留住美好事物。但年老簪花客觀上卻造成了花與白髮的鮮明對比,激起文士生命短暫的意識。更何況中國文人有嗟老歎貧的傳統,所以「簪花」意象很少是用來描寫戴花的美好形象,大部分是用於抒寫青春、生命流逝的哀愁及伴隨而來的功業未成、時不我待的緊迫感。鄭谷一生經歷了唐王朝的衰落直至滅亡,在他身上浸淫了太多唐末社會的雨雪風霜,他的整個心靈幾乎始終浸泡在悲哀失望的苦水中。這種情感必須找到一個宣洩口將它傾瀉出去。這

〔註20〕梁德林,意象與主題,北京:當代中國出版社,2004 第 116 頁,第 104 頁,第 172 頁。

就是詩人選擇「簪花」作爲情感載體之意象的原因。

鄭谷最愛簪的花是菊。鄭谷《菊》詩:「王孫莫把比荊蒿,九日枝枝近鬢毛。露濕秋香滿池岸,由來不羨瓦松高。」荊蒿是一種野生雜草。菊,僅從其枝葉看,與荊蒿有某些類似之處,那些四體不勤、五谷不分的公子王孫,是很容易把菊當作荊蒿的。詩人劈頭一句,就告誡他們莫要把菊同荊蒿相提並論。《藝文類聚》卷八一引崔寔《月令》載:「九月九日可採菊花。」杜甫《九日五首》其三曰:「即今蓬鬢改,但愧菊花開。」杜牧《九日齊山登高》曰:「塵世難逢開口笑,菊花須插滿頭歸。」可知唐人九月九日有以菊插鬢的風俗。「九日枝枝近鬢毛」暗點一個「菊」字,同時照應首句,說明詩人與王孫公子不一樣,對於菊是非常喜愛尊重的。正因爲喜愛才有「菊花插滿頭」這個舉措,詩人們也才愛用「插菊於鬢」這個意象。這兩句,從不同的人對菊的不同態度,點出菊的高潔。

「奔走失前計,淹留非本心。已難消永夜,況復聽秋霖。漸解巴兒語,誰憐越客吟。黃花徒滿手,白髮不勝簪。」(《通川客舍》)如果說上一首詩寫出了作者的高趣,這首則表達了詩人深深的哀愁:被迫到處奔波漂流,歲月無情、年華老邁,結果落得個「鬢禿簪不住花」的悲劇。詩人百感交集,把心中的苦悶傾瀉在「想簪花而不得」的凄苦意象中。「黃花徒滿手,白髮不勝簪。」此聯化用杜甫《春望》中「白髮搔更短,渾欲不勝簪」及《九日五首》之五「即今蓬鬢改,但愧菊花開」二詩之意,組合成了一個詩人形象的精彩特寫鏡頭,從視覺上形成強烈的衝擊——縱有菊花滿手,卻因年老髮稀而無法插戴。未言感傷,而感傷之情已在詩人形象中得以突顯。

詩以情意爲靈魂。人的內心情意總是要在人的形體、動作上反映出來。但有時爲了擺脫內心深層巨大的苦悶,不得不假借看似輕鬆、放縱的行爲動作來表現。鄭谷有時的「醉酒簪花」並非由衰老感引起,而是想通過這種行爲消除內心的痛苦。如《重陽夜旅懷》:「強插黃花三兩枝,還圖一醉浸愁眉。半床斜月醉醒後,惆悵多於

未醉時。」傅義考訂此詩作於歸隱（家鄉仰山）途中，昭宗遇害後。〔註21〕由此，我們知道了鄭谷「醉酒簪花」的真正原因。詩人想憑藉「醉酒簪花」這個灑脫的舉動消弭唐亡引起的巨大哀痛，著一「強」字，可見詩人之勉力強迫、之主觀想極力擺脫，可是，結果是徒勞的：「半床斜月醉醒後，惆悵多於未醉時。」

　　「簪花」意象在鄭谷《貧女吟》詩中的內涵則與上述含義又有不同之處：「塵壓鴛鴦廢錦機，滿頭空插麗春枝。東鄰舞妓多金翠，笑剪燈花學畫眉。」用「滿頭空插麗春枝」的貧女與「多金翠」的「東鄰舞妓」進行鮮明對比，表明了貧富懸殊，貧女命運的不可改變之悲，也有自喻身世之意。由以上分析可知，鄭谷詩中的「簪花」意象大部分用於抒寫哀愁。

2、搔首（鑒貌）

　　「中國古典詩歌人事意象的創造，善於通過簡要的富有特徵性的形態、動作描寫，表達豐富、復雜的情意。」〔註22〕鄭谷對「搔首（鑒貌）」意象的運用就是如此。鄭谷《結綬鄠郊麋攝府署偶有自詠》：「鶯離寒谷七逢春，釋褐年來暫種芸。自笑老為梅少府，可堪貧攝鮑參軍。酒醒往事多興念，吟苦鄰居必厭聞。推卻簿書搔短髮，落花飛絮正紛紛。」傅義先生認為：「詩中『土逢春』，《唐詩鼓吹》作『七逢春』。按谷光啟三年（八八七）及第，經七春，為景福二年。下云『年來』則尉鄠縣在景福元年春。證以前後經歷，皆合。」〔註23〕盡管鄭谷遊於舉場十六年，方博一第，入第七年，才授一尉。但鄭谷對遲遲到來的「釋褐」並非欣喜若狂而是自嘲，「搔短髮」表明了詩人的無奈，痛苦吧，畢竟實現了「結綬」的願

〔註21〕傅義，鄭谷詩集編年校注，上海：華東師大出版社，1993 第104頁，第82頁，第84頁，第225頁，第134頁，第210頁，第103頁。

〔註22〕嚴雲受，詩詞意象的魅力，合肥：安徽教育出版社，2003，第 216頁。

〔註23〕傅義，鄭谷詩集編年校注，上海：華東師大出版社，1993 第104頁，第82頁，第84頁，第225頁，第134頁，第210頁，第103頁。

望；快樂吧，歲月無情，老大髮短，才得一微末之職。

再看鄭谷《水軒》詩：「日日狎沙禽，偷安且放吟。讀書老不入，愛酒病還深。歎後爲羈客，兵余問故林。楊花滿床席，搔首度春陰。」「搔首」出自《詩經·邶風·靜女》：「愛而不見，搔首踟躕。」《毛傳》：「言志往而行止。」「春陰」作陰天解亦通，但筆者覺得，作春天之光陰，陰如寸陰、惜陰之陰更恰切。從頸聯「歎後爲羈客，兵余問故林」可知鄭谷「搔首踟躕」的並非完全由於衰老，顛沛流離之苦、戰亂後的思鄉之情更讓他躊躇彷徨。

「平昔偏知我，司勳張外郎。昨來聞俶擾，憂甚欲顛狂。煙暝搔愁鬢，春陰賴酒鄉。江樓倚不得，橫笛數聲長。」（《寄司勳張員外學士》）《資治通鑑》卷二六五記載（元祐元年）正月，朱全忠請上遷都洛陽，促百官東行，驅徙士民，號哭滿路。據傅義先生考證「俶擾」當指此事。〔註24〕詩人爲此「憂甚欲顛狂」，無以解憂，只好搔愁鬢，迷戀酒鄉。「鬢」也被染上詩人強烈的悲感，「搔」這一動作，本想把鬢上的「愁」、心上的「愁」搔去，可不管是「搔愁鬢」，還是進入醉鄉，這愁猶在。詩人借「搔首」意象表達了內心無法排遣的傷時憂國的愁思。

如果說，上述「搔首」意象含蓄地表現了鄭谷對時間空流、生命消逝、事業受挫、國家衰亡的無可奈何的哀感，那麼下面的「鑒貌」意象就是明顯地、強烈地表現了這些感受，《輦下冬暮詠懷》：「永巷閒吟一徑蒿，輕肥大笑事風騷。煙含紫禁花期近，雪滿長安酒價高。失路漸驚前計錯，逢僧更念此生勞。十年春淚催衰颯，羞向清流照鬢毛。」「十年春淚」，指應試十年，此爲約指。屢舉不第，詩人自然會嗟老歎貧：「羞向清流照鬢毛」。把這種歲月空逝、功業未就的焦灼感表現的更明確。此詩不敢臨「清流照鬢毛」，《興州東池》前六句描繪了興州東池寧靜祥和的景致，結句卻筆鋒一轉，也發出

〔註24〕傅義，鄭谷詩集編年校注，上海：華東師大出版社，1993 第 104 頁，第 82 頁，第 84 頁，第 225 頁，第 134 頁，第 210 頁，第 103 頁。

了面對如此平靜、清澈的池水不敢近前的苦惱，原因同樣是「鑒貌
還惆悵，難遮兩鬢羞」。鄭谷用「鑒貌」這一意象，抒寫了青春消逝、
人生易老、功業無成的悲哀。

3、與僧對榻眠

鄭谷由於自身遭際，愛與僧遊；漂泊在外，又常寓居僧舍，於是
「雨夜對禪床」的人事意象就屢見於詩篇：

> 每思聞淨話，雨夜對禪床。未得重相見，秋燈照影堂。
> 孤雲終負約，薄宦轉堪傷。夢繞長松塔，遙焚一柱香。(《谷
> 自亂離之後在西蜀半紀之餘多寓止精舍與圓昉上人為淨侶昉公於長
> 松山舊齋嘗約他日訪會勞生多故遊宦數年曩契未諧忽聞謝世愴吟四
> 韻以弔之》)。

吳景旭《歷代詩話》辛集卷四辨云：「韋蘇州《示元真元常詩》：『寧
知風雨夜，復此對床眠。』二蘇祖之以入詠，遂以夜雨對床為兄弟
是用矣。然觀《野客叢書》云：『韋又有詩《贈令狐士曹》曰：『秋
簷滴滴對床寢，山路迢迢聯騎行。』則當時對床夜雨，不特兄弟為
然，於朋友亦然。白樂天《招張司業》詩：『能令同宿，聽雨對床。』
此善用韋意。又觀鄭谷《訪元秀上人》詩：『且共高僧對榻眠。』《思
圓昉上人詩》：『每思聞淨話，夜雨對繩床。』施於僧亦未不可。然
則聽雨對床，不止一事。今人但知為兄弟事，而莫知其它。」此則
詩話不僅詳細地道出了「聽雨對床」的來歷，而且肯定了鄭谷與僧
「雨夜對禪床」意象的新創造。與兄弟、朋友「對床夜雨」，表現
了關係的親密無間，那麼與高僧的對榻眠會別有一番情趣。可是，
鄭谷在這首悼僧詩中只能是追憶與淨侶昉公往昔的交往：「每思聞
淨話，雨夜對禪床。」從鄭谷與圓昉的「雨夜對禪床」的經歷，可
見二人的心靈的契合，但如今留給鄭谷的只有感傷與遺憾了。

「紅葉黃花秋景寬，醉吟朝夕在樊川。卻嫌今日登山俗，且共
高僧對榻眠。別畫長懷吳寺壁，宜茶偏賞雪溪泉。歸來童稚爭相笑，
何事無人與酒船」。(《重陽日訪元秀上人》)這首詩較上首明快歡暢、

風神散朗，寫出了鄭谷與元秀淡然處世的閒散風致。重陽節本有登山的習俗，可鄭谷「卻嫌今日登山俗」，寧願「且共高僧對榻眠」。鄭谷好與「僧」交往，宋人方回《瀛奎律髓》卷四七：「谷好用僧字，凡四十餘處。」這還不算「師」、「禪」等字，鄭谷自己也說：「詩無僧字格還卑。」（《自貽》）在國步多艱的唐末，士人對方外世界油然而生一種向往之心。鄭谷向往禪靜世界，想暫時擺脫塵世的煩惱，試圖追求「證悟所達到的最高境界（涅磐境界）」。〔註25〕

　　鄭谷還在贈答詩中運用「與僧對榻眠」的意象，如：「官舍種莎僧對榻，生涯如在舊山貧。」（《所知從事近藩偶有懷寄》）「夜清僧伴宿，水月在松梢。」（《南康郡牧陸肱郎中辟許棠先輩爲郡從事因有寄贈》）二詩通過「僧對榻」、「僧伴宿」烘托出了鄭谷兩個朋友幽靜、淡泊的生活狀態、精神境界。

二、器物意象

　　出現在鄭谷詩中器物意象，最有代表性的是舟船意象，包括與舟船有關的棹、帆、檣、艇等。

　　鄭谷早年遭逢戰亂，曾奔亡巴蜀，淹留巫峽，流寓荊楚吳越。「十年五年歧路中，千里萬里西復東。」（《倦客》）入仕以後，在唐王朝行將滅亡前的強藩互鬥中，又多次「奔走驚魂」。鄭谷現存詩三百餘首，有近百首寫其奔亡流徙，有些單從詩題就能看出，如《漂泊》、《倦客》、《奔避》等等。北方戰亂不息，鄭谷在巴蜀、荊楚、吳越間奔亡的主要交通工具是舟船。可以說，唐末重大的政治軍事動亂幾乎都能從鄭谷漂流江湖的一葉破舟中直接或間接得到反映。因此，「舟船」等字在鄭谷詩中出現近六十次，也就不足爲奇了。

〔註25〕周裕鍇，中國禪宗與詩歌，上海：上海人民出版社，1992 第 104 頁。

1、舟

扁舟如人生，行舟正與人生的境遇有某種相通之處。因此，「扁舟」意象常被用來刻畫一個人飄零於蒼茫天地間的孤苦感覺。如鄭谷《南遊》詩：「淒涼懷古意，湘浦弔靈均。故國經新歲，扁舟寄病身。山城多曉瘴，澤國少晴春。漸遠無相識，青梅獨向人。」鄭谷以病身寄於一葉扁舟上，恨羈思歸之情，油然而生。

《史記‧貨殖列傳》：「范蠡既雪會稽之恥，乃喟然而歎曰：『計然之策七，越用其五而得意。既已施於國，吾欲用之家。』乃乘扁舟浮於江湖。」後人遂把「扁舟」作為隱遁的意象。如王昌齡《盧溪主人》：「武陵溪口駐扁舟，溪水隨君向北流。」然而，鄭谷詩中的「扁舟」意象大都無歸隱之意，而具有濃鬱的鄉愁：「八月悲風九月霜，蓼花紅淡葦條黃。石頭城下波搖影，星子灣西雲間行。驚散漁家吹短笛，失群徵戍鎖殘陽。故鄉聞爾亦惆悵，何況扁舟非故鄉。」（《雁》）鄭谷明白如話地表達了思鄉之情。

「漁舟」作為意象，一般含有隱逸之趣，如張志和《漁父歌》：「松江蟹舍主人歡，菰飯蓴羹亦共餐。楓葉落，荻花乾，醉宿漁舟不覺寒。」鄭谷詩也同樣如此，如《投時相十韻》：「省署隨清品，漁舟爽素期。」《寄獻狄右丞》：「孤單小諫漁舟在，心戀清潭去未能。」唐末遷轉甚速，鄭谷希望有人汲引，以便早日功成身退，「漁舟」意象就表現了他歸隱漁釣之素願。

有些詩人為了增強語言符號的鮮明性、特徵性，在名詞前附加修飾詞，力求凸顯物情。唐宋以後，這種前面帶修飾詞的名詞性意象出現得更多。「中晚唐詩人最具代表性的為二李——李賀與李商隱，他們的詩具有『雕飾』感，其主要原因就是較少像初盛唐詩人喜用『始原語』——即未帶修飾，純粹表現物性的語言，而喜歡附加一些修飾性語詞：把具有強烈感情作用的字眼附加於名詞之上，如愁、淚、啼、魂、冷、寒之類……」〔註26〕在創造性運用語言的

〔註26〕李豐楙，意象的流變‧多采多姿的中晚唐詩風，上海：生活‧讀書‧

詩人的筆下，語言本身似乎也變成了本體，具有情意性，體現著詩人對世界的獨特的感知與體驗。它是「有意味的形式」。凱塞爾在論述文學語言與科學語言的區別時特意強調：「語言本身就已經充滿了詩意。」﹝註27﹞鄭谷詩中「孤舟」、「孤棹」意象出現達 10 次之多，這也是鄭谷詩歌意象異於他人的標志。這些意象有強烈的感情色彩，隱然可見詩人的生存狀態。聯繫唐末社會現實，士人們確實無法自主人生，扼住命運的咽喉。社會生活賜予他們的只是永遠的孤獨。孤獨疊加上漂泊，使淒涼之悲更重，也使詩的韻味更醇、情感更深。

「孤舟」意象在鄭谷《別同志》詩中，表達了與同志天隔一方，依依惜別之情：「所立共寒苦，平生同與遊。相看臨遠水，獨自上孤舟。天澹滄浪晚，風悲蘭杜秋。前程吟此景，爲子上高樓。」鄭谷在滄浪辭別友人，獨自登上孤舟，羈旅漂泊，南北乖離，君愁我亦愁，不言自明。

《遠遊》詩中「孤舟」意象表現了鄭谷的思鄉之情：「江湖猶足事，食宿戍鼙喧。久客秋風起，孤舟夜浪翻。鄉音離楚水，廟貌入湘源。岸闊凫鷖小，林垂橘柚繁。津官來有意，漁者笑無言。早晚酬僧約，中條有藥園。」夜浪打孤舟，遂興起思鄉之念。

丹納曾經說過：「不論什麼時代，理想的作品必然是現實生活的縮影。」﹝註28﹞談到「孤舟」意象與社會生活的聯繫，下面一詩更明確直接：「咸陽城下宿，往事可悲思。未有謀身計，頻遷反正期。凍河孤棹澀，老樹疊巢危。莫問今行止，漂漂不自知。」（《咸陽》）「反正」語本《公羊傳・哀公十四年》：「撥亂世，反諸正，莫近諸春秋。」後世遂以「反正」指君主還復本位。據傅義先生考證，此詩乃「光啓

新知三聯書店，1992 第 224 頁。
﹝註27﹞凱塞爾，語言的藝術作品，上海：上海譯文出版社，1984 第 389 頁。
﹝註28﹞丹納，藝術哲學，北京：人民文學出版社，1963 第 36～37 頁，第 32 頁，第 290 頁。

三年自興元返京行經咸陽作」。又「中和三年，長安已收復，四年，巢軍覆沒，關東諸鎮表請車駕還京，僖宗遲至五年正月始啓行。光啓二年十二月朱玫之亂已平，三年三月僖宗自興元還駕，復留鳳翔一周年。」〔註29〕「頻遷反正期」本事即指此，「頻遷」二字同時也凸現了詩人的悲憤。強藩作亂固然令人痛恨，可君主的昏聵無能更讓人絕望。國難多艱，鄭谷以「老樹疊巢危」象徵之，「凍河孤棹澀」則表達了對個人前途的迷茫困頓。結句發出慘痛語：「莫問今行止，漂漂不自知。」既是指對自己命運的不可把握，也兼含對國家由失望痛苦到近於絕望的心理。

《荔枝樹》、《下峽》二詩中的「孤棹」意象則是鄭谷自身形象的生動寫照。鄭谷以「孤棹」自比，真實展示了他大江南北的漂流生活：「憶子啼猿繞樹哀，雨隨孤棹過陽臺。波頭未白人頭白，瞥見春風灩澦堆。」（《下峽》）「二京曾見畫圖中，數本芳菲色不同。孤棹今來巴徼外，一枝煙雨思無窮。夜郎城近含香瘴，杜宇巢低起暝風。腸斷渝瀘霜霰薄，不教葉似灞陵紅。」（《荔枝樹》）飄蕩於煙雨中的孤舟，正如同詩人孤獨的人生與命運，看不到彼岸，看不到希望，有的只是無窮無盡的寂寞和苦悶。

「孤舟」意象在鄭谷詩中還有一類含義，那就是表現志趣之「孤潔」、「孤高」。如：「相庭留不得，江野有苔磯。兩浙尋山偏，孤舟載鶴歸。世間書讀盡，雲外客來稀。諫署搜賢急，應難惜布衣。」（《梁燭處士辭金陵相國杜公歸舊山因以寄贈》）再如：「人間疏散更無人，浪兀孤舟酒兀身。蘆筍鱸魚拋不得，五陵吟重五湖。」（《送張逸人》）上二詩形象地刻畫了兩位處士不為塵世所羈的疏朗風致。同時，也流露出對這種風致的欣羨和贊同。

〔註29〕傅義，鄭谷詩集編年校注，上海：華東師大出版社，1993 第 104 頁，第 82 頁，第 84 頁，第 225 頁，第 134 頁，第 210 頁，第 103 頁。

2、帆

其實，鄭谷詩中不僅「舟船」意象能表現別離之情、思鄉之念，「帆」意象也有同樣功能。

鄭谷《送進士趙能卿下第南歸》詩中的「帆」意象就體現了分手言別之情，不過寫的比較委曲含蓄：「不歸何慰親，歸去舊風塵。灑淚慚關吏，無言對越人。遠帆花月夜，微岸水天春。莫便隨漁釣，平生已苦辛。」「遠帆」在花月夜的春水裏飄蕩，景色撩人，通過平實的寫景，作者婉曲綿長的思緒別情寄予其中。

「片帆」意象則體現了鄉思之情：「漠漠江天外，登臨返照間。潮來無別浦，木落見他山。沙鳥晴飛遠，漁人夜唱閒。歲窮歸未得，心逐片帆還。」(《登杭州城》)登高本來就會使人心生惆悵，更何況正值「歲窮」之際，看到一片片遠帆，詩人的心也就隨之飄還了家鄉。

除此之外，「帆」意象還表現了時間的無情流逝，如《石城》詩：「石城昔為莫愁鄉，莫愁魂散石城荒。江人依舊棹艅艎，江岸還飛雙鴛鴦。帆去帆來風浩渺，花開花落春悲涼。煙濃草遠望不盡，千古漢陽閒夕陽。」「帆去帆來」「花開花落」本是生活中常見的景象，可一旦鄭谷把它們組合在《石城》這首懷古詩中，就使人產生了時間無限、永恆，生命渺小、短暫的悵茫之感。

梅花、子規、落照、流水等自然意象，孤舟、簪花、搔首等社會意象，凸現了鄭谷恨羈、思鄉、嗟老、憂國、傷別等哀婉心緒。鄭谷避開奇僻、寒澀的意象，善於選擇習見的意象，表現情感意興。悲涼格調出之平易的意象，這也印證了他「辭意清婉明白、不俚不野」(宋祖無擇《都官鄭谷墓表》)的詩歌藝術特色。而且，對於常年奔走於江南的游子鄭谷來說，大量選用的舟船、帆、水、越鳥、子規、鷓鴣等平易意象多具南方地域色彩。

鄭谷嘗試採用多種意象構築自己意味不盡的意象世界，有獨創之處，特別是把身世之悲打併入唐末的時代大背景中的詩作，寓意

深刻，思想、藝術性都獨具特色。但詩歌發展到唐末，由於時代和
自身的原因，很難有更大的創新，鄭谷處此多種外力作用之下，雖
反覆強調詩騷傳統、盛唐氣象，但他的詩體過狹，多爲近體小詩，
意象創造不甚豐富，且多有重復。對鄭谷詩歌意象創造上的不足，
不應隱諱，但對一個作家的客觀評價不能離開「論世」和對唐代詩
歌內部發展規律的認識。因此，盡管鄭谷詩在意象創造與使用上有
種種不盡如人意的地方，然全面衡量，「亦晚唐之巨擘矣」（《四庫
全書總目》卷一五一）。

結　語

　　本文通過對鄭谷詩歌的爬梳，結合唐末動亂政局及科舉、銓選等情況，從人生觀、詩學觀及其詩歌意象三個角度對鄭谷其人其詩進行解析。發現了鄭谷既無法實現濟世理想又難以真正高蹈隱逸的矛盾人生觀。政壇不能實現的抱負，鄭谷全部傾注在詩歌的王國裏。鄭谷把呼喚風雅和盛唐精神的回歸作為自己一以貫之的詩歌主張，並堅持汲取眾家之長，不斷創新，通過苦吟鍛鍊和學習南方民歌自成清婉淺切一體。詩歌最終幫助他實現了垂名後世的人生價值。鄭谷雖認為「詩無僧字格還卑」，但他的創作實際與儒家傳統詩教的格調觀並沒有完全乖離。戰亂不息的國運和多蹇的個人命運使鄭谷詩歌多呈現悲涼氣韻，而他均能以具有南方地域色彩的平易意象表現之。歐陽修說：「鄭谷詩極有意思，亦多佳句。」（《六一詩話》）也正因此，在唐末至宋初近百年內，他的詩能廣為流傳。

　　鄭谷的詩歌還有很大的研究空間，本文僅就自己的心得簡論之。其中提出的觀點、提供的論據和得出的結論也許還有值得商榷的地方，希望方家不吝賜教。

主要參考文獻

1. 《鄭谷詩集編年校注》，〔唐〕鄭谷撰，傅義校注，華東師大出版社，1993。

2. 《鄭谷詩集箋注》，〔唐〕鄭谷撰，嚴壽澄、黃明、趙昌平箋注，上海古籍出版社，1991。

3. 《全唐詩》，〔清〕彭定求等編，中華書局，1960。

4. 《瀛奎律髓彙評》，〔元〕方回選評，李慶甲集評校點，上海古籍出版社，2005。

5. 《唐詩品彙》，〔明〕高棅撰，上海古籍出版社，1988。

6. 《唐詩鼓吹評注》，〔清〕錢牧齋、何義門評注，韓成武等點校，河北大學出版社，2000。

7. 《唐詩別裁集》，〔清〕沈德潛撰，上海古籍出版社，1979。

8. 《直齋書錄解題》，〔宋〕陳振孫撰，上海古籍出版社，1987。

9. 《四庫全書總目》，〔清〕永瑢等撰，中華書局，1965。

10. 《舊唐書》，〔後晉〕劉昫等撰，中華書局，1975。

11. 《新唐書》，〔宋〕歐陽修、宋祁撰，中華書局，1975。

12. 《資治通鑒》，〔宋〕司馬光編著，〔元〕胡三省音注，中華書局，1956。

13. 《宋史》，〔元〕脫脫撰，中華書局，1977。

14. 《唐才子傳》，〔元〕辛文房撰，黑龍江人民出版，1986。

15. 《唐才子傳校箋》，〔元〕辛文房撰，傅璇琮主編，中華書局，1990。

16. 《唐摭言》，〔五代〕王定保撰，古典文學出版社，1978。

17. 《雲溪友議》，〔唐〕范攄撰，中華書局，1959。

18. 《北夢瑣言》，〔五代〕孫光憲撰，上海古籍出版社，1981。

19. 《東坡志林》，〔宋〕蘇軾撰，中華書局，1981。

20. 《唐語林》，〔宋〕王讜撰，上海古籍出版社，1978。

21. 《唐詩紀事》，〔宋〕計有功撰，中華書局，1965。

22. 《吹劍錄全編》，〔宋〕俞文豹撰，中華書局，1958。

23. 《老學庵筆記》，〔宋〕陸游撰，中華書局，1979。

24. 《韻語陽秋》，〔宋〕葛立方撰，上海古籍出版社，1984。

25. 《容齋隨筆》，〔宋〕洪邁撰，上海古籍出版社，1996。

26. 《詩源辨體》，〔明〕許學夷著，杜維沫校點，人民文學出版社，1987。

27. 《唐音癸籤》，〔明〕胡震亨撰，上海古籍出版社，1981。

28. 《六一詩話》，〔宋〕歐陽修撰，人民文學出版社，1962

29. 《帶經堂詩話》，〔清〕王士禛著，戴鴻森校點，人民文學出版社，1963。

30. 《歷代詩話》，〔清〕何文煥輯，中華書局，1981。

31. 《文心雕龍》，（梁）劉勰著，北京：中華書局，1959。

32. 《二十四詩品譯注評析》，〔唐〕司空圖著，杜黎均譯注，北京出版社，1988。

33. 《白話文學史》，胡適著，團結出版社，2006。

34. 《唐詩小史》，羅宗強著，陝西人民出版社，1987。

35. 《唐詩史》，許總著，江蘇教育出版社，1994。

36. 《唐代文學史》，喬象鍾、陳鐵民主編，人民文學出版社，1995。

37. 《中國文學史》，袁行霈主編，高等教育出版社，1999。

38. 《隋唐五代文學史》，毛水清著，廣西人民出版社，2003。

39. 《隋唐五代文學思想史》，羅宗強著，中華書局，2003。

40. 《隋唐五代文學批評史》，王運熙、楊明著，上海古籍出版社，1996。

41. 《唐詩彙評》，陳伯海主編，浙江教育出版社，1995。

42. 《唐詩鑒賞辭典》，蕭滌非等撰寫，上海辭書出版社，1983。

43. 《唐詩概論》，蘇雪林著，上海書店，1992。

44. 《唐詩雜論》，聞一多著，上海古籍出版社，1956。

45. 《唐詩百話》，施蟄存著，上海古籍出版社，1987。

46. 《唐詩風貌》，余恕誠著，安徽大學出版社，2000。

47. 《唐詩答疑錄》，張天健著，中國文聯出版社，2004。

48. 《唐代文學散論》，張安祖著，生活讀書新知三聯書店，2004。

49. 《唐代科舉與文學》，傅璇琮著，陝西人民出版社，2003。

50. 《地域文化與唐代詩歌》，戴偉華著，中華書局，2006。

51. 《唐代交通與文學》，李德輝著，湖南人民出版社，2003。

52. 《唐代集會總集與詩人群研究》，賈晉華著，北京大學出版社，2001。

53. 《唐代文士與唐詩考論》，吳在慶著，廈門大學出版社，2006。

54. 《唐宋之際詩歌演變研究》，劉寧著，北京師範大學出版社，2002。

55. 《唐末五代亂世文學研究》，李定廣著，中國社會科學出版社，2006。

56. 《寒士的低吟——賈島詩歌藝術新探》，張震英著，中國社會科學出版社，2006。

57. 《中國詩歌藝術研究》，袁行霈著，北京大學出版社，1996。

58. 《詩論》，朱光潛著，安徽教育出版社，1997。

59. 《中國古代文學通論·隋唐五代卷》，蔣寅主編，遼寧人民出版社，2005。

60. 《中國文學論集》，朱東潤著，中華書局，1983。

61. 《香港中國古典文學研究論文選粹（1950～2000）》，鄺健行、吳淑鈿編選，江蘇古籍出版社，2002。

62. 《美的歷程》，李澤厚著，中國社會科學出版社，1984。

63. 《中國文化與悲劇意識》，張法著，中國人民大學出版社，1997。

64. 《意象與主題》，梁德林著，當代中國出版社，2004。

65. 《詩歌意象論》，陳植鍔著，中國社會科學出版社，1990。

66. 《形象意象情感》，敏澤著，河北教育出版社，1987。

67. 《藝術意象論》，魯西著，廣西教育出版社，1995。

68. 《中國意象詩探索》，吳晟著，中山大學出版社，2000。

69. 《詩詞意象的魅力》，嚴雲受著，安徽教育出版社，2003。

70. 《意象範疇的流變》，胡雪岡著，百花洲文藝出版社，2002。

71. 《意象符號與情感空間：詩學新解》，吳曉著，中國社會科學出版社，1990。

72. 《文學意象論》，夏之放著，汕頭大學出版社，1993。

73. 《中國文學主題學——意象的主題史研究》，王立著，中州古籍出版社，1995。

74. 《鄭谷詩歌創作分期論》，崔霞撰，人文雜誌，2005（6）。

75. 《末代風騷──論晚唐詩人鄭谷的詩》，鍾祥撰，河南大學學報，1996（3）。

76. 《「求奇」與「求味」──論賈姚五律的異同及其在唐末五代的流變》，劉寧撰，文學評論，1999（1）。

77. 《論中國古典詩歌的意象美》，杜宏偉撰，三門峽職業技術學院學報，2002（1）。

78. 《論意象》，鄭全和撰，雲夢學刊，1994（2）。

79. 《詩歌意境、意象及其辯證關係新探》，彭小明撰，廣西社會科學學報，2002（6）。

80. 《詩歌意象組合的幾種主要方式》，吳晟撰，廣州師範學院學報，1997（6）。

81. 《語象物象意象意境》，蔣寅撰，文學評論，2002（3）。

82. 《論詩歌意象的審美組合與審美特質》，董小玉撰，呼蘭師專學報，2002（1）。

明末清初女性亂離詩研究

林佳怡 著

作者簡介

林佳怡，1981 年生於台中市。畢業於中興大學中文研究所，喜愛閱讀。目前在公務機關任職。

提　要

　　在明末清初國家急遽動亂的時代，女詩人書寫亂離，見證時代，她們以特殊的女性聲音與視角，見證時代的亂亡，並抒發一己之身世，透過書寫對歷史敘述造成影響。這個時代保留了數量龐大的女性亂離詩作，緣自於明清時期閨閣文學成為主流，並出現了許多女性編者，如王端淑、惲珠等人，她們對於女性文學的收集與編選不遺餘力，使明清女性詩作得以保留下來。

　　明末清初女詩人的亂離書寫，以言說涉入政治、國族領域，不同於以往婦女文學大多局限於閨閣，此時的女性亂離書寫展現女性在政治議題上的見解與識見，她們的詩作中呈現出有別於以往不言外事的女性形象。另一方面，也透顯出女性在戰亂時代的生命處境，經歷過流離轉徙的逃難生涯，女詩人對於統治者，有怨、有恨、有批判。而女性涉入政治，表達其歷史情懷，事實上正以一種「文人化」的方式來進行，她們仿效男性文人的方式書寫亂離，關懷政治。

　　此外，女詩人在亂離生活中的受難及創傷，使她們不斷以回憶的方式重返往昔的生活，因此，「家」成為女詩人們反覆書寫的主題，詩人以「歸夢」重回家園；以「節日」表達思念親人卻無奈寂寞的心情。不僅如此，女詩人透過用典的方式，與蔡琰、王昭君等歷史上有過相同際遇的女性展開對話，同時也開啟與男性文人的對話，展現出女性對自身生命的體悟，也發抒身為女性之怨。

　　女詩人將個人遭遇與時代的不幸結合、以書寫個人身世反映歷史，形成對歷史的見證。她們的詩作見證歷史的同時也寄託個人的情操，此種寫作方式，使女性亂離詩的寫作傳統在晚明逐漸建立，她們的亂離詩作也成為後人回顧這段歷史的依據。

致 謝 辭

　　本篇論文的寫就，宣告研究生生涯的結束。回顧這三年半的求學生涯以及撰寫論文的這段日子，有許多想要感謝的人。

　　女性亂離詩論題的發現，最初是受到孫康宜教授〈末代才女亂離詩〉一篇短文的啓發，在此向她表達敬意。因爲女性詩作的散佚不全，讓我在收集資料的過程中充滿曲折，幾度想要放下此論題重尋新方向，後來能夠持續寫作，都要感謝我的指導教授羅秀美老師，她的悉心指導使我能從容面對許多難題，更時以幽默卻充滿力量的字句督促我的寫作。另外還要感謝李玉珍老師與林淑貞老師，兩位老師細心審查，不論是在大方向的觀念抑是小細節上都鉅細靡遺給予寶貴的建議，使我受益良多，在論文的修改上有了重新思索的空間。

　　除了學術的領域之外，我還有許多想感謝的人，包括我的父母，他們的體諒與包容使我安心，日常的照顧使我生活無虞，更是我重要的精神支柱。另外，還要感謝林映嵐這一路上的扶持相伴，給予我實質的幫助與精神上的寬慰；十多年的朋友欣怡，讓我知道朋友還是老的好；感謝眞瑜在研究路途上的相知相伴，我感受到妳冷若冰霜外表下的溫暖；以及玉貞、怡姿、峻誌在苦悶的寫作生活中同歡共樂、相互鼓勵，那一段日子令人難忘，尤其是玉貞的一針見血總讓我有如醍醐灌頂。

　　一直以來，文學都是我走過人生許多階段中不可或缺的良伴，給予我無限的感動。三年多的研究生生涯，讓我在文學路上走得更加寬廣，也結交了許多良師益友，豐富了我的生命，我想給予這些伴我走過研究旅程的人，最鄭重的感謝。

林佳怡　97 年 2 月 12 日

目

次

第一章 緒 論 …………………………………………… 1

　第一節 研究動機 …………………………………… 1

　第二節 研究範圍 …………………………………… 2

　第三節 前人研究概況 ……………………………… 6

　第四節 研究進路 …………………………………… 8

第二章 敘述：亂離書寫的歷史敘述 ……………… 11

　第一節 流離──漂泊的亂離生涯 ……………… 12

　　一、轉徙江南的亂離敘寫 ……………………… 12

　　二、被掠北歸的亂離敘寫 ……………………… 15

　第二節 回憶──往昔生活的復現 ……………… 18

　　一、感時傷逝的故國書寫 ……………………… 19

　　二、對閨閣生活的追憶 ………………………… 25

　第三節 歸鄉──對「家」的思念與嚮往 ……… 32

　第四節 歸隱──對「世外桃源」的追求 ……… 35

第三章 敘述：亂離書寫的國族敘述 ……………… 39

　第一節 陣前殺敵的女英雄形象 ………………… 39

　第二節 對國家社稷的憂心與關懷 ……………… 46

　　一、批判、諷喻國是 …………………………… 46

二、對社會人民的憂心與關懷 ……… 49

三、抱負難伸的英雄末路之感 ……… 51

第三節　殉國與殉節的雙重糾結 ………… 53

一、明末的情觀與貞節觀 …………… 54

二、敘述亂離的題壁詩與絕命詩 …… 58

三、殉國與殉節的雙重糾結 ………… 59

第四節　國族與女性身份的省思 ………… 62

第四章　對話：女性與歷史的對話 ………… 65

第一節　亂離詩的對話現象 …………… 65

第二節　女性自身命運與歷史的交織 …… 67

一、王昭君典故的運用與對話現象 … 69

二、蔡琰典故的運用與對話現象 …… 78

第五章　見證：亂離書寫的歷史見證 ……… 83

第一節　明代以前女性亂離詩的追溯 …… 83

第二節　女性亂離詩傳統的建立 ………… 85

一、晚明社會的變動與才女文化的興起 … 86

二、對蔡琰〈悲憤詩〉的繼承 ……… 88

第三節　自述亂離的女性聲音與視角 …… 88

第六章　結　論 ……………………………… 97

參考書目 ………………………………………… 99

附　錄 …………………………………………… 105

附表目次

表 1-1　明清婦女詩作主要選集一覽表 ……… 3

表 1-2　明清重要婦女傳記、詩話、文學史一覽表

……………………………………………………… 5

表 4-1　運用王昭君典故的女性亂離詩 ……… 73

表 4-2　運用蔡琰典故的女性亂離詩 ………… 80

第一章　緒　論

第一節　研究動機

　　崇禎十七年（西元 1644 年），滿清入主中原，這是中國歷史上一次重要的改朝換代，王朝的興衰伴隨著異族入侵而來，造成國家的動亂與不安，並形成政治與文化上的裂變。值此之際的人們感事而發，吟詠時事，產生大量的遺民文學，這些作品主要陳述當時的政治現實與抒發家國情懷。

　　在中國歷史上，家國議題的書寫一向是男性文人所獨擅的領域，女性往往被排除在政治國家的公共空間之外，然而，明末清初卻出現一群女詩人，有別於以往女性在公共議題上靜默無聲，她們書寫亂離，寄託家國情懷，形成獨特的文學現象。並形成一個書寫亂離的女詩人群體，逐步建立起女性亂離詩的傳統。因此，值得探究的是，在這些亂離詩作中，女詩人如何呈現一個時代的動亂，以及她們個人在此動亂時代中的生命情調與抉擇。此外，女詩人書寫自身亂離遭遇的同時，是否能建構出屬於那個時代的「詩史」？其意義何在？

　　目前關於明清之際男性文人所寫的亂離詩作已有不少研究者專文論及，如許淑敏《南明遺民詩集敘錄》整理出南明六十四家遺民的詳盡生平資料與詩集、廖肇亨《明末清初遺民逃禪之風研究》、宋景

愛《明末清初遺民詩研究》則以明清之際較有成就的詩人傅山、歸莊、顧炎武、吳嘉紀、屈大均等人作為研究對象，試圖建立明末清初遺民詩的特色。而宋孔弘《張煌言詩「亂離書寫」義蘊之研究》則以張煌言為主，將詩人生命與政治結合，達成以詩證史的研究成果。以上幾篇關於明清之際男性遺民詩的研究大部分著眼於男性詩人的生平與當時的政治事件，「以詩證史」的意味濃厚。但是，同樣生活於此時，面臨相同危機的女性詩人的詩作卻極少受到關注。因此，筆者試圖爬梳明末清初女性的亂離詩作，從中了解當時女性的生命處境，以期發掘這些詩作的風貌與特色，及其在文學史上所形成的意義。

第二節　研究範圍

　　本文所論述的是明末清初這一時期的女性亂離詩，以時間而言，崇禎十七年（西元 1644 年）明代滅亡，是一個重要的轉折點，家國的變異與動亂是亂離詩形成的重要因素，而明末開始的亂世一直持續到康熙年間吳三桂、耿精忠的逆亂被平定之後，如杜小英的〈絕命詩〉便作於吳逆亂之時、蓋州劉夫人〈惡運逢陽九〉一詩作於康熙十三年，目前筆者在錢仲聯《清詩記事》所能找到最晚的亂離詩文本作於康熙十六年，因此，本文所論述的詩作以 1644 年到 1677 年間為主。

　　本文在取材上，囊括明清兩代重要詩歌選集，像是朱彝尊的《明詩綜》（西元 1701 年）、沈德潛的《明詩別裁集》（西元 1739 年）、《清詩別裁集》（西元 1760 年）、張應昌的《清詩鐸》（西元 1869 年），以及徐世昌的《晚晴簃詩匯》（西元 1629 年），這些選集皆由男性文人所編選，它們當屬明清時優秀的詩歌選集，可惜的是，在女詩人的選材方面較為稀少，並且多將女性詩作附於整本詩集之末，這樣的作法不僅低估了女性詩人的重要性，也無法窺見女性詩作的全貌。此外，鄧漢儀的《天下名家詩觀初集》（西元 1672 年），以及錢仲聯的《清詩記事》這兩本選集雖然也是男性所編，然其意義與前述幾部不同。

　　《天下名家詩觀初集》雖第十二卷爲女詩人作品，《清詩記事》亦是
聯於詩末，然而重要的是，這兩本書都提供了女詩人詳盡的傳記資
料，是研究女性詩作不可或缺的材料，《天下名家詩觀初集》更是研
究明末江南詩歌的重要選集。

　　以上這些選集固然保留了不少明清的女性作品，但卻沒有察覺女
性詩作數量之多與其重要性。明清時期是歷史上女詩人輩出、也是出
版詩集最多的時期。根據胡文楷《歷代婦女著作考》一書指陳，明清
出版的女性選集與專集共有三千多種，以數量而言可說是史無前例。
再加上明清女詩人的創作有別於以往僅限於閨閣之作，無論是在風格
與題材上都展現出豐富的多樣性。如此一來，明清女性詩作在數量與
重要性皆超越前代的情況下，便非傳統選集所能處理以及容納了。因
此，許多專爲女性所編選的詩集於是應運而生，成爲保留女性詩作的
重要史料來源。筆者選取時代範圍相符合的重要選集，以爲明末清初
女性亂離詩研究的主要文本。茲列表如下：

表 1-1　明清婦女詩作主要選集一覽表

選　集				
出版年代	編　者	書　名	刊印版本	包含女作家數量
約 1620	〔明〕鍾惺	《名媛詩歸》	明刻本	110〔明〕
1636	〔明〕葉紹袁	《午夢堂集》	明崇禎間（西元 1628 年～西元 1644 年）刊本	近 100 人
1649 年完成	〔明〕柳如是	《閨集》卷四收錄於《列朝詩集》	清順治九年毛氏汲古閣刻本	118
序於 1653 年	〔清〕季嫻	《閨秀集》	清鈔本	75〔明〕
1667	〔清〕王端淑	《名媛詩緯初編》	清康熙間（西元 1662 年～西元 1722 年）清音堂刊本	約 1000 人（大多爲明清）
1673	〔清〕劉雲份	《翠樓集》	清康熙野香堂刻本影印	201〔明〕

1831	〔清〕惲珠	《國朝閨秀正始集》	清道光辛卯（十一）年（西元 1831 年）紅香館刊本	933〔清〕
1833	〔清〕陳維崧	《婦人集》	清道光丙午海山仙館刊本	約 100
1844	〔清〕蔡殿齊	《國朝閨閣詩鈔》	清道光嫏嬛別館刻本	100〔清〕
1915	〔清〕傅以禮	《然脂百一編六種》	民國四年（西元 1915 年）上海國學扶輪社排印本	

在這些選集中可以發現，無論由男性或女性文人所編選，皆已意識到明清女詩人的重要性。其中，王端淑的《名媛詩緯初編》與惲珠的《國朝閨秀正始集》是兩部較為重要的選集。就數量而言，收錄近千位女詩人的作品；以編選的企圖心來說，皆有以選集來提昇女性詩歌地位、使其進入男性主流文壇的雄心。惲珠將選集定名曰「正始」，更突顯其欲端正性情與風教之旨。因此，筆者進行本文研究時，以此兩部選集做為最重要的參考資料。除此之外，女詩人出版的個人專集也是重要資料，但以目前蒐藏情形而言，通常是有目無書，如黃媛介的《如石閣漫草》、《越游草》在《嘉興府志》皆有著錄，但現已湮沒無存；另一種情況則是國內無法取得，如王端淑《吟紅集》。因此，她們的詩作大多只能從選集中取得。

在這些選集中，可以發現明清之際較為重要的女詩人，如王端淑、黃媛介、方氏姐妹（方孟式、方維儀、方維則）、吳山、畢著等人皆列名其中，另有一些詩人的名字沒有留下來，只以姓氏或地名代稱之，如「張氏」、「江西難婦」，這種情形在明清的題壁詩與絕命詩中經常出現。

另外，還有一些專門整理女詩人傳記資料的選集也順帶紀錄了詩人的作品。以及女性詩話及女性文學史等相關著作也保留了不少女詩人的作品。筆者將所參考的文本列表如下：

表 1-2　明清重要婦女傳記、詩話、文學史一覽表

出版年代	編　者	書　名	刊印版本	包含女作家數量
	〔明〕江盈科	《閨秀詩評》	收錄於《江盈科集》的清初刻本	29
1846	〔清〕沈善寶	《銘媛詩話》	道光 26 年丙午（西元 1846 年）紅雪樓刊本	
1849	〔清〕梁章鉅	《閩川閨秀詩話》	道光 29 年己酉（西元 1849 年）刊本	
1918	王蘊章	《然脂餘韻》	民國 7 年商務印書館排印本	
1922	施淑儀	《清代閨閣詩人徵略》	民國 10 年商務印書館排印本	1163
1926	梁以眞	《清代婦女文學史》		
1928	雷瑨、雷瑊	《閨秀詩話》	民國 17 年掃葉山房石印本	

　　其中，施淑儀的《清代閨閣詩人徵略》是一部龐大而完備的婦女生平資料選集，收錄的女詩人共有一千多名，深具參考價值。此外，較爲特殊的是沈善寶的《名婦詩話》，它是一部完全由女性觀點所寫成的評論作品，是文學史上較早出現的閨秀論詩和論閨秀詩的專著，書中體現了沈善寶的女性觀，她所認同的閨閣詩才，已經從咏唱一己私情的個人生活圈子裡跳脫出來，面向更廣闊的生活場景，反映她對女性才學的重視，並體現她的性別意識。〔註1〕

　　本文將爬梳明清之際重要詩歌選集，與表中所列出的女性選集，以及女性傳記資料與詩話等相關文本作爲輔助，期望能一窺明清之際女性亂離詩的完整面貌。

〔註 1〕　張宏生：〈才名焦慮與性別意識——從沈善寶看明清女詩人的文學活動〉，《明清文學與性別研究》（南京：江蘇古籍出版社，西元 2002 年）。

第三節　前人研究概況

　　明末清初女性創作的詩作雖然數量龐大，但以目前的研究來說，仍未受到適當的關注，時至今日並未累積太多研究成果。關於明末清初女性亂離詩的討論，以單篇論述的僅孫康宜〈末代才女的亂離詩〉〔註2〕一篇短文，她意識到末代女性亂離詩的重要性及特殊性，並首次提出「亂離詩」一詞，來涵蓋那些於戰亂時代書寫女性自身及時代的作品。在文章中，她著重討論幾位明清時期較爲知名的才女，如王端淑、黃媛介、畢著等人，認爲這些女詩人在亂離詩中著意書寫屬於她們那個時代的「詩史」，以此肯定她們詩作的價值。並提出「文人化」一詞，來解釋才女們特有的國家意識與歷史情懷。其眼光獨特而新穎，爲明清之際的才女亂離詩找到適切的位置，對此議題展現出不容忽視的開創性。

　　其次，對於明清時期女詩人的論述，目前有鐘慧玲《清代女詩人研究》、康正果〈重新認識明清才女〉、施幸汝《隨園女弟子研究——清代女詩人群體的初步探討》以及孫敏娟《明代女詩人的主體性呈現》。〔註3〕首先，康正果的文章著力於對明清才女的「再認識」，對成說提出質疑，並挖掘被逐漸遺忘或被有意埋沒的女作家。對於明清才女，她認爲她們表現出明顯的男性認同，「她們的女性聲音正是通過從寫作到行動上對文人的模仿才得以釋放出來」，〔註4〕與孫康宜所謂「文人化」〔註5〕方向可以互相印證。其次，孫敏娟的論文以明代

〔註2〕孫康宜：〈末代才女的亂離詩〉，《文學的聲音》，（臺北：三民書局，西元 2001 年 10 月），頁 41～71。

〔註3〕鐘慧玲：《清代女詩人研究》，（政治大學中文所博士論文，西元 1981 年）；康正果：〈重新認識明清才女〉，《中外文學》第 22 卷，第 6 期，1993 年 11 月；施幸汝：《隨園女弟子研究——清代女詩人群體的初步探討》，（淡江大學中文所碩士論文，西元 2005 年）；孫敏娟：《明代女詩人的主體性呈現》，（暨南大學中文所碩士論文，西元 2006 年 7 月）。

〔註4〕康正果：〈重新認識明清才女〉，頁 125。

〔註5〕孫康宜指出明清女詩人「文人化」傾向，是一種生活藝術化的表現及對俗世的超越：例如吟詩填詞、琴棋書畫、談禪說道、品茶養花、

女詩人在「傳記」與「詩作」中自我主體的「呈現」與「被呈現」，並對照當時詩壇上的女性形象，試圖呈現出女詩人的主體意識，以期能重新理解明代女詩人。其中的第四章第四節「自誓其志犧牲生命的節烈」便以「用生命控訴的無力」以及「民族精神的絕烈展現」來呈現明末動亂時期女詩人的主體意識。最後，鐘慧玲與施幸汝的論文皆以清代女詩人的群體活動為討論重點，並探討她們的寫作態度，對於女詩人的作品則加以細膩分析。在這些論文中，可以發現作者深刻的用意與企圖，她們皆藉由對於明清女詩人主體性的建構，以期能重新認識明清女詩人。

　　女性文學之所以在明清時期蓬勃發展，有其歷史成因與背景。最重要的便是才女文化的興起，現今已有不少論者對此才女現象加以關注。如高彥頤（Dorothy Ko）的《閨塾師：明末清初江南的才女文化》、曼素恩（Susan Mann）的《蘭閨寶錄：晚明至盛清的中國婦女》（此書的大陸簡體版為《綴珍錄》）、胡曉真的《才女徹夜未眠——近代中國女性敘事文學的興起》、康正果《風騷與艷情——中國古典詩詞的女性研究》、王慧瑜《明末清初江南才女身世背景之研究》、孫康宜〈明清詩媛與女子才德觀〉，以及魏愛蓮〈十七世紀中國才女的書信世界〉。〔註6〕在這些論述中，都注意到明清時期女性創作的繁榮盛況，

　　　　遊山玩水等生活情趣的培養。與男性文人相同，這些女詩人強調寫作的自發性，寫作的消閒性，及寫作的分享性。參見孫康宜：〈走向男女雙性的理想〉，收錄於孫康宜：《古典與現代的女性闡釋》（台北：聯合文學出版社，西元 1998 年 4 月），頁 74。

〔註 6〕高彥頤（Dorothy Ko）著、李志生譯：《閨塾師：明末清初江南的才女文化》（南京：江蘇人民出版社，西元 2005 年）；曼素恩著，楊雅婷譯《蘭閨寶錄：晚明至盛清的中國婦女》（台北：左岸文化，西元 2005 年 11 月）；曼素恩著，定宜庄、顏宜葳譯《綴珍錄》（南京：江蘇人民出版社，西元 2005 年 1 月）；胡曉真：《才女徹夜未眠——近代中國女性敘事文學的興起》（台北：麥田出版，西元 2003 年 10 月）；康正果：《風騷與艷情——中國古典詩詞的女性研究》（台北：雲龍出版社，西元 1991 年 2 月）；王慧瑜：《明末清初江南才女身世背景之研究》，（中央大學中文所碩士論文，西元 2005 年）；孫康宜

並以「才女文化」一詞來突顯出這種獨特文學現象。這些研究者關注的焦點在於才女文化興起的原因，與當時才女的群體性，觀察她們之間的往來、結社以及和男性文人間的互動交流等文學活動。

這些現有的研究成果，大致已呈現出明清時期女性文學的風貌，但對於那些明清之際遭逢亂離的女性亂離詩作，論述仍然較少。本文在此基礎上，擬採取更細膩的角度與方式對亂離詩的文本加以分析，進而描繪出其完整面貌。

第四節　研究進路

由前人的研究成果可以發現，明清之際的才女文化已受到極多的關注，但對於明末清初女性所書寫的亂離詩作，以現有的研究而言，仍寥寥無幾。因此，本文試圖爲明末清初的女性亂離詩作找尋其在詩史上的位置與價值。

本文的研究進路，大致可分爲四個方向：

第一部份從亂離詩中的時空改變來探討女詩人在戰亂中流離失所、漂泊異地的時空感，以客居的地域性分成「轉徙江南」與「被掠北歸」兩種不同的時空形式。其次，戰亂所造成的時空斷裂現象讓女詩人承受家國與個人生活的改變，而興起對於故國的嚮往與往昔生活的追憶，以及避世隱居的思想。

第二部份要討論的是女詩人在時空變異之後，以言說涉入國家政治的公共空間中，她們對於國族有何表述，並以何種方式參與國族議題之中。首先，女詩人在明清易代之際，以女英雄與忠臣的形象表現出對國家的忠誠，是強烈國族精神的展現。其次，女詩人對於國家、社稷、人民的關懷表現出女性感時憂國的家國情懷，並流露出抱負難伸、無法救國的無奈感。再次，整理明清之際的「題壁詩」與「絕命

著、李奭學譯：〈明清詩媛與女子才德觀〉《中外文學》，第 21 卷第 11 期；魏愛蓮著、劉裘蒂譯：〈十七世紀中國才女的書信世界〉，《中外文學》，第 22 卷第 6 期，1993 年 11 月。

詩」，發現女詩人以身體「殉死」的姿態展現其忠貞，其因素是由女
性的貞節觀與對國家的忠誠交織而成的。最後，亦有女詩人表達在國
族與其自身之間產生的矛盾感，以及國族的「大節」與女性情感、責
任的「小我」間形成的衝突。

　　第三部份，以對話觀點探討女詩人與歷史上的女性以及男性文人
的對話。在這種對話關係中，呈現女性自身命運與歷史的交織。首先，
觀察亂離詩中運用的典故，可以發現她們試圖與歷史上的女性如王昭
君、蔡琰等人產生對話關係，述說相同的流離命運。其次，透過詩中的
對話與男性文人取得聯繫，抒發對男性文人在亂世遭遇的同情，從中可
以發現女詩人對男性文人的認同感，藉此寄託自身的身世命運。

　　第四部分是由明清之際女性亂離詩的書寫，發覺其與時代相互見
證的關係。首先，從亂離詩的歷史回溯談起，回顧歷史上的亂離詩篇；
其次探討晚明亂離詩獨多的現象與其時代背景，可由「才女文化的興
起」、「出版事業的發達」與「時代的動亂」三方面來觀察；最後討論
由女性獨特的聲音與視角形成的一種「自述亂離」的書寫特色，進一
步擴大為見證時代的「詩史」。

　　以上的研究進路，大致是以「敘述」、「對話」與「見證」的結構
方式展開論述，以呈現明末清初女性亂離詩作的完整面貌。

第二章　敘述：亂離書寫的歷史敘述

　　歷史敘述必定在「時間」與「空間」的作用下才得以展開。「時間」與「空間」是人體驗、知覺世界的方式，與其說是爲意識所理解的東西，不如說是人直接經驗的東西。〔註1〕時間與空間不可分離的密切關係，透過巴赫汀（M.M. Bakhtin, 1895～1975）提出的「時空型」概念可以更加清楚。時空型（chronotope）是巴赫汀獨創的俄文詞，用來概括和描述「文學所藝術地表現的時間與空間的內在聯繫性」。〔註2〕由此可知，文學作品中的時間與空間是相互交錯與融合的。而明末清初女詩人的亂離書寫，也在時空的敘事下進行，構成她

〔註1〕時間和空間不應看作是超於經驗或先於經驗的存在物，而應看作僅僅存在於實際經驗中，而且決定著構成經驗並與生命組織息息相關的種種要素。參見A.J.古列維奇（A.J. Gurevich）：〈時間：文化史的一個課題〉，（法）路易‧加迪等著，鄭樂平、胡建平譯：《文化與時間》（台北：淑馨出版社，西元1992年1月），頁288。

〔註2〕時空型的概念，首先是用來分析小說敘事中的時間與空間的框架的，同時也適用於更爲廣泛的文化範圍，包括了各種語言文化中所蘊含的時空觀念。時空型是將故事和情節連結起來的紐帶，因爲它強調的是內在聯繫性——時間與空間、眞實與敘事時空的內在相關性。主要把握的是敘事中活生生的個人或個體的感性存在與物理的時間與空間、歷史發展的時空變易與延續，特殊文化中的時空觀之間的互相作用和互相對話。參見劉康：《對話的喧聲——巴赫汀文化理論述評》（台北：麥田出版，西元1995年5月），頁236～240。

們獨特的時空觀。透過這種時空敘寫，寄託女性在國家亂亡之際的歷史情懷，並進一步見證歷史。此章首先敘述女詩人在戰亂的歷史時空中流離轉徙的生活，在困蹇的逃難生涯中，詩人興起對於故國、家園以及往昔生活的無限懷念之情。

第一節　流離——漂泊的亂離生涯

　　在明末清初的戰亂中，不少女性都經歷過生活的流離，本節想要探討的是，在亂離中，隨著時空的流轉，女詩人的心緒如何轉折？旅途中的景物與環境如何對她們產生影響？她的內在意識與空間如何相互呈顯？鄭毓瑜提出「個人與空間『相互定義』的文本世界」。〔註 3〕胡亞敏以「環境」來定義時空敘事，她認為「環境」是一個時空綜合體，且具有多種作用，可以形成氣氛、增加意蘊、塑造人物乃至建構故事。〔註 4〕而同樣在流離生活中，有部分女性是被清兵所擄掠，她們被擄而北上，形成獨特的時空書寫。因此，由於地域性的不同，以下將分為兩個部份來探討：一是轉徙江南的時空敘寫，在這個分類中女詩人的生活大致上流離於南方地區；二是被掠北歸的時空敘寫，這個分類中的女詩人則經歷北方塞外的環境生活。

一、轉徙江南的亂離敘寫

　　在動亂的時代中，個人的生命朝不保夕，為保全性命而四處避難奔走。在這種亂離的生活中，人與環境的關係更形密切，在明末清初女詩人的詩作中，多數提到旅況的愁苦以及客居異地的生活感受。清

〔註 3〕鄭毓瑜認為破除了主／客觀或現實／想像的二元分界，空間無法單純被反映，同樣也無法完全被編造。參見鄭毓瑜：《文本風景——自我與空間的相互定義》（台北：麥田出版，西元 2005 年 12 月），頁 16。

〔註 4〕所謂環境不像風景或雕塑那樣只展示二維或三維空間，而是隨著情節的發展、人物的行動形成一個連續活動體，因此，環境不僅包括空間因素，也包括時間因素。參見胡亞敏：《敘事學》（武漢：華中師範大學出版社，西元 2004 年 12 月），頁 159。

初浙江秀水縣才媛黃媛介（字皆令），爲儒家女，精通書畫，於順治乙
酉城破後，偕同夫婿楊世功播遷於吳越之間，以閨塾師爲職業。〔註5〕
《湖上秋月》便作於此一時期：

> 憂危祇有客心微，贏得湖光蔽竹扉。囊有千詩聊寄賞，
> 家無四壁亦懷歸。青山好處饒紅葉，黃菊開時少白衣。
> 近水陰晴容易變，勿驚風雨打窗飛。〔註6〕

詩人客居於吳越，剛經歷過戰亂的紛擾，瀏覽一片湖光景色，心中
滿是感懷。輕掩竹扉透露了心中的憂危不定；客居的身份更令她感
到憂傷，即使有囊中之詩可聊寄情懷，卻仍想回到家徒四壁卻能夠
安居的家，歸心不變堅定不移。此時吳越正是一片秋景：「青山好處
饒紅葉，黃菊開時少白衣。」卻觀者寥落，遊人稀少。詩人描寫秋
天美景，卻掩不了經歷戰後的餘悸猶存。「近水陰晴容易變，勿驚風
雨打窗飛」近水的地方陰晴容易變化，就像國家的局勢容易變動，
人的心境也隨之變化，但即使風狂雨驟也不要驚慌。詩人借風雨來
寫戰爭，借景色來寫亂離之事，景中蘊含了詩人的心境，正是中國
古典詩「情景交融」的特色所形成的詩化意境。而這種情景交融的
方式，正是主體與客體互相交流、興發的過程，人與自然景物合而
爲一。在敘事學中，這種人物與環境密切相關的時空書寫，屬於胡
亞敏區分環境類型中的「象徵型」環境。〔註7〕

〔註5〕 有關黃媛介嫁與楊世功之前的波折與簡略身世，參考自惲珠《國朝
閨秀正始集》：「皆令楷書摹黃庭經，書法吳仲圭。幼字楊氏，楊久
客不歸，會有大力者艷其才，欲奪之，父兄勸改字，誓不可，卒歸
於楊。順治乙酉城破，同楊播遷于吳越間，爲閨塾師。後客都下，
王阮亨尚書聞其名，寄詩乞畫，乃作山水一小幅題貼之，……詞
旨雋永。」參見〔清〕惲珠：《國朝閨秀正始集》，（清道光辛卯（十
一）年（西元1831年）紅香館刊本）卷1，頁16。

〔註6〕 〔清〕徐世昌：《晚晴簃詩匯》，（北京：中華書局，西元1990年）
卷183，頁8088。

〔註7〕 胡亞敏將「環境」的類型區分爲三類：象徵型環境、中立型環境以
及反諷型環境。象徵型環境是環境與人物、情節聯繫的紐帶。象徵
型環境與人物、行動關係密切，並具有比較明顯的意蘊，象徵型環

　　詩人借眼前之景提醒自己身處憂危之中，然而天氣本就陰晴易變，驟起的風雨說不定下一刻便雨過天晴了。變動的不只是天氣，還有人的心境，詩人剛經歷戰亂，在客居的環境中，隨時都可能遷移的情況下，很難得到真正的安定感。在這首詩中，客居異地的心情中寓含了身世之感。如王蘊章《然脂餘韻》所言：「清初才媛，首推禾中黃媛介。……其所記述，多流離悲戚之辭，而溫柔敦厚，怨而不怒，既足以觀其性情，且可以考事實。考閨閣而有林下風者也。」〔註8〕而其另一首〈苦雨〉：

　　　　客裡誰堪雨復風，鄉心苦與斷雲通。獨登破閣疑天上，
　　　　自笑愁顏畏鏡中。枝冷花寒鶯欲徙，囊空穎禿賦難工。
　　　　最嫌春去人猶在，屋角蜩鳴怪鳥窮。〔註9〕

描寫客中之身不堪風雨摧殘的心緒，又更加愁苦難言。

　　另外，仍有一種描寫客於舟中的詩作，使得客居異鄉的心境更顯得飄流不定。明代女詩人同時也是畫家的李因（字是庵，西元 1616 年～西元 1685 年），崇禎初嫁給官至京師的葛徵奇為側室，度過一段夫唱婦隨的書畫生活。這首〈秋江晚泊〉是她晚年的心境：

　　　　石尤風急泊沙灣，日落寒江鷗鷺閒。秋水空明千里月，
　　　　荒烟暝鎖萬重山。樵歌野唱猶行路，僧寺殘鐘獨掩關。
　　　　潦倒篷窗愁客夢，漫披詩史手重刪。〔註10〕

這是一首描寫夜宿於秋天江上的詩作，停舟的原因是秋風越吹越急，此時正當黃昏日落之時，江面上鷗鷺棲息，晚霞染紅了江水，展現在詩人面前的是一幅寬闊而寂冷的秋江圖，不單純的寫景，透露了詩人的孤獨與愁思，「由情及景，情景相生」自然景物與詩人的情緒融為

　　　　境是敘事文中一種主導的環境模式。參見胡亞敏：《敘事學》，頁 165。
〔註 8〕〔清〕王蘊章《然脂餘韻》，杜松柏編：《清詩話訪佚初編》（台北：新文豐出版，西元 1987 年 6 月）。
〔註 9〕〔清〕王端淑：《名媛詩緯初編》，（清康熙間（西元 1662 年～西元 1722 年）清音堂刊本）卷 9，頁 21。
〔註10〕徐世昌：《晚晴簃詩匯》卷 183，（北京：中華書局，西元 1990 年），頁 8090。

一體。月色映入空明的江水，遠處荒煙環繞群山，而近處「樵歌野唱
猶行路，僧寺殘鐘獨掩關。」這兩句以聽覺帶出視覺，晚歸樵夫的歌
聲、寺廟將閉門的鐘聲，映襯出四周的空寂無聲。遠近的景色籠罩著
飄忽不定的氛圍，以及秋天悲涼的色調，而詩人的感受「潦倒篷窗愁
客夢」客宿於蕭索秋江上的夜晚，詩人的滿腔愁思要怎麼紓解？「漫
披詩史手重刪」，詩人的孤寂之情不言而喻。

　　這首詩作於詩人的晚年，此時的李因正值烽火播遷，後來葛徵奇
也謝世，她孑然一身以賣畫為生，因此「故國黍離，空閨斷杼之感，
悉寓之于詩。」〔註11〕對照以往的生活，詩人不免有人事已非之感，
而客於舟中的淒清與不安定，更讓她對動亂的現實感到憂愁。

二、被掠北歸的亂離敘寫

　　明末清軍入關，橫掃北方，勢力延伸到南方，鐵蹄肆虐，人民飽
受戰亂的痛苦，此時許多漢族女性被清軍擄掠，攜回北方，一路顛沛流
離，備受屈辱。葉齊（字思任）本是江蘇揚州人，順治乙酉兵亂時被清
兵所掠，攜而北上，其〈憶家詩題蘆溝店壁〉一詩便是寫於路途上：

　　　繞繞山川色，溟溟風土煩。已知燕市近，誰解楚囚冤。
　　　無日不增痛，有懷那可言。醒來空下淚，一夢到家園。
　　〔註12〕

原本居住於南方的詩人，被擄至北方，「繞繞山川，溟溟風土」的北
方景色與小橋流水、落花垂柳的江南風景大異其趣，山川疊嶂、黃土
茫茫無際的北方對詩人來說全然陌生，處境的危險與難堪讓詩人面對
此景心中只覺煩亂愁苦。一路的流離已到了燕地，這個旅程讓她離故
鄉越來越遙遠，每天的痛苦煎熬一日多過一日，可是這種苦痛的心情
有誰能理解？詩人滿腔冤屈無人可訴，承受著亂離的苦楚，前程渺茫
未知，只能藉夢回家園聊寄相思。詩人在哀痛欲絕之時題此詩於壁

〔註11〕俞陛雲《清代閨秀詩話》轉引自錢仲聯主編：《清詩紀事》卷22，頁
　　　　15630。
〔註12〕錢仲聯主編：《清詩紀事》卷22，頁15630。

上,「有河東龍濱道人者,讀題壁詩,哀其情,爲寄信其家,令來迎思任。」〔註13〕可見其辭哀婉動人,令讀者不免同情她的遭遇。

詩中提到燕市這個地名,對詩人來說,此地象徵北方這個特定的空間區域,與其故鄉江南形成強烈對比。北方這個地域以時間與歷史的向度來說,在明末清初之時已象徵著滿人所統治的區域,地方本身並不單純,而會形成一種系統的文化符號,承載著社會文化意義。羅蘭·巴特曾說:「文化,就其各個方面來說,是一種語言」〔註14〕他所謂的語言學裡頭包含了符號學。而艾蘭·普瑞德引述新人文主義地理學者的說法時所說:

> 地方不僅僅是一個客體。它是某個主體的客體。它被每一個個體視爲一個意義,意象或感覺價值的中心;一個動人的、有感情附著的焦點;一個令人感覺到充滿意義的地方。〔註15〕

詩人對北方的陌生恐懼與對南方的眷戀追求,都顯示空間對主體而言充滿意義,空間中的人文地理特質及歷史意涵能累積、引發主體的記憶,且空間及其實質特徵會經由許多方式被動員並轉型爲「地方」。〔註16〕

這種地方性在許多遭遇亂離的女詩人作品中都可以發現。弘光宮女宋蕙湘,她本籍居住在江南金陵,十四歲時被北兵掠去,途中題詩

〔註13〕〔清〕惲珠:《國朝閨秀正始續集》轉引自錢仲聯主編:《清詩紀事》卷22,頁15630。

〔註14〕趙毅衡:《文學符號學》(北京:中國文聯出版,西元1990年9月),頁89。

〔註15〕艾蘭·普瑞德著,許坤榮譯:〈結構歷程和地方——地方感和感覺結構的形成過程〉,收入夏鑄九、王弘志編譯:《空間的文化形式與社會理論讀本》(台北:明文書局,西元1992年),頁86。

〔註16〕艾蘭·普瑞德認爲經由人的居住,以及某地經常性活動的涉入;經由親密性及記憶的積累過程;經由意象、觀念及符號等等意義的給予;經由充滿意義的「眞實的」經驗或動人事件,以及個體或社區的認同感,安全感及關懷的建立;空間及其實質特徵於是被動員並轉型爲「地方」。參見艾蘭·普瑞德著,許坤榮譯:〈結構歷程和地方——地方感和感覺結構的形成過程〉,收入夏鑄九、王弘志編譯:《空間的文化形式與社會理論讀本》,頁86。

於衛州旅壁，其詩〈題衛輝府郵壁〉云：

> 廣陌黃塵暗鬢鴉，北風吹面落鉛華。可憐夜月箜篌引，
> 幾度穹廬伴暮笳。〔註17〕

此詩寫遠離家國、流離北方的身世。北地的路上黃塵飛揚、北風冷冽，詩人的髮絲黯淡無光，脂粉也因此吹落，亂離的生活以及北方的環境讓花樣年華的少女風塵滿面、狼狽不堪。夜晚的月色照在空曠的原野上，清兵的帳幕四處散落，在這種棲冷而蒼涼的暮色裡，傳來胡笳的曲調，那悠揚的軍樂聲調像是悲鳴，伴隨而來的是熟悉的漢曲《箜篌引》，更引起了詩人的愁緒。詩中不論是景色、音樂都蘊含著詩人的情感，北方對她而言是陌生的羈旅之地、異族之國，詩人將自身的情感對象化，地方因而充滿了悲涼的色彩。王豫《江蘇詩徵》引《三岡識略》云：「亂離已來，東南閨閣，間關戎馬。情殊可憐。……香粉流離，紅顏薄命，讀之悽然酸鼻也。」〔註18〕道出對女性飄零生命的同情及苦難背後的社會現實。

　　在被掠北歸的時空書寫中，詩人在空間上運用了許多的意象，這些意象編織而成一種與詩人情感互相交流的空間感，鄭毓瑜在《文本風景》，對此作了解釋：

> 外在空間的實踐與內在意識的象徵相互表裡，一個地理空
> 間（包括各式建築或不同地域）可以是某種意象化的形式，
> 而人們正是藉助於在一定程度上的共通意象，來「看到」
> 這個空間或發展出對於這空間的感知。〔註19〕

黃土沙塵、肅殺的冷風、穹廬、胡笳種種意象編織成北方特有的風景。詩人正是借助這些共通的意象來「看見」並感知這個陌生的環境，這也使她的流離情境與空間產生了密不可分的關係。

〔註17〕〔清〕王端淑：《名媛詩緯初編》，（清康熙間清音堂刊本）卷1，頁12。

〔註18〕錢仲聯主編：《清詩紀事》卷22，頁15626。

〔註19〕鄭毓瑜：《文本風景——自我與空間的相互定義》（台北：麥田出版，西元2005年12月），頁18。

第二節　回憶──往昔生活的復現

　　在敘事文學中，時間因素構成了文本的基本特徵，片刻離不開時間。而一部敘事作品必然涉及到兩種時間，即故事的時間與文本的時間（又稱敘事時間）。〔註 20〕法國敘事學家熱奈特將故事時間與敘事時間的不一致稱爲「時間倒錯」。〔註 21〕作者對時間有意的經營與安排，透露出自身的時間意識與時間感。

　　「自然時間」具有不可逆性，只能往前不停流浙；而「歷史時間」不同於自然時間，它在自然時間中進行，具有可逆性。〔註 22〕在歷史時間中，時間可以流逝，也可以倒帶，過去可以重演，回憶可以重現。因爲時間的流逝性，生命會歷經生長、衰老至死亡，這是一種不可逆的「逝」的現象，參與其中的生命於是隨著時間之逝而遷流變化。先秦時代的孔子即已感知到時間的流逝，《論語‧子罕》篇有云「逝者如斯夫，不舍晝夜。」〔註 23〕時間的現象與水相同，皆一去不復返。在劇烈變動的時代中，這種遞變流轉的現象顯更加強烈，人對時間流逝的感受也更加深刻。「遺民」便是在這種家國變動遷逝之下，被遺留下的角色，面對著家國故去，原先存在的世界已在頃刻間化爲虛無的不堪處境，歷代的遺民書寫因此瀰漫著濃重的今昔之感。在明清易

〔註 20〕所謂故事時間，是指故事發生的自然時間狀態，而所謂敘事時間，則是它們在敘事文本中具體呈現出來的時間狀態。前者只能由我們在閱讀過程中根據日常生活的邏輯將它重建起來，後者才是作者經過對故事的加工改造提供給我們的現實的文本秩序，……長久以來，敘事時間就成爲了作家的一種重要的敘事話語和敘事策略。參見羅綱：《敘事學導論》，（昆明：雲南人民出版社，西元 1994 年 5 月），頁 131～132。

〔註 21〕羅綱：《敘事學導論》，頁 132。

〔註 22〕時間有一個箭頭，而且是不可逆的。歷史箭頭則有兩個：歷史箭頭 A 與歷史箭頭 B，前者依自然時間而成立，後者則具有可逆性；前者表現爲流傳、逝去，後者表現回溯、回憶等特性。參見李紀祥：《時間‧歷史‧敘事》，（台北：麥田出版，西元 2001 年 9 月），頁 65。

〔註 23〕何晏集解，邢昺疏：《十三經注疏‧論語‧子罕》（台北：大化書局，西元 1989 年 10 月，嘉慶二十年重刊宋本），頁 5408。

代之際，明末清初的女詩人處於時間的變動之中，她們如何感知時空以及如何敘寫時空，將是以下的討論重點。

一、感時傷逝的故國書寫

　　在歷史上，家國敘述是中國文學中重要的主題，歷來將這種緬懷故國、感時傷逝的沉痛之情稱爲「黍離之思」。「黍離」一詞出自《詩經・王風・黍離》：「彼黍離離，彼稷之苗；行邁遲遲，中心搖搖。知我者謂我心憂，不知我者謂我何求！悠悠蒼天，此何人哉……」。〔註24〕詩中離離的禾黍興發出詩人中心搖蕩的情感。〈詩序〉中有云：「黍離，閔宗周也。周大夫行役至於宗周，過故宗廟宮室，盡爲禾黍，閔周室之顚覆，徬徨不忍去，而作是詩也。」〔註25〕透過這段文字，更清楚呈現出黍離詩的本事，詩人目睹周朝曾經的故國宮城，現已化成一片禾黍，滄海桑田的變遷，使其頓起感時傷逝的沉鬱之情，心中憂傷不已。後來司馬遷在《史記・宋微子世家》也記載了一段相關文字：

> 其後箕子朝周，過故殷墟，感宮室毀壞，生禾黍，箕子傷之，欲哭則不可，欲泣爲其近婦人，乃作〈麥秀之詩〉以歌詠之。
> 其詩曰：「麥秀漸漸兮，禾黍油油。彼狡僮兮，不與我好兮！」
> 所謂狡僮者，紂也。殷民聞之，皆爲流涕。〔註26〕

毀壞的宮室已生出禾黍，象徵著家國的逝去與不在，詩人的哀傷與痛切皆寄託在〈麥秀之詩〉中。後來在歷代吟詠故國的詩作中，黍離麥秀之悲，便成了中國文人寄託其故國之思，藉以傷今悼往的主要象徵。如劉琨〈答盧諶〉：「火燎神州，洪流華域；彼黍離離，彼稷育育；哀我皇者，痛心在目」〔註27〕在故國陷溺之時，觸目生情，沉痛難忍，

〔註24〕《詩經・王風・黍離》，裴普賢：《詩經評註讀本》（台北：三民書局，西元 1982 年 7 月），頁 254。

〔註25〕《詩經・王風・黍離》，裴普賢：《詩經評註讀本》，頁 254。

〔註26〕〔漢〕司馬遷：《史記・宋微子世家》（台北：鼎文書局，西元 1987 年 11 月）卷 38，頁 1620～1621。

〔註27〕劉琨〈答盧諶〉，逯欽立：《先秦漢魏晉南北朝詩》（臺北：學海出版社，西元 1992 年 2 月），頁 851。

承繼了黍離詩的主要意旨。這種繁華勝景轉爲衰敗，令人觸目傷懷、緬懷追悼甚而抑鬱憂憤的形象，成了歷代黍離詩的典型。王立指出：

> 如此經久不息的歷史情氛不能光用現實現世的觸發來簡單對應式地解釋，古人其實正沿著一種穩態化了的知覺習慣與情緒慣性來感知社會興衰、風雲變幻。〔註28〕

這種知覺習慣與情緒慣性，王立更進一步以榮格的原型理論來解釋：

> 從科學的、因果的角度，原始意象（原型）可以被設想爲一種記憶蘊藏，一種印痕或者記憶痕跡，它來源於同一種經驗的無數過程的凝縮。〔註29〕

原型是體，原始意象是手，兩者是潛在與外顯的關係。這種反覆出現的、超個人的原始意象，也揭示了人類共同的、普遍一致的深層無意識心理結構，而這就是所謂的集體無意識。〔註30〕因此，對於原始意象的運用，來自一種集體的經驗、先天固有的直覺，經由不斷地積累成爲一種穩固的形式。歷代文人的家國書寫便出於不自覺的心理因素，形成一種可以辨認的穩定形式。

對於經歷國家易代、社會變動的詩人而言，故去的國家是令她們留戀又惆悵不已的記憶。因此在她們的家國書寫中充滿了時間流逝之中所產生的今昔之感，而這種撫今追昔、傷今憶往的感受事實上包含了時間性與空間性。當她們被置放在明末清初動盪不安的歷史時空之中，那特定的空間具備了凝聚歷史記憶的時間感。換言之，不能忽略空間所蘊含的時間向度。

以此來觀察明末清初女詩人的作品，在歷經家國之變後，她們目光所及是戰亂所造成的傷亡與破壞，那些從故國殘留下來的遺跡雖然

〔註28〕王立：《中國古代文學十大主題——原型與流變》，（台北：文史哲出版社，西元 1994 年 7 月），頁 267。

〔註29〕王立：《中國古代文學十大主題——原型與流變》，頁 267。

〔註30〕榮格的集體無意識，強調那些不是個人後天獲得而是經由遺傳具有的性質，那些先天的固有的直覺形式，也即知覺與領悟的原型。它們是一切心理過程的必不可少的先天要素。參見榮格著，馮川、蘇克譯：《心理學與文學》，（北京：三聯書店，西元 1987 年 11 月），頁 5。

殘破不堪卻歷歷在目，她們雖身處於當下的時空之中，但那些景物遺跡仍將她們拉回了過去。這種過去殘存下來的遺跡，斯蒂芬・歐文稱之爲「斷片」，他說：

> 在我們同過去相逢時，通常有某些斷片存在於其間，它們是過去同現在之間的媒介，……這些斷片以多種形式出現：片斷的文章、零星的記憶、某些殘存於世的人工製品的碎片。〔註31〕

因此，是這些斷片拉出了一條線，連接了現在與過去，即使這些斷片失去了原有的面貌，不堪辨認，但重要的並非斷片本身，而是那個斷片所屬的世界，因爲那是曾經存在過的時代、國家、人物最眞實的證明。

清代的朱中楣字遠山，廬陵人，爲明宗室議汶女，吉水兵部侍郎李元鼎室，著有《石園隨草》。〔註32〕她便是在亂離時代中，時時懷抱著故國情懷的名門閨秀，俞陛雲的《清代閨秀詩話》有云：「明宗室之女朱遠山，其夫與子，皆貴躋台鼎。夫人則恒有故國之思……。」〔註33〕她的〈春日感懷〉一詩描寫了故國衰敗寥落的景象，詩人個人的情懷也寄託其中：

> 青春作伴已還鄉，贏得新詩富草堂。蘇圍漫添湖水綠，
> 柴桑難問徑花黃。荒城處處傷離黍，舊燕飛飛覓畫梁。
> 家國可堪寥落甚，怡情何地足滄浪。〔註34〕

此詩描寫詩人在春光明媚、湖光瀲豔的時節返鄉，令人聯想到杜甫在唐代宗廣德元年安史之亂平息後所作的〈聞官軍收河南河北〉詩中「青春作伴好還鄉」的欣喜雀躍。但下半首心緒一轉，旅程中躍入眼簾的皆是故國殘破的景象。

〔註31〕斯蒂芬・歐文（宇文所安）：《追憶——中國古典文學中的往事再現》，（上海：上海古籍出版社，西元 1990 年 10 月），頁 79。

〔註32〕參見徐世昌：《晚晴簃詩匯》卷 183，（北京：中華書局，西元 1990 年），頁 8029～8030。

〔註33〕俞陛雲：《清代閨秀詩話》，轉引自錢仲聯主編：《清詩紀事》卷 22，（江蘇：古籍出版社，西元 1989 年 7 月），頁 15604。

〔註34〕徐世昌：《晚晴簃詩匯》卷 183，頁 8034。

「荒城處處傷離黍，舊燕飛飛覓畫梁」，「荒城」、「離黍」是殘存的遺跡，被茂盛的禾黍所掩蓋的荒廢都城將詩人拉回過去，讓她想起舊日故國的繁華，於詩中再現那段無法回返的歲月，而這些人事全非的碎片也讓詩人追憶美好的往事圖像。今昔對比之下，詩人親眼目睹了都城碎裂、瓦解的過程，不免興起樓起樓塌的滄桑之感，這些碎裂的故國遺跡，宇文所安認為那是過去的殘存，保有大量回憶的空間：

> 斷片把人的目光引向過去，它是某個已經瓦解的整體殘留下的部份：我們從它上面可以看出分崩離析的過程來，它把我們的注意力吸引到它那犬牙交錯的邊緣四周原來並不空的空間上。〔註35〕

原來並不空的空間可能毀損了、崩塌了，現今已是一片荒瘠，斷片記錄了國家的繁華與衰落，召喚詩人的情感，正是斷片的破碎與沉默讓它本身的力量更顯得強大。因此，「斷片最有效的特性是它的價值集聚性。因為斷片涉及的東西超出於它自身之外，因此，它常常擁有一定的滿度和強度。」〔註36〕已非整體的斷片牽動著詩人的情緒，「現在」與「過去」在詩人心中拉扯、交錯，而更讓詩人傷懷的是，家國已淪落至此，生存於其中的人又該如何立足？「濯足滄浪」用來比喻洗淨世俗塵埃，以保持純樸自然的品格，但詩人在亂離中飽嘗塵世滄桑，原先的世界已物換星移，何處才是她得以生存的清淨棲身之所？過去、現在與未來在詩人心中凝止，交織在同一平面上。這種時間的空間化現象，有學者認為：

> 時間必須按照同空間一樣的方式來加以理解，現在是與過去和未來的時間統一體分不開的。〔註37〕

詩人將個人的身世之感寄託於國家的命運之中，情感的力量更顯得悲

〔註35〕斯蒂芬‧歐文（宇文所安）：《追憶——中國古典文學中的往事再現》，頁79。

〔註36〕斯蒂芬‧歐文（宇文所安）：《追憶——中國古典文學中的往事再現》，頁89。

〔註37〕A.J.古列維奇（A.J. Gurevich）：〈時間：文化史的一個課題〉，（法）路易‧加迪等著，鄭樂平、胡建平譯：《文化與時間》，頁287。

壯強大。

　　另一位在明亡之際殉節而死的女詩人方孟式，書寫故國的詩作充滿了濃厚的時間感。《明詩綜》記載：「方孟式，如耀桐城人，大理卿大鎮之女，嫁山東布政使張秉文，濟南城潰，同夫殉節，有《紉蘭閣集》」。〔註38〕《列朝詩集》稱其「志篤詩書，備有婦德」，〔註39〕可見其為才德兼備之閨秀，其〈感遇〉詩云：

　　　蜉蝣羨朝榮，槿花哀夕陽。愁蛾凝高樓，朱顏摧嚴霜。
　　　風淒月徘徊，中途困枯腸。異鄉歎離別，未言已沾裳。
　　　泠泠清池畔，但見鳳求皇。茫茫五陵原，終為知音傷。
　　　浮雲日晻曖，客子增傍徨。物態已如此，年華安可量。
　　　孤城報烽火，白骨滿故鄉。燕雀棲無主，魑魅走空房。
　　　惆悵復何遣，明月照殘粧。〔註40〕

「時間」是人生一大課題，《詩經・曹風・蜉蝣》由蜉蝣短暫的生命聯想到人生：「心之憂矣，於我歸處」。〔註41〕而在戰亂中，生命變得更不可倚恃，隨時都可能隕落。這種對時間的感嘆瀰漫了整個魏晉時代，強化了當時文學「主悲」的情調，如「人生有何常，但患年歲暮，幸托不肖軀，且當猛虎步」，〔註42〕〈古詩十九首〉也記錄了文人在戰亂中的優患心理：「浩浩陰陽移，年命如朝露；人生忽如寄，壽無金石固」。〔註43〕文人總由外在事物中體驗時間，而領會出時間所造成的盛衰之理，方孟式此詩中即寫道「物態已如此，年華安可量」，物態如此變幻、易逝，何況年歲？生命無法掌握，年華隨時都會衰老；

〔註38〕〔明〕朱彝尊：《明詩綜》（欽定四庫全書薈要・集部）卷80，頁466。

〔註39〕〔清〕錢謙益：《列朝詩集・閏集卷四》（據清順治九年毛氏汲古閣刻本影印），頁353。

〔註40〕〔清〕季嫻：《閨秀集》（四庫全書存目叢書，清鈔本）上卷，頁341。

〔註41〕《詩經・曹風・蜉蝣》，裴普賢：《詩經評註讀本》（台北：三民書局，西元1982年7月），頁522。

〔註42〕逯欽立：《先秦漢魏晉南北朝詩》（臺北：學海出版社，西元1992年2月），頁341。

〔註43〕〈古詩十九首〉第十四首，逯欽立：《先秦漢魏晉南北朝詩》，頁332。

原本繁華的家國瞬間成為「白骨滿故鄉」、「魍魅走空房」的景象，詩中對盛衰循環惶惶不安，不論是物象生長衰老、人的誕生死亡、國家盛衰，皆呈現一種循環的現象，「物極必反」、「盛衰無常」是中國根深蒂固的觀念，中國的哲學思想讓這些表象背後有個支撐的力量，而這力量便是天道運行。自然景象變化、時序遞嬗的背後有更根本的原因在推動，中國哲學思想，將之歸諸於「天道」的作用，渺不可知的天道對人而言具有警示的功能。方孟式整首詩中充滿了對時間、對天道盛衰的憂傷之情，面對眼前烽火狼籍的景象，她或許會想到，國家興亡盛衰又何嘗不是在這種循環律動下所造成的？但詩末只徒留難以排遣的惆悵感傷。

再如顧諟的〈感舊〉：「國破家亡舊業灰，金鋪閣裡長莓苔。重來紫燕尋巢處，他日粧樓開不開。」〔註44〕顧諟（字天孫）為禮部尚書錫疇之女，嫁與名諫臣董文驥，王端淑在其所編選的《名媛詩緯》中選錄她的詩作，並稱頌其人「金玉其質，幽靜其姿，雍雍雅雅，不愧班謝諸才媛，易安以下非其倫矣。」〔註45〕將顧諟與班昭、謝道韞這兩位歷史上眾所稱頌的著名才女，（也是後來衡量女性才德之標準）相提並論，可見王端淑對她的才質極為肯定。其〈感舊〉詩也從國家的殘破灰敗著眼，原先的繁華之地已轉為空無死寂、杳無人跡，詩人欲找尋曾經存在的舊跡，但已不得其門而入。

職是，明末清初才女的故國書寫，延續歷代文人的書寫模式，即「黍離之悲」的原型來敘述其歷史的與家國的情懷。並進一步在詩中透露對於時間、生死與存在問題的思辯。戰爭使她們無法迴避，且必須在倉促而窘迫的情況下，去面對生命以及自我安頓的難題，因此女詩人在歷史／故國書寫中寄託其個人情志。

〔註44〕王端淑：《名媛詩緯初編》，（清康熙間（西元 1662 年～西元 1722 年）清音堂刊本），卷十六，頁 26。

〔註45〕王端淑：《名媛詩緯初編》，（清康熙間（西元 1662 年～西元 1722 年）清音堂刊本），卷十六，頁 21。

二、對閨閣生活的追憶

　　面對瞬間殘破灰敗的家國，以及戰亂頻仍的景象，明末清初的女詩人不僅是見證者，也是遭逢亂離的女性本身，她們的生活在瞬間起了重大變化。戰爭摧毀了女詩人原本的生活，使她們在流離中受盡苦楚，也因此在這劇烈變化的時期感知到一種與先前生活分割、斷裂的時空感。在斷裂的時空中，詩人們展開了對往事的追憶，而「追憶的活動之所以能夠成立，根本上必須以時間上『今』『昔』對比、空間上『中心』與『邊陲』易位的二元對立為大前提，如此才能完整地支撐起追憶活動的全部架構。」〔註46〕因此，時間的斷裂與空間的易位都讓女詩人追憶起往昔的生活。

　　葉齊，字思任，江蘇揚州人，吳爾高室。她的〈別夫〉詩中寫道：

> 與君前世緣，夫婦今生締。一朝忽遭變，誰忍以長逝。
> 吁嗟乎蒼天，五內肝腸繫。欲生無由飛，求死不能遂。
> 夫妻兒女情，奈何遭此際！〔註47〕

《國朝閨秀正始續集》中有段葉齊在戰亂中的身世：「順治乙酉兵亂，思任為營弁所掠，攜以北歸，途中屢欲犯之，皆以計免。……」〔註48〕此詩寫的是夫妻之情的中斷，而「前世」、「今生」的緣分，冀望情感的堅定與長久，但「一朝忽遭變」，突如其來的變故使她與丈夫必須就此分別，後被擄北上，生活與情感皆在一夕間割裂，面對的是截然不同的世界。這種斷裂的時間感造成主體的破裂，詩人向天長嘆悲慟不已，在生死間不斷拉扯，形成一種無盡的掙扎：

> 時事攜帶著現實世界的諸多矛盾，以及人間社會千姿百態
> 的悲喜劇情境，給抒情主体造成強大的壓迫，也給情感宣
> 洩增添了人間百相的許多硬性成分，從而使詩在客觀性和

〔註46〕王璦玲：〈以情造境：明清戲曲中之敘事與時空想像〉，收錄於熊秉眞編：《睹物思人》，（臺北，麥田出版，西元2003年7月），頁145。
〔註47〕錢仲聯主編：《清詩紀事》卷22，頁15630。
〔註48〕轉引自錢仲聯主編：《清詩紀事》卷22，頁15630。

敘事性方面更富有質感和沉重感了。〔註49〕

主體的破裂感來自於現實矛盾所帶來的壓迫，使主體難以負擔。再如王端淑〈苦難行〉，首句即點出時間的斷裂點：「甲申以前民庶豐，憶吾猶在花錦叢」，甲申（西元1644年）年是國家與個人生命的轉折，王端淑前後的生活形成強烈對照，「花錦叢」象徵美好而富庶無虞的生活，但因戰亂而摧折，自此面對的是流離奔走的逃難生活。詩中以回憶的方式讓過往與現實拉開距離，產生一段心理時間，可供詩人在其中緬懷、思念與追憶。在斷裂的時間感中，面對眼前的殘酷，詩人心裡渴望的是從前生活的復現。

對於女性主體而言，在戰亂的現實中，回憶可以讓她們拉開時間與心理的距離，她們所回憶的，必然是她們心中極美好而嚮往回復的生活。詩人運用時間倒錯的敘事手法，即「倒敘」法〔註50〕來表現。倒敘可以表現各種追敘和回憶。在她們的詩作中，可以發現她們對於「童年」、「閨閣」、「于歸」這三段時間的追念，以下就此三者來敘述。杜小英的〈絕命詩〉十首中其六：

生小伶仃畫閣時，讀書曾拜母兄師。濤聲夜夜悲何極。猶記挑燈讀楚辭。〔註51〕

孫采芙《宮閨叢話》：「武岡州志曰：杜小英，字湘娥，武岡女子，或曰辰州人。遭世亂，小英與家人逃竄相失……爲亂兵所劫，知不能脫，作詩繫衣帶間，赴水死。」〔註52〕因此〈絕命詩十首〉是其臨死前的作品。這首詩中回憶起小時候在畫閣中讀書的景況，婦女教育在明清時期的盛行，是「才德相兼」成爲用來要求、衡量婦女的原因與結果，

〔註49〕楊義：〈杜甫的「詩史」思維（下）〉，《杭州師範學院學報》2000年第2期，頁35。

〔註50〕在敘事文本中，時間倒錯常常是由敘事中的「倒敘」或「預敘」引起的。所謂倒敘，是指對往事的追述用熱奈特的話說，是指「對故事發展到現階段之前的事件的一切事後追述」。參見羅綱：《敘事學導論》，（昆明：雲南人民出版社，西元1994年5月），頁135。

〔註51〕錢仲聯主編：《清詩紀事》卷22，頁15533。

〔註52〕孫采芙：《宮閨叢話》，轉引自錢仲聯主編：《清詩紀事》卷22，頁15535。

詩人自小就由母親與兄長教授詩書，童年的無憂無慮以及家庭教育的寧靜與溫馨，是她在亂離生活中時刻懷想的。也正是詩書教育，使她最後投水而死之前，能留下動人的詩作，留下存在的紀錄與自我銘刻。再看其〈絕命詩〉第七首：

> 閑時閨閣惜如珍，何事牽裾逐水濱。寄語雙親休眷戀，入江猶是女兒身。〔註53〕

此詩寫閨閣中的情形。詩人也曾是不知愁的閨中少女，備受父母兄長的珍惜與寵愛，但到底為什麼這種「惜如珍」的生活在一夕之間被摧毀，下一刻就面臨了生死交關的凶險？而詩人面對即將到來的死亡，顯得從容不迫；對父母的思念與眷戀亦化為臨死前的勇氣。接著〈絕命詩〉第八首寫道：

> 生平猶是未簪笄，身沒江瀾漢不齊。河伯有心憐薄命，東流直繞洞庭西。〔註54〕

「簪笄」代表的是笄禮，這是女孩人生中第二件與年齒增長有關的大儀式，標誌著她開始進入青春期，並兆示她已經適宜出嫁了。女孩進入十五虛歲，她的頭髮便可以結成髮髻用簪子插起來了，少女通常在達到笄年的不多幾年後就要結婚。〔註55〕而詩人「猶是未簪笄」，十五歲未到的年輕生命，對女子來說如此重大的儀式她來不及參與，生命就即將隕落，也許那些片段都曾經在她的腦海中想像過，及笄乃至出嫁，生命另一段歷程的開始，至今只能徒留憾恨。這種遺憾可以從其〈絕命詩〉第九首中窺見：

> 影江干可勝悲，永辭鸞鏡斂雙眉。朱門空許成秦晉，死去相逢總不知。〔註56〕

〔註53〕錢仲聯主編：《清詩紀事》卷22，頁15533。
〔註54〕錢仲聯主編：《清詩紀事》卷22，頁15533。
〔註55〕曼素恩將女性人生歷程分為脫卸乳齒（又稱鬠齡，約七虛歲）、笄禮（約十五虛歲）、誕育兒女及孩子的早期扶養、鹽米生涯、衰老（約五十虛歲）、死亡。參見曼素恩著，定宜庄、顏宜葳譯：《綴珍錄》，（南京：江蘇人民出版社，西元2005年1月，頁75。
〔註56〕錢仲聯主編：《清詩紀事》卷22，頁15533。

「秦晉」是婚嫁的代稱,「朱門空許」顯示其已許配給人,這一切由於戰亂的發生中斷了即將而來的嫁娶,使可能的秦晉之好成了一場空。她想像這場相逢,在她投水死亡之後,即使相逢了也認不得那未曾謀面的對方吧。在往事的追憶中,詩人更能體悟自身生命的破滅。這是尚未出嫁的女子期盼的落空與幻滅。再如夏淑吉〈六姊孫儼簫沒於丁亥家難〉:

> 憶昔于歸紈綺叢,郎家聲譽擅江東。……綵雲散後空憑弔,
> 黥哭荒郊恨幾重。〔註57〕

夏淑吉,字荊隱,一字美南,號龍隱,嘉定侯洵室。〔註58〕其父與夫家的成員多殉難,〔註59〕而六姊的孫女也因國亡家破而死,詩人回憶起她「于歸紈綺叢」的繁盛時光,于歸成為女子生命歷程的一個標誌,但這種幸運在一瞬間化為烏有,就如同「綵雲散後」一般,象徵著美好事物的容易消殞。

　　詩人的亂離詩作充滿對過往生活的追憶,這種追憶不僅可以使詩人與現實拉開距離,也是一種生命的紀錄。在《追憶——中國古典文學中的往事再現》一書中提到:

> 雖然人們可以根據回憶來講述故事,但回憶不是故事;回
> 憶可以是進行大量沉思和回顧的場合,但回憶不是通常意
> 義上的思想。……回憶是來自過去的斷裂的碎片,它闖入
> 正在發展中的現實裡,要求我們對它加以注意。〔註60〕

回憶可以讓人沉思與回顧,是對生命的一種省視,那些片段會在某個時刻闖入詩人的心裡,成為無法逃避的記憶碎片。

〔註57〕錢仲聯主編:《清詩紀事》卷22,頁15618。

〔註58〕錢仲聯主編:《清詩紀事》卷22,頁15618。

〔註59〕夏美南,為明史部郎中夏允彝負盛名,美南庭聞濡染,十餘齡即能詩,兼工琴弈。明亡,允彝自沉於河。其婿家侯氏,亦多殉烈者。參見俞陛雲:《清代閨秀詩話》,轉引自錢仲聯主編:《清詩紀事》卷22,頁15618。

〔註60〕斯蒂芬·歐文(宇文所安):《追憶——中國古典文學中的往事再現》,(上海:上海古籍出版社,西元1990年10月),頁120。

在儒家傳統社會中，「三從四德」與「男女有別」是社會性別的兩大基礎。「男女有別」表現在空間的特徵上，便是男「外」女「內」的空間分隔。男子必須參與世俗的複雜事務，如科舉考試、官場、社交等等，而女子的主要活動空間則侷限在「閨閣」之中。閨閣的位置深隱於匿宅的幽密處，將女性隔絕在一方幽靜不受外務干擾的空間中，這種內外的區隔正是儒家傳統規範的理想境界。

曼素恩提出「靜止點」這個概念，她認為對於清代精英男子而言，婦女佔據著閨閣這個靜止點，讓男人以它為中心，來建構他們的積極生活。而且對於許多抗拒學術生涯壓力的男人而言，女人似乎是穩定、秩序與純潔等價值的守衛者。〔註61〕閨閣自古以來都是男性注視之下的產物，如羅蘭‧巴特所言「女性世界，是沒有男人的世界，但完全由男性的注視而構成，恰似閨房。」〔註62〕傅柯在其《規訓與懲罰》一書中，也認為「凝視」是一種「建制化」的過程，把原本看不見的事物變成清楚易見且可掌握的客體，就如空間、醫療與體制，也會將人體變成客觀的可以剖析、認知的對象。紀律（規訓）造就了馴服的、訓練有素的肉體，「柔順的」肉體。而規訓有時需要封閉空間，標示出一個與眾不同的、自我封閉的場所，這是一種整齊劃一的保護區。〔註63〕「閨閣」便是一個規訓之下的空間。因此，無論是婦女或者閨閣，在男人的凝視下都可以成為被掌握的客體。但事實上，婦女是一有主觀有個性的主體，而閨閣是否正如儒家社會所期望的或男性

〔註61〕曼素恩在討論清代精英男子的生命歷程時，提到在十八世紀的男人以女性為主題所撰寫的作品中，閨閣的意象是一個強而有力的比喻：它是一個能將人世間的憂煩與罪惡屏拒於外的超時空國度，以及一個可以讓壓力過重的男人逃避或退隱的處所。參見曼素恩著，楊雅婷譯：《蘭閨寶錄：晚明至盛清的中國婦女》，（台北：左岸文化，西元 2005 年 11 月），頁 130。

〔註62〕羅蘭‧巴爾特：《神話學》，轉引自格蕾‧格林等編，陳引馳譯：《女性主義文學批評》（台北：駱駝出版社，西元 1995 年 7 月），頁 4。

〔註63〕傅柯著，劉北成、楊遠嬰譯：《規訓與懲罰──監獄的誕生》（台北：桂冠圖書，西元 1992 年），頁 138～141。

凝視下的那個靜止點？

　　以明末清初社會性別真實互動的實踐來說，高彥頤認為內／外有別公式，無疑是一種理想規範而已。〔註64〕她引用女權主義史學家瓊‧凱利（Kelly）所提出的「雙重視野」來說明，女性的位置不是一個隔離的生存空間或存在領地，而是固於社會整體存在中的一個位置。並強調，將「男和女」歸於相互隔絕的空間，通常反映的是父權制的願望，而不是真實的社會現實。〔註65〕女權主義分析也證明，私域和公域是互相依賴的──「個人是政治性的」──在此一領域的經驗影響及另一領域中。〔註66〕婦女生活看似侷限卻實際上蘊含力量。因此，這些論點都說明了，在體制與規範之中其實存在許多縫隙與空間，而明末清初的婦女得以穿越這些縫隙，創造自身的空間與欲望。在明末清初的社會中，女性結社與旅行的情況普遍，在在顯示女性並非被幽禁於閨閣之中；而家庭內外的男女之間的相互流動與作用也都賦予家庭以政治意義。

　　明末清初的世變是一次巨大的政治變動，在這一時期的人民很少人不受到亡國與戰爭的影響，女性亦然。國家易代的事實與戰爭所帶來的流離生活，迫使女性從家庭走向公共領域，而被置放於政治社會的中心。如張氏的〈七言絕句〉：

> 深閨日日繡鸞凰，忽被干戈出畫堂。
> 弱質難禁罹虎口，祇餘魂夢繞家鄉。
> 繡鞋脫卻換鞾靴，女伴男裝實可嗟。
> 跨上玉鞍愁不穩，淚痕多似馬蹄沙。
> 江山更局聽蒼天，粉黛無辜實可憐。

〔註64〕高彥頤（Dorothy Ko）指出不少人仍對明清婦女有兩種錯覺。一是「婦女被幽禁」。其次是把女性家內空間與男性政治空間一分為二，暗示著家庭是不受政治影響的，而任何一個在中國家庭長大的人，都知曉家族關係的錯綜複雜，正是因為家庭就是政治舞台。參見高彥頤（Dorothy Ko）：《閨塾師》，頁13。

〔註65〕高彥頤（Dorothy Ko）：《閨塾師》，頁14。

〔註66〕格蕾‧格林等編，陳引馳譯：《女性主義文學批評》，頁16。

　　薄命紅顏千載恨，一身何惜誤芳年。〔註67〕

這是揚州女子張氏的五首絕命詩之一。順治二年四月，清兵攻破揚州，張氏被清兵劫掠至金陵。《明季南略》中記載：「以珠玉錦繡羅設於前，張氏弗願，悲泣不已。繼而部將隨王北上，張從之。出觀音門，將渡江，密以白綾二方，可二尺許，楷書《絕命詞》五首于上，乘隙投江以死」。〔註68〕詩的開頭即描述戰爭迫使詩人從深隱的閨閣中逃出，她追憶昔日少女深閨獨處的生活本是無憂無慮，刺繡是其日常生活的一部分，幽靜而安穩，這樣的生活因戰亂被掠而終止。「出」字表現了空間的劇烈轉變，詩人的生命也因此產生斷裂，接踵而來的亂離生涯，女扮男裝、倉皇騎馬逃難，巨大的轉變，對女詩人而言全然陌生而艱辛，飄泊流離中的不安與不適應，讓她體會到女性的生命與國家興亡的休戚相關。而空間的轉變也意味著處境的變動，以女詩人來說大致可以歸納為：

　　　閨閣——異地（空間）

　　　私域——公共領域（人在空間中的處境）

　　　家庭——國族（空間中的社會文化背景）

從家庭跨足到國族，國家易代、江山更局造成女性生命的飄零、身分的失落。「薄命紅顏千載恨」，詩人自身的生命與千古以來的女性產生了同情與對話。陳順馨在〈女性主義對民族主義的介入〉中提出：

　　　毋庸置疑，婦女仍然是個別男人、國家、民族主義衝突以

　　　及戰爭的受害者，而且婦女的利益仍然不斷在政治經濟和

　　　國家的發展過程中被邊緣化。……〔註69〕

自古以來，婦女皆無權涉入政治社會的領域，對國家議題也無權置喙。一旦戰事發生，女性卻一樣無法逃避、置身事外。在宋蕙湘〈題

〔註67〕錢仲聯主編：《清詩紀事》卷22，頁15528～15529。

〔註68〕計六奇主編：《明季南略》（台北：台灣商務印書館，西元1979年3月）卷九，頁196。

〔註69〕陳順馨：〈女性主義對民族主義的介入〉，陳順馨、戴錦華選編：《婦女、民族與女性主義》，（北京：中央編譯出版社，西元2004年1月），頁5。

衛輝府郵壁〉一詩中抒發了女性處於國家變動中的不安定感：

> 風動空江羯鼓催，降旗飄颺鳳城開。將軍戰死君王繫，
> 薄命紅顏馬上來。〔註70〕

宋蕙湘，金陵人，爲弘光時的宮女，十四歲時便被兵掠去，於是題詩
於汲縣壁。〔註71〕在戰爭的肅殺中，象徵戰敗的降旗一片，詩人跨上
馬背倉皇逃難，在變動的空間中意識到女性生命的脆弱。而女性跨足
公共領域，除了對往日空間的追憶，事實上也不乏對於政治社會的積
極參與。這個議題將在第四章中繼續探討。

第三節　歸鄉──對「家」的思念與嚮往

　　明末清初的女詩人在亂離中飽嘗了現實中的不完滿，而這種不完
滿是歷史時空中逝去、割裂的特質所造成的，使她們經歷了主體的破
裂，被迫離家、逃難，因而興起對家鄉、家人無限的懷念之情，以及
對於避難所的嚮往。

　　明末的戰亂造成人民四處奔逃、流離失所，明末清初的女詩人也
是如此。她們在旅程中飽受亂離的艱辛，長途跋涉的勞苦、精神上的
折磨、別離的苦痛，在在使她們渴望能重返家園。如朱中楣〈旅興〉：

> 身世蒼茫裡，烽煙已數千。旅愁春候覺，歸夢草堂前。
>
> 花徑迷蝴蝶，家山映杜鵑。枝頭問鳥語，猶自說燕然。〔註72〕

詩人開頭點出在烽煙四起中，自己的身世蒼茫難以預料，動盪不安的
社會、旅程中的不安定令她感到憂愁，而嚮往回歸安穩的家園。但烽
火連天的景況，使回家變得渺然無期。詩人以「歸夢」表示她只能在
夢裡返回家園。接著她所敘述的夢中家園，是與現實對照下，沒有塵
俗紛亂的美好世界。榮格認爲夢不完全解釋以往的經驗，它也使人意

〔註70〕錢仲聯主編：《清詩紀事》卷22，頁15625。

〔註71〕計六奇主編：《明季南略》卷六，（台北：台灣商務印書館，西元1979
　　　　年3月），頁143。

〔註72〕〔清〕蔡殿齊編：《國朝閨閣詩鈔》（續修四庫全書集部，據山東省
　　　　圖書館藏清道光娉嬛別館刻本影印）第一冊卷1，頁430。

識到將來的希望、嚮往、可能性及應發展的方向。〔註73〕因此，女詩人的「歸夢」是一種回到過去的方式以及對未來的希望。再如衛琴孃〈北固山楊公祠題壁詩〉：

> 夢裡還家拜阿孃，相逢泣訴淚千行。窗前綠樹依然在，
> 那得看來不斷腸。衣片鞋幫半委泥，千辛萬苦有誰知？
> ……不知憔悴中途死，魂夢何時返故鄉。〔註74〕

詩前有段詩人的自序：「妾赤城弱質也，姓衛，小字琴孃。于歸三月，忽遭難端。匝地鼓鼙，擄之北上。……幸而琵琶擊碎，得脫虎口潛逃。……偶登北固，江山滿目，不覺涕泣如狂。憶昔爹媽，空勞魂夢。良人天遠，存歿何知？」〔註75〕詩人自述身世及在順治三年時被擄的經過，雖然中途得以逃脫，但是山高水長，歸夢難成，在死前留下這首題壁詩。〔註76〕開頭「夢裡還家拜阿孃」以及結尾「魂夢何時返故鄉」表達出只有依賴夢境她才能返回故鄉，才能與親人重逢，而家鄉也是她在遙遠北方唯一的想望，即使在死後依然對故鄉魂牽夢縈。

這種夢回家鄉的「歸夢」出現在明末清初女詩人的作品中，不勝枚舉。例如張氏的〈七言絕句〉：「弱質難禁罹虎口，袛餘魂夢繞家鄉。」〔註77〕趙雪華〈沐水旗題壁〉：「驛亭空有歸家夢，驚破啼聲是夜笳。」〔註78〕、葉齊〈憶家詩題蘆溝店壁〉：「醒來空下淚，一夢到家園。」、〔註79〕顏繡琴〈哭天寥母舅〉：「故鄉夢裡應歸早，旅襯他時恨正遲。」、〔註80〕姜氏婦〈寄夫〉：「兩行珠淚孤燈下，千里家山一夢中。」〔註81〕

〔註73〕關永中：《神話與時間》，頁101。
〔註74〕錢仲聯主編：《清詩紀事》卷22，頁15527。
〔註75〕錢仲聯主編：《清詩紀事》卷22，頁15527～15528。
〔註76〕吳文溥《南野堂筆記》：「順治三年，丹徒甘露寺楊公祠內有婦人死，題詩壁上并序。知爲天台衛琴孃遭亂被掠，潛逃毀形，死以全其節焉。詩云云。」轉引自錢仲聯主編：《清詩紀事》卷22，頁15528。
〔註77〕錢仲聯主編：《清詩紀事》卷22，頁15528。
〔註78〕錢仲聯主編：《清詩紀事》卷22，頁15627。
〔註79〕錢仲聯主編：《清詩紀事》卷22，頁15630。
〔註80〕〔清〕王端淑：《名媛詩緯初編》，（清康熙間清音堂刊本）卷7，頁20。

以及王端淑〈為夫子和毛大可贈別韻〉：「浮雲影逐離亭發，征雁聲驚歸夢長。」〔註82〕這些詩作都以「歸夢」表達詩人歸鄉之艱難與心切。

　　女詩人的夢中，普遍充滿故鄉的意象，這種意象象徵著一種歸返，「夢」在心理學而言，可以反映潛意識。夢的優點在於它們是不自主的、自發的，其性質沒有被任何有意識的目的所歪曲，因而是純粹的無意識心理的產物。〔註83〕因此，女詩人的「歸夢」是潛意識中嚮往回歸的反映，這種對於歸返的想望無疑是一種普遍一致的「集體無意識」。〔註84〕榮格認為：

> 這種集體的夢、幻覺、和想像，這種反覆出現的、超個人的原始意象，也揭示了人類共同的、普遍一致的深層無意識心理結構，而這，就是所說的集體無意識。〔註85〕

女詩人的夢反映了集體無意識，表現了她們在戰亂中集體的欲望，便是對家鄉深切的渴望。

　　另一個可以表現女詩人對家園的追求，便是其亂離詩中描寫的節日。節日是與家人相聚的日子，與「家」有著深切的關連。江都人倪氏的〈偶成〉詩中藉由七夕，表達對於家的思念：

> 芳心無緒為誰牽，黛減容消似枉然。
> 已作蘼蕪離恨草，莫看菡萏並頭蓮。
> 重逢故舊應歸夢。遙憶關山正隔天。
> 時序推移將七夕，銀河相望路綿綿。〔註86〕

〔註81〕〔清〕王端淑：《名媛詩緯初編》，（清康熙間清音堂刊本）卷13，頁29。
〔註82〕〔清〕王端淑：《名媛詩緯初編》，（清康熙間清音堂刊本）卷42，頁15。
〔註83〕榮格著，馮川、蘇克譯：《心理學與文學》，（北京：三聯書店，西元1987年11月），頁102。
〔註84〕佛洛伊德認為無意識主要是受壓抑、被遺忘的心理內容的集合場所，因而具有個人的和後天的特性，而榮格則認為這種個人無意識有賴於更深的一層，它並非來源於個人經驗，並非從後天獲得，而是先天就存在的。參見榮格：《心理學與文學》，頁2。
〔註85〕榮格：《心理學與文學》，頁3。
〔註86〕〔清〕王端淑：《名媛詩緯初編》，（清康熙間清音堂刊本）卷13，頁21。

王端淑評注:「按本序氏從兵戈患難中纔賦桃夭遂歌薤露,傷哉女也。」
〔註87〕詩中濃重的離情別緒,來自於兵戈患難,詩人感傷在兵亂中與
親人故舊分離,如今相隔遙遠,何時才是相見之日。「將七夕」點出
時間。七夕的民間故事中述說牛郎和織女是一對年輕戀人,他們每年
能在天上渡過鵲橋相逢一夜,表現出循環的時間感。七夕的意義運用
了各種觀念:包括工作與休息、克制與欲望、分離與重聚。〔註88〕分
隔兩地的寂寞與渴望重逢的欲望成爲歷來七夕詩作的主題,在倪氏這
首詩中也表達了與親人相隔正如牛郎織女隔著銀河遙遙相望般的無
奈。但牛郎織女還能期盼每年相逢之日的到來,而女詩人卻因關山阻
隔無法實現與家人相逢的欲望。

　　因此,七夕的慶祝活動同時表現兩個主題:一方面預示著永恆的
幸福和長生不老,另一方面又顯示出永恆的痛苦與死亡的徵兆。〔註89〕
對於詩人而言,七夕這個節日引發她無法歸鄉的悲傷之情,離鄉背景
成爲她永恆痛苦的來源,分隔與相會也成爲詩人心中永恆的欲望。

第四節　歸隱──對「世外桃源」的追求

　　自古以來,「仕」與「隱」是糾結男性文人的兩條人生途徑,入
世爲官是儒家教養下的文人正途,而出世隱居則是文人遠離塵俗煩擾
的夢想。從古至今有許多文人在這兩者之間迷惘與糾結,在政治抱負
困頓難伸或者懷才不遇時,興起歸隱之心。但國家社稷的興亡又往往
召喚著文人,使之無法規避。在明清易代之際,文人歷經國破家亡以
及種種世事的動盪變化,國家政治上的變遷已非他們所能掌握,在亡
國之際他們選擇活下來,以遺民姿態面寺新朝,接下來的「出」「處」
抉擇就變成考驗這些文人的生命課題了。

─────────────

〔註87〕〔清〕王端淑:《名媛詩緯初編》,(清康熙間清音堂刊本)卷13,頁21。
〔註88〕曼素恩著,楊雅婷譯:《蘭閨寶錄:晚明至盛清的中國婦女》,(台北:
　　　　左岸文化,西元2005年11月),頁326。
〔註89〕曼素恩著,楊雅婷譯:《蘭閨寶錄:晚明至盛清的中國婦女》,頁327。

　　明末清初的女性無法參與科舉考試，自然就沒有像男性文人有著面對仕與隱的抉擇困境，但女性身在此際，在世變的滄桑中經歷了亡國之痛、亂離的身世飄零，以及人世無常的虛無淪亡之感，這些都讓她們長久以來所遵循且認定的秩序頃刻間崩塌。在失序的世界裡，心中原有的善惡、正義的信仰也都蕩然無存。對於現實的幻滅與迷惘讓她們渴求一個理想的時空，能逃避目前困塞的生存空間，尋求一個能將世事變遷、國家興亡隔絕於外的世外境界，如陶淵明〈桃花源記〉中所描繪「不知有漢、無論魏晉」的理想世界。

　　前述晚年困頓孤獨的清代女詩人李因，她與夫婿葛徵奇在明亡之際偕隱江南，後來其夫婿在動亂中去世，李因守節自持，晚年孤身隱居。〈郊居用松陵集韻〉正是此時的作品：

> 避世牆東住，牽船岸上居。雨分三徑竹，晴曝一床書。
>
> 上坂驅黃犢，臨淵網白魚。衡門榛草遍，長者莫停車。
>
> 〔註90〕

此詩用典豐富且貼合詩意。「牆東」典出於東漢末年，王君公遭亂以撮合牛隻買賣的身分，避世隱居。〔註91〕詩人晚年幽居村郊，作畫維生，與避世牆東的境況相符。「牽船」，背負著繩子挽船前行，描繪一個艱難勉力達到目標的意象，典出「丈夫何不跨馬揮鞭而牽船」，〔註92〕隱含對世道時局的不滿。因此「牽船岸上居」的詩人呈現出倔強而清高負重的傲世形象。這樣的情態在接下來的詩句中繼續延伸，「三徑」用漢代蔣詡辭官不仕，隱於杜陵，閉門不出，

〔註90〕〔清〕朱彝尊編：《明詩綜》，《欽定四庫全書薈要》卷85，頁475。

〔註91〕「初，萌與同郡徐房、平原李子雲、王君公相友善，並曉陰陽，懷德穢行。房與子雲養徒各千人，君公遭亂獨不去，儈牛自隱。時人謂之論曰：『避世牆東王君公。』」參見〔宋〕范曄著，李善等注：《後漢書‧逸民列傳‧逢萌》（台北：鼎文書局，西元1987年）：卷83，頁2759。

〔註92〕「晉劉道真遭亂，於河側與人牽船，見一老嫗操櫓，道真嘲之曰：『女子何不調機弄杼。因甚傍河操櫓。』女答曰：『丈夫何不跨馬揮鞭。因甚傍河牽船。』」參見〔唐〕李昉編：《太平廣記‧嘲誚‧劉道真》（北京：中華書局，西元1961年9月）卷253，頁1966。

舍中竹下三徑的典故，其後陶淵明〈歸去來辭〉也用了這個典故：
「三徑就荒，松菊猶存。」皆表明詩人不願與世道同流合污的姿態。
在雨中撥開竹林前行，大自然即使狂虐也不足畏懼，即使只有詩書
相伴，清節自守的生活便是詩人追求的。「臨淵網白魚」面臨一片
深淵而想網得象徵吉祥的白魚，是在艱難困頓的現實中片刻的希
望。最後是警告也是劃清界線，「我這橫木為門的居處簡陋，那些
顯貴的人們不要在此停車！」語調剛正而冷峻。

　　詩人豐富的用典表達自己的身世與心志，為自己另闢一個理想世
界，避藏於幽靜山林中，在這裡與自然世界融合，有著洗滌與淨化的
作用，在遠離塵俗喧囂的生活中，儘管窮困卻身心自由，固窮守節的
清冷姿態與詩書生活將她與世隔絕，顯示出詩人對於世外境界的追
尋，有著不讓鬚眉的意味。詩人必定也是在明末政治黑暗之時看盡了
世俗的混亂與汙穢，才選擇遁世避隱。在其詩集《竹笑軒吟草》前敘
中有其夫婿之學生對她生活的敘述：

> 夫人從吾師歸山，後遇兵變，顛沛流離，誓死不去。怠吾
> 師以慢憤長逝，故園冷落，僅餘四壁。夫人矢志《柏舟》，
> 守而弗變，至不能舉火。為之躬親紡績，稍暇，則讀書嘯
> 歌自若。〔註93〕

詩人的剛正自持始終不變，對於世外境界的追求是個人的一種理想與
節操，是不願陷溺在現實的困境與掙扎中，渴望超拔的願望。

　　詩人避世歸隱的目的是想追尋一處桃源，這種想望在明末清初女
詩人吳山（字巖子）的〈清明〉一詩中表露無遺：

> 而今何處覓桃源？風雨清明且閉門。芳草萋萋歸不得，
> 江南多少未招魂。〔註94〕

馬祖毅《皖詩玉屑》一語道出此詩的意旨：「亡國之痛，身世之悲，在

〔註93〕〔清〕盧傳：〈竹笑軒吟草敘〉，李因：《竹笑軒吟草》（遼寧省：新
　　　　華書局，西元 2003 年），頁 1。
〔註94〕蔡殿齊：《國朝閨閣詩鈔》，《續修四庫全書，據山東省圖書館藏清道
　　　　光娜嬛別館刻本影印》第一冊卷五，頁 441。

這四句中隱隱流露出來了。」〔註95〕詩人身當明清之際動盪不安的時期，嫁給卞琳（字楚玉），卞琳因遭家難，中道就過世，留下吳山與兩個女兒窮居，其身世與處境之難由此可見。吳山「以詩名海內垂四十年」，〔註96〕鄧漢儀爲其詩集《青山集》題過一首詩：「江湖萍梗亂離身，破硯單衫相對貧。今日一燈花雨外，青山自署女遺民」〔註97〕此詩對其身世作了適當的注腳，點出其經歷國破家亡的女遺民身分。

以詩題〈清明〉來抒發在此清明時節的緬懷之情。此首詩以反問開頭，何處可以尋覓「桃源」？在明末清初時期，桃源可以說是在國家社會的動盪中，想要尋找的一處安定之所，在一片烽火狼藉中，詩人其實心中清楚桃源無處可尋，是一種失落的情緒。而在清明雨紛紛的時節，淒冷的風雨襯托了心情，讓她「閉門」，不願再被風雨擾亂了心情，想起那些難以釋懷的悲痛往事。芳草萋萋阻斷了歸路，同時也暗示著思念如同芳草一般繁盛滋長，也許是對故人，也可能是故國，但是「歸不得」，於是只能對家園無止盡地想念。「江南多少未招魂」詩人想到的是那些在戰亂中不幸喪生的人，他們的孤魂也渴望「回歸」，江南暗示著南明的亡國，當時必定有許多人被殺害，但是他們的遊魂卻未被招回，只能飄盪而沒有歸宿。在亡國的背景中，詩的意境顯得開闊，從自身的亂離想到整個國家人民，顯得悲涼壯闊。

詩人對世外境界「桃源」的追尋，事實上是對現實情狀的不滿，以及世變動盪的不安定感，當整個時代社會面臨困境之時，「桃源」就成爲想要逃離、超越塵世的理想境界。

〔註95〕錢仲聯主編：《清詩紀事》卷22，頁15539。
〔註96〕徐世昌：《晚晴簃詩匯》（北京：中華書局，西元1990年）卷183，頁8058。
〔註97〕徐世昌：《晚晴簃詩匯》卷183，頁8058。

第三章　敘述：亂離書寫的國族敘述

在亂離的時代，明末清初的女詩人透過書寫來見證，而「見證是一種迂迴的實踐過程」，[註1] 作為一種言說行動的實踐，見證於是能有效地介入歷史敘述，對政治與歷史產生影響。因此，本章想要探討的是，當女詩人經歷亂離的時空轉變，而被置放在公共領域的空間中，她們參與公眾事務，涉足過去屬於男性的領域，為女性在家庭與閨閣之外創造更大的可能。她們出入公共空間，對國家政治議題關心與參與，尤其是在明清易代之際，正是民族精神張揚的時刻，她們的亂離詩作與詩作中呈現出的形象有別於以往不言外事的女性形象，因而她們的話語與敘述可以說是女性參與國是最好的方式。

第一節　陣前殺敵的女英雄形象

明末清初的易代之際，國破家亡伴隨著被異民族介入而來，明遺民置身於明朝的終結以及清朝的入主中原，「以夷易夏」的民族矛盾

〔註 1〕作見證，亦即立誓以己之言說作真理的證據，是為了完成一種「言說行動」，而不是單純的立論聲明。作為一種言說行動的實踐，見證同時指陳歷史中的行動及影響，歷史中的行動超越任何具體的重要性，而行動的影響也打碎了任何理念性的架構或決判性的分野。參見費修珊、勞德瑞著，劉裘蒂譯：《見證的危機：文學歷史與心理分析》（臺北：麥田出版社，西元 1997 年 8 月初版），頁 35。

加劇了亡國之痛以及社會的震盪，使他們遭受強烈的心靈衝擊與創傷，在數量極多的遺民文學中，明遺民表現了他們對於國變的悲憤痛切之感。而在此時女詩人的詩作中，也展現了她們身爲女性的民族精神。

明清之際，異族的侵略使國家社稷產生危機，戰亂頻仍更讓整個社會動盪不安，在此時，維護國家的安危是當前最迫切、刻不容緩的事務。清代女詩人畢著正是在國難當前之際，展現其不畏生死勇氣的巾幗女英雄。畢著（字韜文）在明崇禎時跟隨她的父親鎮守薊邱，崇禎十六年時她年方二十歲，這一年她父親爲了抵抗與流賊戰死，其〈紀事〉詩云：

> 吾父矢報國，戰死于薊邱。父馬爲賊乘，父屍爲賊收。
> 父讐不能報，有愧秦女休。乘賊不及防，夜進千貔貅。
> 殺賊血漉漉，手握讐人頭。賊眾自相殺，屍橫滿阬溝。
> 父體輿襯歸，薄葬荒山陬。相期智勇士，慨焉賦同仇。
> 蛾賊一掃清，國家固金甌。〔註2〕

這是一首敘事詩，敘朮詩人參與的一次戰役，詩中呈現了一位智勇雙全的女英雄形象。前四句說明了原因，據守薊邱的父親爲了抵禦南下的清軍而戰死，宣告明軍的失敗。父親爲了守住國土而犧牲，他的馬與屍體也陷在敵營中，「矢」字點明了父親對明朝的忠誠與視死如歸。接著敘述詩人夜入敵營，奪取父親屍體的經過。「父讐不能報，有愧秦女休」，秦女休是三國時左延年所作樂府雜曲《秦女休行》中的人物，歌中描述秦女休報仇的故事。詩人以前代的女英雄爲榜樣，立志報父仇，語調轉爲慷慨激昂、精神激烈振奮。

於是詩人籌劃夜襲敵營，此事的經過《小腆紀傳・列女》中有所記載：「乘夜率眾出襲。賊方幸城中主將亡，夜決無變，方媟妓鬨飲，而一軍突入。賊駭如天下，驚愕失措，韜文首刃其渠，握首級號于眾曰：敢抗王師者，有如此首。賊乃潰，輒焚其營，追殺無算，賊竟平，

〔註2〕錢仲聯主編：《清詩紀事》卷22，頁15507。

舁父屍還，時年甫二十也。」〔註3〕此事蹟可與詩中的描寫互相印證。
詩中呈現出悲涼壯闊的戰爭場面，敵營的猝不及防，詩人率眾夜襲殺
敵，手握仇人頭種種驚心動魄的畫面，讓一個膽大機智、借所畏懼的
女英雄形象栩栩呈現在眼前。沈來遠形容其武藝為「梨花鎗萬人無
敵，鐵胎弓五石能關。」〔註4〕

　　最後四句是對智勇士們的期望，此首敘事詩的原始動機為父報仇
的小我，在此四句中擴大為保衛社稷國家的大我，詩人繼承父親的遺志
矢志報國，呼籲天下的智勇士一起為了國家同仇敵愾，掃除清軍使其不
再來犯，國家的鞏固與完整才能保護人民不再受到傷害，這是詩人不顧
自身安危所追求的目標，整首詩的深層意涵至此展現出來。《清詩別裁
集》：「機智義勇忠孝于一詩中見之。」〔註5〕對此詩作了最恰當的評價。

　　另一位被譽為詩作脫離脂粉之氣的女詩人，是明代一名著名閨秀
劉淑英（字靜婉）。劉淑英的父親為揚州太守，在她七歲之時死於瑠
難，因風節之烈諡為忠烈，此事於明史中有記載。〔註6〕到甲申年間
李自成攻陷京師，崇禎皇帝、皇后皆殉難，《清代閨閣徵略》云：「劉
淑英聞變痛哭曰『吾恨非男子，然獨不能殲此渠兒，以報國仇耶。』
散家財，募士卒，得千人，併其僮僕，悉以司馬法部署指揮成一旅。
〔註7〕詩人聞變起義，可見其適逢國變矢志報國的決心。但是根據錢
仲聯《夢苕庵詩話》：「順治三年，南明楚將張先璧駐永新，淑英領所

〔註3〕　〔清〕徐鼒：《小腆紀傳・列女》（台北：明文書局，西元 1985 年 5
　　　　月）卷六十，頁 705。
〔註4〕　梁乙真編：《清代婦女文學史》（臺北：中華書局，西元 1979 年 2 月），
　　　　頁 16。
〔註5〕　〔清〕沈德潛：《清詩別裁集》（上海：上海古籍出版社，西元 1984
　　　　年 3 月）卷 31，頁 1303。
〔註6〕　據《明史》記載：天啓年間，劉鐸「由刑部郎中為揚州知府。憤
　　　　忠賢亂政，作詩書僧扇，有『陰霾國事非』句，偵者得之，聞於
　　　　忠賢。」後被構陷而「坐以大辟」，到崇禎皇帝時贈劉鐸太僕少卿，
　　　　諡忠烈。
〔註7〕　〔清〕施淑儀：《清代閨閣詩人徵略・卷1》（台北：明文書局，西元
　　　　1985 年 5 月），頁 25。

部赴焉。張奇其才，欲娶之，淑英不可。張散遣其部眾。淑英憤恨卒。臨卒聞雷，有詩云云。」〔註8〕詩人一門忠烈，報國未成，又因國難而蒙恥，悲憤以〈聞雷〉一詩絕筆：

迅雷欲雨清且幽，天公慰我困龍悉。卿卿莫道歸來晚，
收拾閒雲補衲頭。〔註9〕

前兩句中詩人以「困龍」比喻自己的處境，尤其在她臨終之前，回顧自己的一生，十八歲就守寡，國變之後空有滿腔報國的情操及抱負，卻困蹇難伸，壯志未酬，這樣的遭遇有如困於淺灘之龍，難以伸展才能，更令她抑鬱痛心的是其失敗並不在於殺敵陣前，而在赴敵前部隊的內亂，以及對她身為女性的輕蔑與侮辱。對此，詩人明白她女性身份的局限，她在失敗後曾說：「婦言不出于閫，吾以國難蒙恥，以至於此。」〔註10〕女子之才與德的矛盾，讓詩人陷入困厄之境，即使「工書畫詩文，善舞劍」〔註11〕也只能空有一身才情而抱憾終身。但臨終之前即時的急迅之雷、清幽之雨像是上天要將她帶離塵俗之地，並象徵著某種神聖清明的意志，與詩人一生的心志相同，此時她渴望能及早擺脫在凡俗間遭遇的種種困厄及塵世之累，隨著上天而歸去，「收拾閒雲補衲頭」表達嚮往登臨仙境的想法。超曠的思想顯示詩人對於人間毫不眷戀，而滿腹愁情感慨與悲憤都寄託於此。

　　劉淑英這種自組軍隊保國抗敵的女中英雄形象，以當時對於女性的歸類而言，屬於明代黃一正所編的十六世紀百科全書《事物紺珠》中的「女中丈夫」〔註12〕一類。所謂的女中丈夫，指的是「女有男才」，

〔註 8〕錢仲聯主編：《清詩紀事》卷 22，頁 15508。
〔註 9〕錢仲聯主編：《清詩紀事》卷 22，頁 15508。
〔註10〕〔清〕徐鼐：《小腆紀傳‧列女》卷六十，頁 685。
〔註11〕錢仲聯主編：《清詩紀事》卷 22，頁 15508。
〔註12〕在《事物紺珠》中，作者將女性分類，出現了一些不同於以往的類型，如：「女史」為女而通書；「女士」為女有士行；「女丈夫」為女有男才；「女而不婦」為知女道而不知婦道。參見〔明〕黃一正《事物紺珠》，收錄於《四庫全書存目叢書‧子部第 200 冊》（台南：莊嚴文化事業有限公司，西元 1995 年 9 月），頁 693。

後天的文化預設決定了所謂「男性氣質」與「女性氣質」之分，女性而有男才，無疑爲一種女性的越界行爲，這使得儒家所強調的男／女、內／外的性別秩序陷入混淆。身爲一名詩書教養的閨秀，劉淑英自當嫻熟於教育婦女的道德規範與準則，她自己所言「婦言不出于閫」正是出於《禮記・曲禮》所說：「外言不入於梱，內言不出於梱」〔註13〕意謂女性不言外事，這種強調內外之別的規範明顯是對婦德的重視。相對地，對於女性之才是抱持貶抑的態度。詩人「恨非男子」的悲憤之語道出男性的超越性以及女性的內在性。〔註14〕

　　但是，值得注意的是，如畢著與劉淑英這樣盡忠盡孝的女詩人，她們的亂離詩作不但在許多詩集中皆被選錄，且詳細地紀錄了其忠義事蹟，這當然能顯示其民族精神煥發的動人，但另一方面卻如學者所發現：

> 很多才女的詩名與其說由於她們的詩寫得好，不如說由於
> 她們的模範事蹟而得到了張揚。作者在文學上的地位竟然
> 建立在史傳對她們的道德結論之上。〔註15〕

這種重德的現象在清代詩人惲珠所編《國朝閨秀正始集》中也可以發現：「是集所選以性情淑貞，音律和雅爲最」〔註16〕其所標榜的是那些賢淑節烈貞潔的女詩人，她們的模範事蹟而非詩才，成爲其詩作所以入選的重要因素。如此一來，便忽略了女詩人的特質，反而更鞏固了父權制度。當後人的評論以「脫卻閨閣習氣」、「全無脂粉氣」一語

〔註13〕鄭玄注，孔穎達疏：《禮記正義・卷二・曲禮上》，（台北：中華書局，西元 1966 年 3 月，據宋代阮元校勘本），頁 7～8。

〔註14〕西蒙・波娃認爲，男人的優勢具有「超越性」，而女人的劣勢是由於陷入了「內在性」。丈夫既然是個生產工作者，他便超越了家庭的利益而看向社會的利益，他的前途因參加了社會事業而光明正大：他是「超越」的化身，女人則不幸被編派了傳宗接代和操持家務的任務──那就是說，她的功用是「內圍」的。參見西蒙・波娃：《第二性・第二卷：處境》（台北：志文出版社，西元 1992 年 9 月），頁 11～12。

〔註15〕康正果：《女權主義與文學》（北京：中國社會科學出版社，西元 1994 年 2 月），頁 68。

〔註16〕〔清〕完顏惲珠：《國朝閨秀正始集》，（清道光辛卯十一年（西元 1831 年）紅香館刊本）。

概括如畢著與劉淑英這樣的女性詩作之時，也顯示出男女的性別類比思維習慣，在這種對於女性氣質的貶抑之中，暗示了對男性氣質的讚揚。因此，挑戰且越過性別界線的女詩人詩作在父權社會反而受到了表彰，眞正的原因在於她們的詩作呈現的民族精神與忠君思想，不但不偏離且符合儒家思想。儒家對女性貞節的規範，本質上便是一種道德的忠誠，而政治忠誠是個人忠誠的延伸。因此當談到女性的愛國民族精神時，女性的自覺意識反而被父權社會的儒家思想所掩埋，而無法散發其光芒。但也是在父權思想的保護之下，女性追求自由的意識才不至於遭到譴責。

　　這種以女英雄姿態出現的忠臣形象，顛覆了以往既有的女性形象與類型，在長久以來的文學作品中，女性的形象大多出於男性作家之手。換言之，婦女形象爲男性中心文化的產物。更進一步來說，婦女形象也不僅是單純的文學形象，「應把它視爲由不同的話語形式——由古代神話直到今天的精神分析——組成的相互本文。」（註17）因此，婦女形象可以說在男性文人期望與想像下而成形，在這種情況下，只要是不符合男性所塑造的理想化形象，如賢淑、溫順、貞潔、善良等美好的婦德，就可能存在被指責與鞭撻的危險。女權主義批評家強調：

> 女人身上被指責爲「惡德」的品行未必就是絕對邪惡的，
> 之所以被指責爲「惡德」，只是因爲它表現了女人身上的「男
> 人氣」。（註18）

可以發現，不論是女英雄的忠臣形象是所謂女人身上的「男人氣」，但是她們的詩作並沒有受到社會的批判或指責，反而受到贊揚與尊重，正是因爲在明清之際特定的歷史時空下，她們愛國的行爲切合儒家的規範，即使游移於性別的秩序內外，在其中出入徘徊，但她們所表現出來的形象與姿態卻是封建體系所能接受的。另一方面，極有可

〔註17〕康正果：《女權主義與文學》（北京：中國社會科學出版社，西元1994年2月），頁43。
〔註18〕康正果：《女權主義與文學》，頁49。

能基於她們本身的才氣，讓那些愛才的男性文人起了欣賞愛惜之情，其「男子氣」反而成爲她們出入公共空間的優勢。因而，在明清的亂離詩作中，才能發現有別以往不同風貌的女性形象。

事實上，明末的社會變動讓社會性別界線顯得鬆動，在明清戲劇中，出現了像是徐渭的「女狀元辭凰得鳳」，以及凌濛初《二刻拍案驚奇》中「同窗友認假作眞，女秀才移花接木」等顚鸞倒鳳、女扮男裝的「女狀元」、「女秀才」形象，以及明末清初許多像是男女衣服混穿的女性、像男孩一樣被撫養的女孩、女射箭能手及男刺繡名家，這種種現象顯示著性別秩序的失落與混亂，在傳統的規範裡其實充滿了許多空隙，讓女性得以穿越。正如康正果所言：

> 相對於男性中心文化而言，女作家固然構成了一個獨特的群體，但她們並非住在父權制包圍的閣樓上，而是消融在父權制的汪洋大海裡。她們既受到限制，又通向開放的空間，因爲無論是男性或女性，只要保持自己的個性，就會給文學傳統增加新的東西。〔註19〕

這段話指出了女性身在一個既限制又開放的社會中，其主觀性與個性讓她們能脫離父權的限制，創造自身的話語。如此看來，凱特·米莉特（Kate Millett）在其《性政治》一書中強調男性通過性政治支配女性的「性別支配」概念，〔註20〕就顯得並非如此牢不可破。就如傅柯（Foucault Michel）所說：「權力不是某種可以獲得、奪取或分享的東西，不是某種可以保留或喪失的東西；權力的實施乃是通過無數的

〔註19〕康正果：《女權主義與文學》（北京：中國社會科學出版社，西元1994年2月），頁103。

〔註20〕所謂性政治就是維護父權制的基本策略。凱特·米莉特（Kate Millett）認爲，如果說在一般的權力結構中，一部分人通過政治來控制另一部分人，那麼在兩性關係的權力結構中，男性便通過性政治支配女性。性別支配是當今文化中無處不有的意識形態，它提供了最基本的權力概念。參見凱特·米莉特（Kate Millett）著，宋文偉譯：《性政治》（南京：江蘇人民出版社，西元2000年9月），頁32～34。

點，透過不均等的、運動力關係的變化得到實現的。」〔註21〕事實上，
權力並非「來自某一個體的選擇或決定；不必尋找保證權力合理性的
最高機構」〔註22〕因此，以性別而言，權力流動在男女關係中，無法
被某一方完全掌控。以此來觀察明末清初女性角色的錯位與延伸，女
詩人在男女角色間的徘徊以及個性的展現都說明了並不存在一個先
天的女性本質，那些相對概念用來區分男性和女性：「文化」與「自
然」、「理性」與「激情」只說明了性別的意識型態。而這種性別的意
識型態刻寫在話語──我們的言談和寫作方式──中，它「在文化實
踐種生產和再生產」。〔註23〕因此，女人是人類話語的產物，只能在
不斷地發掘與尋求中，重新發現女性面貌與女性特質。由此可知，在
女性的書寫中，也並不存在單一的風格。

第二節　對國家社稷的憂心與關懷

明清之際，國家搖搖欲墜之時，「以天下為己任」的傳統士大夫
精神讓男性文人在此時思考如何救亡圖存、延續文明的傳承。在此同
時，明末政治變局的歷史時空也讓女性走進公共空間，參與以往屬於
男性的公眾事務。她們也如同一般男性文人一樣，對於國家的亂亡有
所反思與批判，對於社會現象有著一份同士大夫一樣「先天下之憂而
憂」的責任與關懷，這使得她們的詩作中對於處在國破家亡亂離境遇
的廣大人民，流露出憂心與同情。

一、批判、諷喻國是

明朝後期國是日非、黨爭頻繁，國家本身的混亂讓清軍的攻佔勢

〔註21〕傅柯・米歇爾（Foucault Michel）著、尚衡譯：《性意識史・第一卷》
　　　　（台北：桂冠圖書，西元 1990 年 1 月），頁 81。
〔註22〕傅柯・米歇爾（Foucault Michel）著、尚衡譯：《性意識史・第一卷》，
　　　　頁 81～82。
〔註23〕格蕾・格林等編，陳引馳譯：《女性主義文學批評》（台北：駱駝出
　　　　版社，西元 1995 年 7 月），頁 3。

如破竹，尤其是在明朝覆滅之後，南明王朝的建立本是人民希望的寄
託，卻在短短的時間內滅亡，有不少的詩作針對此事加以諷喻。在台
城舊內發現的兩首七言絕句〈舊內題壁〉：

> 南朝天子一愁無，石子網連玄武湖。草綠離宮人不到，
> 日長惟敕阮佃夫。臨春閣外渺無涯，烽火連天動妾懷。
> 十懷長圍今夜合，君王猶自在秦淮。〔註24〕

《婦人集》：「詞意淒婉，類弘光時宮人語。」〔註25〕可知為弘光宮女
所作。這首詩作描述了南明時期的社會，詩中寄託了詩人悲憤之情。
1644 年清兵入關後，明朝的國勢便岌岌可危，南明王朝不思振作，
皇帝鎮日遊玩山水，大權旁落在馬士英手上，卻不思防禦備戰的兵
事。到後來因馬士英舉薦，重新起用閹黨阮大鋮為兵部尚書，《婦人
集》云：「弘光時懷寧阮大鋮方貴幸用事，詩中所云佃夫，意或指此」。
〔註26〕在第一首詩中，描繪了當時南朝天子不思政事以致朝臣弄權的
現實情況，在詩人看似平靜的語調中暗諷了天子的昏庸腐敗，流露對
朝政的憂心。在第二首詩中，「臨春閣外渺無涯，烽火連天動妾懷。」
宮外無邊無際的天地是一片烽火連天的景象，觸動了詩人的情懷而生
起憂國之思，詩人的感受在此句中表露出來，四處的動亂烽火讓詩人
感到憂心忡忡。「十懷長圍今夜合，君王猶自在秦淮。」清兵在今晚
就要聯合重重包圍了，但天子卻仍流連駐足於秦淮，笙歌夜夜，飲酒
作樂，「猶自」二字寫出天子的無動於衷。詩人在此句中的批判毫不
留情，直陳其事，連一名身世卑微的宮女都因國家危在旦夕而憂愁，
身為君王卻不聞不問，運用了對比寄託詩人的亡國之恨。

　　同樣的心情在明末閨秀黃媛介（字皆令）的詩中也可以發現。其
〈丙戌清明〉一詩道：

> 倚柱空懷漆室憂，人家依舊有紅樓。思將細雨應同發，

〔註24〕〔清〕陳維崧撰、冒褒注：《婦人集》，嚴一萍編：《百部叢書集成》
　　　　（台北：藝文印書館，據清道光海山仙館叢本影印），頁4。
〔註25〕陳維崧撰、冒褒注：《婦人集》，嚴一萍編：《百部叢書集成》，頁4。
〔註26〕陳維崧撰、冒褒注：《婦人集》，嚴一萍編：《百部叢書集成》，頁4。

> 淚與飛花總不收。折柳已成新伏臘，禁烟原是古春秋。
>
> 自雲親舍常凝望，一寸心當萬斛愁。〔註27〕

在清明時節的氛圍裡，詩人緬懷的心緒油然而生，在家國已零落殆盡的時刻，她想起春秋魯國漆室女憂心國事倚柱而歌，來表達自己對國家深切的憂慮，這種「憂國憂民」的情懷讓人想起像杜甫這樣的男性文人，其「詩史」中見證當代的社會現實同時寄託對國家人民的同情與憂心。詩人低沉的語調一轉，下一句「人家依舊有紅樓」詩人對於那些國家亂亡之際，仍然出入紅樓宴飲享樂，棄國家於不顧的男性作出了批判。清明時節的綿綿細雨襯托詩人痛切憂愁的心緒，亡國之愁與恨將延續到千古難以休止。

在明清改朝換代之際，士人面臨了政治上的出處問題，在這個民族矛盾激化的時刻，當時有數量龐大的士大夫紛紛選擇以身殉國，但也出現像是吳三桂、洪承疇等降敵之臣，共同事奉新朝。杜小英的〈絕命詩十首〉的最後一首寫道：

> 圖史當年強解親，殺身自古欲成仁。簪纓雖愧奇男子，
>
> 猶勝王朝共事臣。〔註28〕

在詩人決意以死殉國的同時，強烈譴責了那些服事異族的官僚。詩人幼年所受的教育，勉力學習那些教人如何立身處事的圖書史籍，在談遷的《北游錄》中記載的〈辰州杜烈女詩并自序〉中，即自述詩人早年教育的情況：「……取古今烈女閨訓，逐一詳誨。其古文詩歌，例皆烈女節婦語錄，他不敢從。」〔註29〕在這過程中，孔子所云：「志士仁人，無求生以害仁，有殺身以成仁。」〔註30〕對詩人影響至深，詩中充滿了悲涼慷慨的語調。詩人在被擄亂離的處境中為了維護尊嚴而捨身，對於那些苟且求生的降臣，鄙視而憎恨，「簪纓

〔註27〕錢仲聯主編：《清詩紀事》卷22，頁15608。

〔註28〕錢仲聯主編：《清詩紀事》卷22，頁15533。

〔註29〕錢仲聯主編：《清詩紀事》卷22，頁15534。

〔註30〕何晏集解，邢昺疏：《十三經注疏‧論語‧衛靈公》（台北：大化書局，西元1989年10月，嘉慶二十年重刊宋本），頁5466。

雖愧奇男子，猶勝王朝共事臣。」身爲女性的詩人自認比不上那些
建功立業的男子，卻遠勝過那些服事新朝的降臣。計六奇《明季南
略》云：「讀至卒章『殺身』、『猶勝』等語，則非閨秀口角，儼與文
山爭烈矣！」〔註31〕將詩人與文天祥並提，可見其對詩人節烈精神
的折服讚揚以及民族精神的表彰。

二、對社會人民的憂心與關懷

　　明末閨秀方維儀（字仲賢），爲桐城人，方以智的姑母，著有
《清芬閣集》，並將歷代女性詩作編成《宮閨詩史》。其身世曲折，
以節著稱，《清代閨閣徵略》云：「仲賢早寡，大歸守志，以文史代
織紝」〔註32〕其才識過人卻遭遇不幸，與其妹兩人度過七十年以上
的孀居生活，因而「自始至終有著無家可歸的失落感」。〔註33〕在
這種失落感中，又經歷了國家變故，使她詩作中的憂患感更加深
刻，其〈旅夜聞寇〉詩云：

> 蟋蟀聞秋户，涼風起暮山。衰年逢世亂，故園幾時還？
> 盜賊侵南甸，軍書下北關。生民荼炭盡，積血染刀纓。
>
> 〔註34〕

這是一首寫於避亂流離時的詩作。詩人的心緒被門外蟋蟀鳴叫聲所擾
亂，秋天的暮色蒼茫而悲涼，引起詩人因避戰亂而客居異地的游子思

〔註31〕計六奇編：《明季南略》卷15，（台北：台灣商務印書館，西元1979
　　　　年3月），頁361。

〔註32〕〔清〕施淑儀：《清代閨閣詩人徵略》（台北：明文書局，西元1985
　　　　年5月）卷1，頁40。

〔註33〕孫康宜指出，除了自嘆薄命之外，方維儀很誠實地道出寄父母籬下
　　　　的苦悶，在賓婦生活中，體驗到孤獨的苦悶。但另一方面，在漫長
　　　　的孀居生活中，吟詩填詞便成爲她們的眞正寄託與生命歸宿。文學
　　　　創作成爲她們的救贖。參見孫康宜：〈寡婦詩人文學「聲音」〉，收錄
　　　　於孫康宜：《文學經典的挑戰》（南昌：百花洲文藝出版社，西元2002
　　　　年3月），頁317～318。

〔註34〕〔清〕沈德潛：《清詩別裁集》（上海：上海古籍出版社，西元1984
　　　　年3月），頁1302。

鄉心情。在黃昏的秋風中，一種孤獨感與愁緒隨之而翻騰，詩人在衰年遭逢世亂，而漂泊他鄉，顛沛流離，「故園幾時還」表達對家鄉與故國強烈的思念之情。在旅居的生活中，國家依舊動盪不安，盜賊的侵略與向北急切傳遞的軍書，描繪了當時混亂的景象，戰亂使人民陷入極端的困苦處境，眼見「生民荼炭盡」民不聊生的景象，「積血染刀鐶」令人觸目，將士在戰爭中犧牲，百姓也因此喪生，詩人難掩其憂心與同情。沈德潛《明詩別裁集》稱此詩：「如讀杜老傷時之作，閨閣中乃有此人。」〔註35〕

詩人傷時憂民的情懷，亦表現在其另一首〈出塞〉詩中：

辭家萬里戍，關路隔風煙。賦重無餘餉，邊荒不種田。

小兵知有死，貪吏尚求錢。倚賴君王福，何時唱凱旋。

〔註36〕

這是一首反映士兵生活的詩作。明末的政治混亂黑暗，從官場的腐敗延伸到邊防的軍官，詩人從一名小兵的角度來觀察，士兵辭別家鄉到萬里之外的邊塞戍守保衛國家，從此風煙阻隔，與親人也許無法再相見，寫出士兵的離別之苦。而邊地生活因為賦稅沉重而沒有足夠的糧食，必須忍飢耐寒，除了賦重之外更由於官吏的貪婪，讓士兵的處境更加困苦，「知有死」的士兵在邊境的飢寒中，對於自己的處境與環境的壓迫、人的貪婪感到絕望，而這種情況卻是人本身所造成的，「貪吏」與「小兵」形成強烈對比。最後，士兵將願望寄託於君王身上，倚賴君王的福祉，何時能打勝仗凱旋回鄉？在絕望中的一線生機卻也顯得如此無可奈何，反而形成了諷諭。方維儀此首詩藉一名小兵來諷刺時事，與杜甫在安史之亂時期所寫的三吏三別，同樣都從小人物著眼，烘托出整個社會現象，從對人民的同情中流露出仁者情懷。《閨秀集》云：「滿腔悲鳴寫得愷至。」，〔註37〕正是此意。

〔註35〕〔清〕沈德潛：《明詩別裁集》（北京：中華書局，西元1975年）卷12，頁142。

〔註36〕〔清〕季嫻：《閨秀集》清抄本，《四庫全書存目叢書》，頁355。

〔註37〕〔清〕季嫻：《閨秀集》（四庫全書存目叢書，清抄本），頁356。

三、抱負難伸的英雄末路之感

明朝的政治氛圍到了明末之時，已陷入黑暗時期，內部黨爭的傾軋不斷及閹黨的弄權，外部要抵禦清軍的侵略，此時動輒得咎。而明亡之後，國家大勢已去，士人處境更顯侷促，即使有志之士急欲挽救國家頹勢，也毫無伸展之處。明末著名戲劇〈桃花扇〉主要「藉離合之情，寫興亡之感」，劇中描寫明朝的亂亡，此時的文人雖力挽狂瀾最終也以國破家亡的失落悃悵作結。眼見國家淪落，文人雖憤世嫉俗，懷抱奇才大志，但生於末世，無所用武之地，只徒留英雄無路的感嘆。可以想見此時文人的處境，滿腹家國身世之感，與抑鬱難平之氣，在歷史的動盪中茫然失措，於外在環境失去秩序之時，文人的抱負也無法施展，因此在他們的內心中，充滿無法擺脫的矛盾與痛苦。

明末才女王端淑的詩作中也表達了這種本屬於男性文人的心情。王端淑（字玉映）爲禮部右侍郎王思任之女，自小便才氣逼人，其父曾戲言：「汝曷不爲女狀元」，[註38] 也曾感慨說道：「惜也其身不爲男子，使身爲男子必以文章第一。」[註39] 流露出對其才的驚異與器重之情。其父在明亡後絕食而死，而王端淑隨其夫婿丁聖肇展開亂離生涯，「烈日行崎嶇山谷中三十里……兵中備極險阻」，[註40] 其《吟紅集》即敘述她在明亡後的亂離，「吟紅，志悲也。……夫人其猶秋士之心也。」[註41] 不僅如此，她選明代以來女性詩文編成《名媛詩緯》、《名媛文緯》，除了「不忍一代之閨秀佳詠湮沒煙草」[註42]的憐才之心外，其自序中對其書名有所解釋：

〔註38〕〔清〕王猷定：〈王端淑傳〉，〔清〕王端淑編：《銘媛詩緯初編》，（清康熙間清音堂刊本），頁2。

〔註39〕〔清〕孟稱舜：〈丁夫人傳〉，〔清〕王端淑編：《名媛詩緯初編》，頁1。

〔註40〕〔清〕王猷定：〈王端淑傳〉，〔清〕王端淑編：《銘媛詩緯初編》，（清康熙間清音堂刊本），頁4。

〔註41〕〔清〕孟稱舜：〈丁夫人傳〉，〔清〕王端淑編：《名媛詩緯初編》，頁13。

〔註42〕〔清〕丁聖肇〈名媛詩緯初編敘〉，〔清〕王端淑編：《名媛詩緯初編》，頁1。

日月江河，經天緯地，則天地之詩也。靜者爲經，動者爲

緯，南北爲經，東西爲緯；則屋野之詩也，不緯則不經。

昔人擬經而經亡，則寧退處於緯之，足以存經也。﹝註43﹞

她試圖以《詩緯》與《詩經》交織而成一個完整的詩歌體系，來提升

女性詩歌的地位，進入男性所主導的文壇，可見其雄心。因博通經史、

詩賦，而以此爲職業，她現身出入於公共領域中，與男性文人互相酬

唱往來，「與王端淑交往的文人從她的才華和關注點上將她視作男

性」，﹝註44﹞從此點而言，她已經超越家庭的領域而進入公眾領域，

身爲一名女性，其職業、書寫與表達皆與一般男性文人無異。

　　對一名原本已出入於公共空間的女詩人來說，國家政治的議題對

王端淑而言必然不陌生，而她在詩歌中也展現了如同男性一般的政治

企圖與抱負，其〈西陵阻風卻渡〉云：

搖落西風不自由，蠻歌唱徹古涼州。恨無勁弩平潮去，

兀坐西陵破酒樓。破浪無能寄酒樓，酒樓無酒更添愁。

英雄豈乏投鞭術，淪落秋風易白頭。﹝註45﹞

詩題〈西陵阻風卻渡〉一語道出詩人無可奈何的處境。急勁吹起的秋

風阻斷了詩人的去路，風起而潮生，讓欲渡河的詩人只能坐困於破酒

樓中兀自等待，詩人以一個偶然發生的情境，抒發亡國的心情。國家

的動盪如一股陡然吹起的疾風，讓詩人無法自由施展抱負，「蠻歌唱

徹古涼州」異族的入侵讓國家危在旦夕，這一股浪潮來得又急又快，

詩人苦恨沒有平潮的弓弩能將之擊退，害怕從此坐困愁城一事無成。

沒有乘風破浪而去的能力，困在酒樓中又無酒能解愁，詩人宛如一名

失意落魄的文人，「英雄豈乏投鞭術，淪落秋風易白頭。」寫出英雄

無路的感慨，即使懷抱奇才壯志的英雄，在末世家國淪落之際，也無

法一展長才，只能坐守一隅任雄心壯志在歲月中蹉跎虛擲。此詩低昂

起伏，激越的豪情壯志，最後跌入詩末無奈的失落惆悵中，詩人感懷

﹝註43﹞〔清〕王端淑《名媛詩緯初編・自序》，頁1。

﹝註44﹞高彥頤（Dorothy Ko）：《閨塾師——明末清初江南的才女文化》，頁142。

﹝註45﹞〔清〕王端淑〈名媛詩緯初編〉，（清康熙間清音堂刊本）卷42，頁9。

家國的情緒在秋天蕭瑟之氣中，更難掩淒楚悲涼的滄桑之感。此詩繼承了宋玉悲秋的傳統，表現出文人特有的憂患與失落。

綜觀前此兩節，女詩人在其亂離詩中無論是書寫其愛國的民族精神，或是感時憂國的情緒，都表現出一種與男性文人認同的現象，她們詩中對國家政治所流露的主觀性與自發性，以孫康宜的話來說，是女性「文人化」〔註46〕的傾向。並進一步指出這種原是十足男性化的寫作的價值觀，把它與女性聯接在一起，等於創造了一種風格上的「男女雙性」，〔註47〕此語闡釋出男女氣質的雙重性，女性身上具有男性氣質，無異是精神上及心理上對男性的文化認同，也是一種性別的越界。在明末清初女詩人吟詠亂離及國家政治時，對男性的認同與仿效則更為明顯，陣前殺敵的女英雄、忠誠愛國的忠臣、憂心社稷的士人、不遇的失意文人等形象都是女詩人雙性氣質的充分展現。

第三節　殉國與殉節的雙重糾結

明末清初女詩人的亂離詩作見證了一個時代的興亡，她們以書寫的方式介入歷史政治的範疇，以話語對國族產生了影響。「身體」本身也是一種話語形式，並且如司徒安所指出：「身體是寫作者的工具，用來關注統治階級的問題，以及全然抽象的統治心理。」〔註48〕因此，

〔註46〕孫康宜指出明清女詩人「文人化」傾向，是一種生活藝術化的表現及對俗世的超越：例如吟詩填詞、琴棋書畫、談禪說道、品茶養花、遊山玩水等生活情趣的培養。與男性文人相同，這些女詩人強調寫作的自發性，寫作的消閒性，及寫作的分享性。參見孫康宜：〈走向男女雙性的理想〉，收錄於孫康宜：《古典與現代的價值觀，把它與女性聯接在一起，等於創造了一種風格上的女性闡釋》（台北：聯合文學出版社，西元 1998 年 4 月），頁 74。

〔註47〕男女雙性（Androgyny），（Androgyny）這個名詞在台灣被譯成「雌雄同體」，但孫康宜認為把它譯成「男女雙性」更能表現其精神上及心理上的文化認同意義。參見孫康宜：〈走向男女雙性的理想〉，收錄於孫康宜：《古典與現代的女性闡釋》，頁 74。

〔註48〕司徒文（Angela Zito）：〈賣身為父：中國十七世紀的父母採購〉，收錄於張壽安、熊秉真合編：《情欲明清——達情篇》（台北：麥田出

明清文學出現了大量的身體書寫，事實上正透露出當時的政治與文化心理。明清易代之際，有許多女性選擇殉死，其中蘊含了許多複雜的因素。由此時女詩人在殉死前所留下的詩作，尤其是遺留下的大量「題壁詩」與「絕命詞」中，她們慷慨自陳的亂離身世與表白，展現了明清之際女性殉死的意志與心情，藉此有助於釐清她們選擇以身殉死的種種複雜因素。在第一小節中先就明代形成這種女性「殉死」風氣的社會時空與背景作討論。

一、明末的情觀與貞節觀

　　明末興起一股崇尚情欲的思潮，這種風氣的形成源於當時的「情觀」，主要由兩個方面表現出來：一是哲學話語的形式；二是文學作品中對「情」所作的表達。哲學術語是男性對於情的表達所運用的形式，一直以來，儒家學說採取對情欲壓制的方式來宣揚其道德學說，如宋明理學主張節情去欲，到了明末陽明後學泰州學派卻主張對情欲加以正視，說明其對儒學的歧出與悖離。泰州學派是由王艮（字心齋，約西元 1483 年～西元 1540 年）所創，終其一生秉持著熱情向百姓宣揚儒家美德，強調道眼前即是、百姓日用即道，「聖人之道無異於百姓日用，凡有異者皆謂之異端」〔註49〕肯定了日常男女的需求。心齋弟子顏山農（西元 1540 年～西元 1596 年）則把情上提至超越層面：「性情也，神莫也，一而二，二而一者也。如此申晰，是爲『從心所欲不踰矩』之學。」〔註50〕山農弟子何心隱（西元 1517 年～西元 1579 年）則進一步主張「育欲」：「仲尼欲明明德於天下，欲治國、欲齊家、欲修身、欲正心、欲誠意、欲致知在格物，七十從其所欲，而不踰平天下之矩，以育欲也。」〔註51〕學者鄭宗義認爲其肯定情欲的說法已把赤子良心的超越面完全丟棄，則已爲縱情率性爲無忌憚的下乘者開

版，西元 2004 年 9 月），頁 221。
〔註49〕《王心齋先生遺集》（東台袁氏據原刻本重編校付印）卷 1，頁 5 上。
〔註50〕《顏鈞集・卷二》（北京：中國社會科學院，西元 1996 年），頁 13。
〔註51〕《何心隱集》（北京：中華書局，西元 1960 年）卷 3，頁 72。

一理論藉口矣。〔註52〕

　　泰州學派放縱情欲的思想成為晚明重情觀念的源頭，但情欲的氾濫則要歸之於文學的傳播。文學家馮夢龍（西元 1574 年～西元 1646 年）的《情大類略》將情分為二十四類，寫出了許多感人的男女情史，其中的主角皆以情為道德的最高境界。作者在〈序〉中說明：

> 六經皆情教也。《易》導夫婦，《詩》有關雎，《書》序嬪虞之文，《禮》謹聘奔之別，《春秋》於姬姜之際詳然言之，豈非以情始於男女，凡民之所必開者，聖人亦因而導之，俾勿作於涼。〔註53〕

以情立教的說法高高地標舉了「情欲」的地位。而在明末湯顯祖（西元 1550 年～西元 1616 年）的戲劇《牡丹亭》中所描述的情不受道德甚至死亡所約束，這位劇作家對情迷戀且深信不疑，《牡丹亭》中所寫的題詞：

> 情不知所起，一往而深。生者可以死，死者可以生。生而不可與死，死而不可復生者，皆非情之至也。夢中之情，何必非真？天下豈少夢中之人耶！必因荐枕而成親，待挂冠而為密者，皆形骸之論也。〔註54〕

此段話已不斷被引用作為「情至」的宣言。夏志清認為此劇中的情有著「超越時間的一面」，並認為是「人類存在的一個顯著特徵」。〔註55〕

〔註52〕鄭宗義將泰州學派的發展分為三個階段：第一階段「道體流行」，在義理上乃依良知的充分呈現來表示一似平常而實極高明的圓融境界、第二階段「赤子之心」更強調將圓境同時看做就是本心自己之實性，並名之曰一活活潑潑、天機發見、自然而然的赤子本心。第三階段「情識而肆」則把良知本心的性情之德搖身一變而為自然主義的情性之肆。參見鄭宗義：〈性情與情性：論明末泰州學派的情欲觀〉，收錄於張壽安、熊秉真合編：《情欲明清——達情篇》（台北：麥田出版，西元 2004 年 9 月），頁 69。

〔註53〕〔明〕馮夢龍：《馮夢龍全集・情史上・敘》（上海：上海古籍出版社，西元 1993 年 6 月），頁 1～3。

〔註54〕〔明〕湯顯祖：《牡丹亭・作者題詞》（台北：漢京文化，西元 1984 年 3 月），頁 1。

〔註55〕夏志清：〈湯顯祖戲劇中的時間和人性狀況〉。

明末戲曲以塑造角色的典型強調情愛，並因其通俗的形式風靡了整個時代，對當時的讀者形成強烈的影響。孫康宜因而指出，「為情獻身」乃成為晚明戲曲與說部的中心課題，而且其敘寫正反映了一種新的感性與道德觀。〔註56〕這種新的道德觀無疑是對儒家傳統道德觀的顛覆。

情教的觀念透過文學作品的傳播，其無遠弗屆的魅力感染了廣大讀者群，連當時的女性讀者群也不例外。明清女性的閱讀，是她們超越現實生活的一種方式，超越私密的閨閣空間，透過文學的虛構進入一個想像的世界。高彥頤以「情迷」來形容當時婦女閱讀《牡丹亭》所產生的一種狂熱現象，並闡明閱讀《牡丹亭》這種浪漫作品塑造了女性的自我認識，並將其自我認識化為紙上的評論和詩作，從而於讀者群中燃起一股情迷。〔註57〕因此，女性對戲劇的欣賞與同情的閱讀促成對自我的重新認識，她們透過閱讀所受到的影響與引起的共鳴不言可喻，這種將情視為至高無上的情觀，教化人們可以為了一個終極的價值隨時作出犧牲奉獻。在這種風氣之下，造成明末殉情現象的盛行，也因此引起學者對於當時貞婦真正動機的質疑。這些貞婦的名字被銘記在地方志中，他猜想這些女性實際是殉情，而非出自道德準則。〔註58〕由此可知，由於明末情欲觀念的影響，讓儒家道德規範下的「殉節」可能摻雜了「殉情」的成分，或者純然屬於「殉情」這種自主意識下的行為。

以董家遵對歷代節烈婦女所作的統計來看：

〔註56〕孫康宜：《陳子龍與柳如是詩詞情緣》（台北：允晨文化，西元 1992年 2 月），頁 63。

〔註57〕高彥頤（Dorothy Ko）：《閨塾師——明末清初江南的才女文化》，頁 72。

〔註58〕明末的情觀試圖將情包容於儒家的道德中，高彥頤指出在一些明末清初的戲劇和散文中，自殺的癡情妓女被等同於了投井的貞婦，因兩者都體現了儒家名言「從一而終，至死不渝」。而且這些女性也如為國捐軀的忠臣一樣被頌揚。便是由於儒家道德的淡化，而引起學者合山究對貞婦的質疑。參見高彥頤（Dorothy Ko）：《閨塾師——明末清初江南的才女文化》，頁 72。

歷代烈女數量比較表〔註59〕

時　代	周	漢	魏晉南北朝	隋唐	遼	宋	金	元	明	清
百分比	0.06	0.16	0.3	0.24	0.04	1	0.23	3.15	71.46	23.37
數　目	7	19	35	29	5	122	28	383	8688	2841
目　次	1	2	3	4	5	6	7	8	9	10

　　根據此表，明代的烈女數目遠超過其他時代，董家遵對烈女所下的定義是「犧牲生命或遭殺戮以保她底貞潔」〔註60〕也就是殉身的婦女。由此可以看出受到明代貞節制度嚴格化的影響，在明代，年輕寡婦宣稱自己意欲「殉死」而自殺的行為頗受仰慕，被認為是婦女忠貞的一種高尚展示。〔註61〕由此可看出明代對婦女「殉」的行為的提倡，尤其是在明清之際，根據安碧蓮的統計，明末亂世避污而死的烈婦貞女數量相當龐大，僅之於夫亡而殉夫的烈婦。〔註62〕再者，那些保留在《明史・烈女傳》中的女性事蹟，也能說明殉死的烈女數量在明代異常之多。而明末婦女的殉死不僅是一種節烈的表現，在國家亂亡異族侵略的時刻，她們殉死的姿態「被視為自我犧牲的英勇行徑與忠誠的戲劇化展現，因而鼓舞了從事反清復明運動的男人」。〔註63〕

　　因此，在明清亂亡的歷史時空之下，婦女的殉身便蘊含了許多複雜的成分，殉情、殉節，乃至殉國，交織成明末女性殉死的幾種面向。

〔註59〕此表取自董家遵：〈中國婦女史論集〉，收錄於鮑家麟編：《中國婦女史論集》（台北：稻鄉出版社，西元1979年10月），頁112。

〔註60〕董家遵：〈中國婦女史論集〉，收錄於鮑家麟編：《中國婦女史論集》，頁113。

〔註61〕此為曼素恩引用田汝康的說法。參見曼素恩：《蘭閨寶錄：晚明至盛清的中國婦女》，（台北，左岸文化，西元2005年11月），頁78。

〔註62〕安碧蓮：《明代婦女貞節觀的強化與實踐》，（中國文化大學史學研究所博士論文，西元1995年6月），頁110。

〔註63〕曼素恩：《蘭閨寶錄：晚明至盛清的中國婦女》，頁79。

二、敘述亂離的題壁詩與絕命詩

　　明清之後，大量女子所寫作的題壁詩出現。所謂的題壁詩，是書寫在驛亭或寺廟牆壁上的詩作，最有名的要屬明末清初會稽女子的〈新嘉驛題壁詩〉，詩中自述自身的不幸身世，深受時人同情。其後和詩者眾多，包含了詩人錢謙益與袁中道。從唐代開始有女子題壁詩以來，歷代出現的數量屈指可數，一直要到明末清初才迅速增多，學者合山究歸納形成這種現象的原因：首先，在明末清初的動亂中，流浪各地的女子數量比平時多了起來，這一時期的女子題壁詩以流浪北方的江南女子之作為最多。其次，在當時男性文人之間對薄命佳人存在著異常的崇拜情感，他們當中一旦發現無名女子的題壁詩，便以令人驚奇的熱心加以收集。〔註64〕因此，明末清初的題壁詩作大多數都是那些遇難流離、遭受不幸的女性所留下，在詩的內容中自述其女性的身世遭遇成為題壁詩作的傳統。筆者在明清詩集中蒐羅女性書寫亂離的題壁詩作加以整理，共整理出二十九首題壁詩（參見附錄一），可以發現這些女性題壁詩作幾乎都寫於詩人的亂離途中，有半數以上的詩人遭受被清兵所掠的命運，因而詩作中除了敘述流離的身世之感之外，並寄託了無法歸返的絕望之感。同時，在這二十九首題壁詩當中，其中即有九首是詩人死前的絕筆之作，以數量而言，佔了將近三分之一，在這之中有些女性的身世沒有被記錄下來，只留下「不知所終」的結尾，她們後來是否殉死難以判斷，因此真正的數量可能還更多。這可以顯示在亂亡之時，題壁詩成為女性死前用以自我表白的一種重要形式。

　　除了題壁詩之外，仍有另一種女性死前的絕筆形式，那便是「絕命詩」的寫作，筆者同樣在明清詩集中發現女性絕命詩作共九首（參見附錄二），這些詩作皆為詩人死前的遺作，表達了她們死意堅決的生命情態，而她們的身世與死前的意志都因詩作的流傳而保留了下

〔註64〕　（日）合山究著、李寅生譯：〈明清女子題壁詩考〉，《河池師專學報》第 24 卷第 1 期，2004 年 3 月，頁 55。

來，在戰爭的混亂時期，一位女性生命的消逝不會引起太多的關切與
注意，但透過書寫，女性找到自我銘刻的方式，這讓她們的存在有了
更深刻的力量。

　　不論是在題壁詩或絕命詩中的殉死，女詩人選擇死亡的方式都有
著某種相似性，其中「投水」與「自縊」是最常出現的形式，說明了
傳統貞節觀在她們的意識中自覺或不自覺地留下了深刻的痕跡，那些
史書中的列女傳、以及小說戲劇中的烈女傳說對她們產生極大的影
響，而使她們遵循著一定的模式，以符合傳統社會制度的規範。

三、殉國與殉節的雙重糾結

　　明末清初的女性在時代的亂離中選擇以身殉死，其中蘊含了許多
複雜的因素，綜觀前一小節所整理的題壁詩及絕命詩這些女性殉死前
的詩作，在她們的自我表述中，可以發現「貞節」是她們選擇殉死最
重要也是最關鍵的因素，為了避免受辱而以死全節，是明清之際的女
性最普遍的作法，這個現象也讓明代的烈女數量遠遠超過其他時代。
如方氏〈絕命詩〉：

> 女子生身薄命多，隨夫飄蕩欲如何？移舟到處驚兵火，死
> 作吳江一段波。〔註65〕

顧詒祿《綬堂詩話》云：「錢飲光室方氏，隨夫入新安，取道震澤，遇
兵赴水死，衣皆密紉。……從容就義，不必論詩之工拙矣。」〔註66〕
此詩表明為保貞節不願受辱而殉死的生命情態。再如張氏〈七言絕
句〉：「已將薄命拚流水，身伴豺狼不自由。」以及江干女子「與其辱
而生，不如潔身死。目斷山上雲，心比江中水。」在這些詩中，都以
「殉節」來保全自身的清白。

　　在貞節制度漸趨嚴格化的明代，婦女所受的社會制度影響與束縛
便越深。儒家的道德規範透過教育對女性形成無遠弗屆的影響，「殉」

〔註65〕錢仲聯主編：《清詩紀事》卷22，頁15512。
〔註66〕轉引自錢仲聯主編：《清詩紀事》卷22，頁15512。

是一種身體的表現，與人的感情、知覺一樣，離不開社會的建構，在楊儒賓《儒家身體觀》中，將儒家身體觀分爲三派，其中「禮義的身體觀」便是一種社會化的身體，它強調人的本質、身體與社會的建構是分不開的，〔註67〕他引用米德所說：「沒有某種社會制度，沒有構成社會制度的有組織的社會態度和社會活動，就根本不可能有充分成熟的個體自我或人格。」〔註68〕在這種社會制度的建構之下，女性的身體就成了用來實現制度與規範的重要形式。因此，守節、毀型全節，甚至最極端的殉死，都是以身體來實現與成就自身節操的方式。

在明末閨秀黃媛介（字皆令）的身上，可以發現儒教的影響之深。吳偉業在《梅村家藏稿詩話》中稱其爲「儒家女也」，顯示她是在儒家正統教育濡染中成長，而處事爲人也符合儒家的典範。在她的〈離隱歌自序〉中，有一段自我辯白的文字：

> 乃自乙酉逢亂被劫，轉徙吳閶，遷持白下，後入金沙，閉跡牆東。雖衣食取資于翰墨，而聲影未出于衡門。……爰作長歌，題曰離隱，歸示家兄，或者無曹妹續史之材，庶幾免於蔡琰居身之玷云爾。〔註69〕

她曾在明末的動亂中被劫，後得脫困，這使她在當時必有見疑於人的情事，其兄尤其引以爲恥辱，因此她在〈離隱歌〉中爲自己這段經過作了敘述。其序中所云「聲影未出于衡門」是爲了維護清白與節操，一種身體上的約束，她以離群索居來表明與成就自身的志節，「歸示家兄，庶幾免於蔡琰居身之玷云爾」便是有感於其兄與時人對其貞節的猜疑，使她不得不以詩歌來自我表白與澄清。

由此可知，身體本身也是一種話語形式，爲了某種價值觀而獻身的「殉」是一種最極端而戲劇化的方式。除了「殉節」之外，女性所受的儒家教育必然也受到孔孟所謂「成仁取義」的影響，杜小英的〈絕命

〔註67〕楊儒賓：《儒家身體觀》（台北：中央研究院中國文哲研究，西元1996年11月），頁82。

〔註68〕轉引自楊儒賓：《儒家身體觀》，頁19。

〔註69〕錢仲聯主編：《清詩紀事》卷22，頁15608～15609。

詩〉中提到：「殺身自古欲成仁」便是儒家捨身以成就仁義的作法，明清之際的女性殉死在思想上固然以貞節爲其最大的考量，但也無法斷定沒有其他因素的存在。這種成仁取義的想法便可以說是國族之殉。如江陰女子〈題城牆詩〉：「雪骴白骨滿疆場，萬死孤忠未肯降。寄語行人休掩鼻，活人不及死人香。」強調了國家的忠誠，劉氏〈題壁十首〉：

> 馬革何人能裹屍，四維不振笑男兒。幸存碩果傳幽閤，
> 驛使無由到雅黎。木偶同朝祇素餐，人情說到死眞難。
> 母牽幼女齊含笑，梅骨稜稜傲雪寒。〔註70〕

由這些殉死之作看來，很難說其節操中沒有蘊含殉國的成分。

　　因此在明清之際女詩人的詩作中，存在著不肯屈服於異族的一種民族自覺與意識，然而這種意識是如何形成？班・安德森將「民族」看成是一個「想像的政治共同體」，〔註71〕且認爲民族和家庭一樣，可以要求人們做出犧牲，而將人們與自己的民族連結在一起的，多是因爲感情。〔註72〕而安東尼・史密斯則強調「民族的族裔根源」，認爲：

> 民族主義所造就起來的民族本身，就是來源于先前就已經
> 存在的、具有高度特殊化的文化傳統和種族制度。〔註73〕

這裡所突顯的是文化和歷史環境，但最重要的是奧托・保爾所強調的「共同命運」這樣一個民族建構中極爲重要的元素，可以解釋爲什麼在特定的民族中國人和集體會發生同化作用。〔註74〕

〔註70〕錢仲聯主編：《清詩紀事》卷22，頁15536。

〔註71〕班・安德森認爲民族是一種想像的共同體，是直指集體認同的「認知」面向──想像不是捏造，而是形成任何群體認同所不可或缺的認知過程，因此「想像的共同體」這個名稱指涉的不是什麼「虛假意識」的產物，而是一種社會心理學上的「社會事實」。參見班納迪克・安德森：《想像的共同體：民族主義的起源與散布》（台北：時報文化出版，西元1999年4月），頁10。

〔註72〕伊瓦・戴維斯：〈性別和民族的理論〉，陳順馨、戴錦華選編：《婦女、民族與女性主義》（北京：中央編譯出版社，西元2004年1月），頁25。

〔註73〕伊瓦・戴維斯：〈性別和民族的理論〉，陳順馨、戴錦華選編：《婦女、民族與女性主義》頁31。

〔註74〕伊瓦・戴維斯：〈性別和民族的理論〉，陳順馨、戴錦華選編：《婦女、民族與女性主義》頁31。

　　因而明清之際女性的殉死，其因素便由國族與貞節交織而成，而
這種身體之殉，也成爲一種權力的形式，女性的殉死在易代之際被視
爲自我犧牲的英勇行徑與忠誠的戲劇化展現，她們身體的姿態服從於
儒家的規範，反而爲她們取得了崇高的地位與權力。

第四節　國族與女性身份的省思

　　明末清初女詩人的亂離經驗，與她們的女性身份有相當大的關
聯。國族與個人（女性）的情感往往會產生衝突與矛盾，從中可以窺
見女性心理的掙扎與糾結。商景蘭的一首〈悼亡〉詩，是在她的丈夫
祁彪佳死後所寫，其中透顯出其從容豁達的氣度，對女性的生命有了
另一番不同的見解與詮釋：

> 公自垂千古，吾猶戀一生。君臣原大節，兒女亦人情。折
> 檻生前事，遺碑生後名。存亡雖異路，貞白本相成。〔註75〕

朱彝尊《靜志居詩話》：「祁、商作配，鄉里有金童玉女之目。伉儷相
重，未嘗有妾也。公懷沙日，夫人年僅四十有二。」商景蘭丈夫祁彪
佳，南明抗清名臣，於清順治二年（西元 1645 年）清兵攻陷南京、
杭州後絕食而死，繼而自溺身亡。商景蘭賦《悼亡》詩。此詩悲痛慷
慨，又可見其深明大義。先寫丈夫訊國的崇高民族氣節，此節操足以
名垂千古，再寫自己懷戀一生，因爲「兒女亦人情」，撫育兒女成長
是身爲一名母親的責任，因此不能隨夫俱死。雖然如此，貞節不會隨
著存或亡而有所動搖。詩中在大節與小我（女性的情感）中辯白，並
寫出了一個女性的節操。傅柯在《性意識史》書中論述主體化過程中
「倫理實體的決定」時，說明：

> 構成忠貞的內涵是那警戒與那掙扎。在這些情況下，靈魂
> 裡的交煎傾軋便成爲道德實踐的主要內容，其意義遠遠超
> 過是否會做出那些行爲本身。〔註76〕

〔註75〕錢仲聯主編：《清詩紀事》卷 22，頁 15515。
〔註76〕傅柯‧米歇爾（Foucault Michel）著、尚衡譯：《性意識史‧第二卷》

因此，傅柯很明確地把人的情感、欲望、思想等內心的活動等同於行
為實踐。商景蘭在〈悼亡〉詩中表現了她身為女性的責任與不隨俗起
舞的識見，對國家的情感、對丈夫的忠貞，不一定要以死亡的方式來
展現，殉節只是其中一種終極的方式，「存亡雖異路，貞白本相成」，
即使不以身殉，她的貞節也不證自明，能自相成就。她身為一名母親，
有更重要的責任等待她去完成。商景蘭對於女性生命與國族的省思使
女性主體性得以彰顯出來。

（台北：桂冠圖書，西元 1990 年 1 月），頁 81。

第四章　對話：女性與歷史的對話

　　明清之際的女詩人生存的時空隨著時代的變動產生劇烈改變，當她們以言說涉入國族領域，更能體會自身命運與國家、時代的密切相關。不僅如此，女詩人更透過書寫，進行一場與其他女性的交流對話，尤其是歷史上那些有過相同遭遇的女性，她們相同的亂離經驗促成了瞭解與相知，而女詩人自身的命運轉折也因對話更為彰顯，從中體悟個人與歷史間千絲萬縷、不可分割的聯繫。而透過蔡琰、王昭君形象歷代的轉變，看出男性文人加諸其上的心理欲望，女詩人透過典故的運用，開啟與男性的對話空間。在此章中，筆者將以「對話」來詮釋女性亂離詩中與歷史上諸位女性的關聯，以及試圖從中建立女詩人在文本中創造出的對話系統。

第一節　亂離詩的對話現象

　　明清之際的女性亂離詩，展現了充分的對話功能，她們的詩中充滿請求、質問、反問、怨怪、抗議、控訴的語氣，並以傾訴以及等待回音的姿態渴求對話。尤其是那些書寫於公共空間中的題壁詩、絕命詞，更帶有著控訴的意味，她們將自己的身世苦難寫於壁上，向世人控訴、尋求公斷。

　　而對話關係也能因詩中所運用的符號、典故而開啓，文本與文本間存在著豐富對話性這一事實，早在二十世紀二、三〇年代，便由俄國思想家巴赫汀（M.M. Bakhtin, 1895～1975）所提出。他的對話主義（dialogism）理論，在當代文論中有著舉足輕重的影響。巴赫汀思想的核心是如何透過語言和話語的變遷來審視文化轉型的問題，並以「眾聲喧嘩」（raznorechie, heteroglissia）的觀點較爲全面地概括他的對話主義理論。〔註1〕眾聲喧嘩是巴赫汀獨創的俄文詞，作爲一種文化理論的核心概念，其意義爲：

> 用來描述文化的基本特徵，即社會語言的多樣化、多元化現象。這種語言的多樣化、多元化現象主要存在於人類社會交流、價值交換和傳播的過程之中，凝聚於個別言談的生動活潑、千姿百態的音調、語氣之內。〔註2〕

巴赫汀的理論對多種形式主義批評流派，以及各種社會——歷史批評產生影響，後結構主義者克莉絲蒂娃、托多羅夫、羅蘭巴特等受巴赫汀的啓發，提出了話語與話語之間、文本與文本之間的互文性（Intertextuality，又可譯爲「文際關係」）。〔註3〕互文性表示每篇作品與其他文本之間的相通、相似性，克莉絲蒂娃（Julia Kristeva）在巴赫汀的基礎上提出對互文性的定義：

> 互文性一詞指的是一個（或多個）信號系統被移至另一系統中。但是由於此術語常常被通俗地理解爲對某一篇文本的「考據」，故此我們更傾向於取易位之意，因爲後者的好處在於它明顯指出了一個能指體系向另一能指體系的過

〔註1〕劉康：《對話的喧聲——巴赫汀文化理論述評》（台北：麥田出版，西元1995年5月），頁9～11。

〔註2〕劉康：《對話的喧聲——巴赫汀文化理論述評》，頁14。

〔註3〕劉康：《對話的喧聲——巴赫汀文化理論述評》，頁220。克莉絲蒂娃（Julia Kristeva）認爲，所有作品（文本）都是一種鑲嵌品，是有意或無意、是間接或直接引用其他作品、文本而成的組合。每篇文本實際上是吸收、轉化其他文本而成的「新文本」。轉引自高辛勇：《形名學與敘事理論：結構主義的小說分析法》（台北：聯經出版社，西元1987年），頁196～197。

> 渡，出於切題的考慮，這種過度要求重新組合文本——也
> 就是對行文和外延的定位。〔註4〕

她所謂的能指體系的過渡，指的應當就是詞語，也就是符號的變遷與
延異，這種由於符號所引起的文本與文本之間的對話，形成一種聯繫
的系統，文本在其中相互編織與對應。

　　但是，「文際」觀念指的不僅是文學作品的關係，它包括作品與
依般文化傳統中所有能以語言表達的觀念，不管是經籍墳典或是格
言、諺語、俗話等都可以視爲一種文本（text）。〔註5〕因此，中國傳
統詩中經常運用來呈現藝術手法及意義的「典故」，也是一種產生文
際關係的方式，主要原因是典故中蘊含著長久積累的文化傳統，因此
其對話性便顯得更爲豐富。

第二節　女性自身命運與歷史的交織

　　「用典」是中國古典詩重要的傳統與特色，運用典故以自況、諷
刺時政成爲歷來詩人的文學手法之一。也因此，「典故」本身便是經
由長時間積累的文化產物，其中蘊含著深厚的文化傳統。這種文化的
累積現象讓詩中的典故運用展現了相當豐富的對話性，趙毅衡《文學
符號學》中提到這種現象：

> 要解讀一首詩，就必須回溯詩中的對先前各種文學與非文
> 學文本的典故，影射，借用，沿襲，繼承，變更。而且回
> 溯到另一個文本又會帶出一連串的文本，這個過程是無限

〔註4〕〔法〕蒂費納・薩莫瓦約著，邵煒譯：《互文性研究》（天津市：天
　　　津人民出版社，西元2003年），頁5～6。
〔註5〕高辛勇：《形名學與敘事理論：結構主義的小說分析法》，頁197。「文
　　　際關係」的觀念可用典故的現象解釋，「用典」即爲「文際關係」最
　　　明顯的例子，雖然用典所產生的意義一般是特定而有限制的。「典故」
　　　如同「象徵」，是一種文學手法，典故不但使當前的情況事件與所徵
　　　引故實的意義相印證，也因而與其它援用相同典故的作品形成直接
　　　或間接的關聯。參見高辛勇：《形名學與敘事理論：結構主義的小說
　　　分析法》，頁218。

衍義的一種特殊類型。〔註6〕

他提到詩中運用典故所產生的影射、借用、沿襲、變更等作用，皆表示典故的運用並非獨立的存在，事實上，詩人一旦運用典故便進入了與前文本千絲萬縷的對話關係。在巴赫汀的對話主義理論中便提出了「眾聲喧嘩」一詞，是他對於文化多元現象的表達。在此概念當中，其中有一重要的特點，便是它的「歷史性」：

> 只有在文化發生劇烈動盪、斷層、裂變的危機時刻，只有
> 在不同的價值體系、語言體系發生激烈碰撞、交流的轉型
> 時期，眾聲喧嘩才全面地凸顯，成爲文化的主導。〔註7〕

巴赫汀所謂的「歷史性」，強調的是在文化斷裂時刻，引發對話現象的產生。而明清之際，正是時代動盪劇烈、政治上滿漢異主的妍裂時期。明末清初的女詩人生逢亂世，面臨時代給予的磨難與考驗，藉由詩作來發抒她們心中的衝突、困惑與憤怒，道出身爲一名女性的意識與心聲。不僅如此，女詩人更試圖在混亂無依的生命情境中找尋能夠與自己女性的身份產生聯繫的彼方，如此一來，女性的生命便不再是孤獨的存在，而能與歷史上相同命運的女性建立對話與關聯。

因此，亂離詩中所運用的「典故」便展開了女詩人的文化思辯，並開啓女詩人與歷史的對話關係。在詩中可以發現，女詩人們不約而同地起用相同的典故，這些典故除了呈顯自身，也讓她們通過書寫與前文本建立起一種相互影射、繼承的對話關係。因此，她們如何運用典故、如何沿襲與改寫，呈現出她們在這種對話關係中自我表白的欲望，其中更涉及了女詩人寄託其中的情懷，以及女性的自覺與批判。

在亂離詩中，被運用最頻繁的便是昭君與蔡琰的典故。昭君出塞與蔡琰傳奇的一生是自古以來文人津津樂道的故事，經過男性文人的踵事增華後呈現一番不同的面貌，昭君故事的改寫衍變更透露出男性

〔註6〕趙毅衡：《文學符號學》（北京：中國文聯出版社，西元 1990 年 9 月），頁 124。

〔註7〕劉康：《對話的喧聲──巴赫汀文化理論述評》（台北：麥田出版，西元 1995 年 5 月），頁 208。

中心的欲望。此節將分爲兩個部份，分別理清王昭君及蔡琰兩位歷史上名女性故事的源流發展，也分別觀察明末清初女詩人如何運用此兩位女性的典故，與自身、以及男性文人產生對話。

一、王昭君典故的運用與對話現象

昭君出塞一事，成爲古往今來騷人墨客吟詠的題材，宋郭茂倩所編的《樂府詩集》收有《昭君怨》一首，「相和歌辭」更收有以《王明君》、《王昭君》、《明妃詞》、《昭君嘆》等爲題的多首吟嘆曲。其中也不乏如杜甫、歐陽修、王安石這樣的詩人之手。王安石著名的《明妃曲》：「君不見咫尺長門閉阿嬌，人生失意無南北。」〔註8〕將明妃之事與失意文人的遭遇相結合；歐陽修《再和明妃曲》：「紅顏勝人多薄命，莫怨春風當自嗟。」〔註9〕也採用同樣的寫法，詩中對明妃的同情，已轉爲對自身際遇的感嘆。除此之外，文人筆下的明妃的形象也因爲他們的文學想像，不斷地被重新塑造。可以想見，昭君的事蹟引發文人加以吟詠，每個人都以他們自身的經歷與見聞，感事、寄懷。只要翻閱胡鳳丹所編《青塚志》與魯歌《歷代歌詠昭君詩詞選注》這類的書籍，就能發現歷代圍繞在昭君身上的作品數量之多。

明末清初女性的亂離詩作中援用昭君典故藉以感嘆自身的亂離遭遇，亦是如此。她們在戰爭中流離他鄉的處境，與昭君遠嫁異國、面對塞外艱苦環境的身世，有著雷同之處。尤其是對於那些被清兵所掠，跟隨北歸的女詩人而言，自身的遭遇無異是與昭君身世相重疊，因而詩中的感慨便益加深刻。不僅如此，昭君出塞的故事事實上歷經多次的演變與改寫，其演變的痕跡透露了男性文人欲賦予昭君的女性形象，因而，女詩人與男性文人的對話能得以展開。

王昭君（名嫱）和番出塞的本事史冊上有清楚的記載。昭君故事

〔註8〕〔宋〕王安石：《王安石全集下·明妃曲》（台北：河洛出版社，西元1974年10月），卷4，頁24。
〔註9〕〔宋〕歐陽修：《歐陽修全集上·再和明妃曲》（北京：中華書局，西元1986年6月），頁58。

於史書中的記載，最早見於《漢書‧元帝本紀》：

> 竟寧元年春正月，匈奴呼韓邪單于來朝。詔曰，匈奴郅支
> 單于，背叛禮義，既伏其辜。呼韓邪單于，不忘恩德，鄉
> 慕禮義，復修朝賀之禮，願保塞傳之無窮，邊陲長無兵革
> 之事，其改元爲竟寧，賜單于待詔掖庭王嬙爲閼氏。〔註10〕

以及《漢書‧南匈奴傳》：

> 單于自言願婿漢以自親。元帝以後宮良家子王嬙字昭君賜
> 單于。單于驩喜，上書願保塞，上谷以西至敦煌，傳之無
> 窮。……王昭君號寧胡閼氏，生一男伊屠知牙師，爲右日
> 逐王。呼韓立二十八年死。……雕陶莫皋立爲株纍若鞮單
> 于……復妻王昭君，生二女。〔註11〕

這兩則史書記載顯示昭君故事原本的面貌極爲粗略，從《漢書》中只能得知王昭君爲漢元帝時宮女，被遣送至匈奴和親。事實上，昭君故事後來幾經演變，蔡邕（西元133年～西元192年）的《琴操‧卷六》〈怨曠思維歌〉說昭君是被她的父親送去元帝而不是被選去的。晉朝石崇（西元249年～西元300年）的《明君辭》則敘述昭君不願意嫁匈奴人，而且更不願意嫁兩次，並首次將昭君故事與琵琶作連結。到了葛洪（西元248年～西元328年）的《西京雜記》則描述地更詳細，他認爲昭君之失意，是由於畫工毛延壽貪財，昭君之出塞，由於元帝選她的圖使圖中人遠嫁。這段記載彰顯了昭君之怨，獲得後人同情，並成爲昭君故事的張本。之後宋范曄（西元398年～西元445年）的《後漢書‧南匈奴傳》，他說昭君是因爲在宮中幾年都不曾見幸，自動請嫁給單于：

> 昭君入宮數歲不得見，唧積悲怨，乃請掖庭令求行。呼韓
> 邪臨辭大會，帝召五女以示之。昭君豐容靚飾，光明漢宮，
> 顧景裴回，竦動左右。帝見大驚，意欲留之，而難於失信，

〔註10〕〔漢〕班固撰、〔唐〕顏師古注：《新校本漢書集注并附編二種》（台北：鼎文書局，西元1979年），第一冊，頁297。

〔註11〕〔漢〕班固撰、〔唐〕顏師古注：《新校本漢書集注并附編二種》，第五冊，頁3803～3827。

遂與匈奴，生二子。及呼韓邪死，其前單于子代立，欲妻
之。昭君上書求歸。成帝敕令從胡俗，遂復爲後單于閼氏
焉。〔註12〕

此說與《西京雜記》的說法同樣重要，成爲後來傳說的張本。此外敦
煌文學中的唐寫本殘卷〈王昭君變文〉則寫昭君到塞外後鬱鬱寡歡而
死的悲劇結局。昭君故事歷經多次演變，我們很難不發現男性文人刻
意爲昭君保全節烈的痕跡，如石崇說昭君「殺生良不易，默默以苟生，
苟生亦何聊，積思常憤盈」、《後漢書》寫「前單于子代立，欲妻之。
昭君上書求歸」，以及變文中寫她入蕃後便憂鬱而死，皆是爲昭君出
脫的說法。到了元代馬致遠的《漢宮秋》則承襲前人之說並加以渲染，
加入了元帝與昭君之間的愛情成分，並寫後來昭君未到塞外，只行到
黑龍江便跳入江而死。〔註13〕至此，昭君故事的演變已十分進步，昭
君也儼然成爲一名勇敢節烈的女子。由史書、傳說一直到劇作，昭君
故事經由男性文人的寫作展現其演變的軌跡。

　　從《漢書》、《後漢書》、蔡邕的《琴操》、石崇的〈明君辭〉、葛
洪的《西京雜記》、六朝唐宋的詩歌、到馬致遠的《漢宮秋》，昭君故
事歷經時代，橫跨文類，其豐富的對話性在文學上形成「互文性」
（Intertextuality）〔註14〕情況，即作品與其他文本之間的相通、相似
性。而究竟昭君故事在這種互文對話情況中，其形象如何演變？洪淑
苓〈交換女人──昭君故事的敘事、修辭與性別政治〉一文，從修辭
與性別的角度去檢視昭君形象演變過程，而指出在男性的價值觀中被

〔註12〕楊家駱：《新校本後漢書集注并附編二種》，第四冊，頁2941。
〔註13〕黃繁琇：〈王昭君故事的演變〉，收錄於陳鵬翔主編：《主題學研究
　　　論文集》（台北：東大圖書有限公司，西元1983年11月），頁72
　　　～83。
〔註14〕克莉絲蒂娃（Julia Kristeva）認爲，所有作品（文本）都是一種鑲嵌
　　　品，是有意或無意、是間接或直接引用其他作品、文本而成的組合。
　　　每篇文本實際上是吸收、轉化其他文本而成的「新文本」。轉引自高
　　　辛勇：《形名學與敘事理論：結構主義的小說分析法》（台北：聯經
　　　出版社，西元1987年），頁196～197。

摹塑成形的昭君形象，逐步被美化、雄化與貞節化。〔註15〕根據她的說法，昭君故事在《琴操》中顯示了初步的美化、雄化與貞節化。《琴操》中描繪昭君「善妝盛服，形容光輝」，使「帝大驚悔之」，是美化修辭的運用。後來自請出塞和番，突顯其愛國情操，而最後說昭君因不從胡俗（父死妻母）而吞藥自殺，這個自殺的結局烘托出昭君貞潔的形象。後來《西京雜記》「貌爲後宮第一，善應對，舉止閒雅」以及《明君辭》「令琵琶馬上作樂」，皆塑造一個才貌雙全的昭君形象。而〈王昭君變文〉也有值得注意的地方，改續了昭君自殺的結局改爲抑鬱而終，單于雖對之溫柔體貼，昭君卻對漢王堅貞不變，在委身匈奴之前就病死，保全漢家女兒的貞節。到了馬致遠的《漢宮秋》，則是昭君才貌、愛國、貞節形象的完成。《漢宮秋》對昭君的美麗與才情描繪頗多，毛延壽形容昭君「生得光彩射人，十分艷麗，眞乃天之絕色也」，又以元帝及匈奴王的眼光來襯托，但昭君的美卻在男性中心思想下，被歸咎爲「美女禍國」被送上絕路，而後運用雄化修辭，讓昭君把救亡圖存的責任攬在自身，使她願意爲國家也爲所愛的男人勇敢奉獻犧牲，兼顧了兒女情長與社稷國家的雙重考慮。最後行至塞外邊界，卻投江而死，死前念念不忘的都是元帝和他們的愛情，烘托出昭君的堅貞。〔註16〕

　　昭君的死，在漢魏以來的昭君故事中，成了敘事的重要一環，曾永義認爲這是時代意識的感染，自晉石崇〈王昭君辭〉以下，因爲晉

〔註15〕文中引用學者陳順馨的說法，指出就通俗文學而言，對女性形象經常施以美化與雄化的修辭策略，所謂美化即力言其美貌，並強調貞節、馴服、純潔等女性美德；所謂雄化即使之「像男人」，使她的言行思想與價值觀都模仿男性，成爲「女英雄」。美化與雄化的修辭看似矛盾，但卻是男性敘述話語下，對女性的雙重標準與要求，由此塑造完美的女性典型。參見洪淑苓：〈交換女人——昭君故事的敘事、修辭與性別政治〉，《師大國文學報》第三十四期，西元 2003 年 12 月），頁 182～183。

〔註16〕參見洪淑苓：〈交換女人——昭君故事的敘事、修辭與性別政治〉，《師大國文學報》第三十四期，西元 2003 年 12 月），頁 184～191。

時北方五胡已成強敵壓境，而宋元明歷朝，中原民族都飽受外族的侵犯，因此昭君投江而死，也可說是文人對民族命運的感嘆，而顯露「期孤忠於弱女子」的意識，因此塑造了明慧貞烈的昭君。〔註17〕

　　昭君形象美化、雄化與貞節化，透露出歷代男性文人對一名女性加諸的權力以及欲望，也顯露其中的心理因素。因此，明末清初的女詩人於詩中運用昭君典故，一方面引以自況，另一方面則展開與男性文人的對話。

　　以下整理女性亂離詩中運用昭君典故的情形，茲列表如下：

表 4-1　運用王昭君典故的女性亂離詩

作　者	詩　題	詩　作	被掠北歸	出　處
廣陵女子	〈題壁〉	將軍空自擁旌旗，萬里中原胡馬嘶。 總使終生能繫頸，不教千載泣明妃。	否	清詩記事
杜小英	〈絕命詩十首〉	征帆又說過雙孤，掩淚聲聲卻夜鳴。 葬入江魚波密去，不留青塚在單于。	北歸	國朝閨秀正始集
宋蕙湘	〈題衛輝府郵壁〉	風動空江羯鼓催，降旗飄颻鳳城開。 將軍戰死君王繫，薄命紅顏馬上來。 廣陌黃塵暗鬢鴉，北風吹面落鉛華。 可憐夜月箜篌引，幾度穹廬伴暮茄。 春花如錦柳如煙，良夜知心畫閣眠。 今日相思渾似夢，算來難問是蒼天。 盈盈十五破瓜初，已作明妃別故廬。 誰散千金同孟德，鑲黃旗下贖文姝。	北歸	明詩綜
趙雪華	〈沐水旗題壁〉	不畫雙蛾向碧紗，誰從馬上撥琵琶。 驛亭空有歸家夢，驚破啼聲是夜笳。 日日牛車道路賒，徧身塵土向天涯。 不因命薄生多恨，青塚啼鵑怨漢家。	北歸	清詩記事
王素音	〈琉璃河館題壁〉	愁中得夢失長途，女伴相攜聽鷓鴣。 卻是數聲吹去角，醒來依舊酒家胡。 朝來馬上淚沾巾，薄命輕如一縷塵。 青塚莫生殊域恨，明妃猶是為和親。	北歸	晚晴簃詩匯

〔註17〕曾永義：〈從西施說到梁祝〉，《說俗文學》（台北：聯經出版公司，西元 1980 年 4 月），頁 169。

張氏	〈題壁詩〉	那堪驛舍又黃昏，樺燭三條照淚痕。想像延津沉故劍，相期青塚一歸魂。	北歸	清詩記事
方琬	〈戊子避亂舟中寄弟〉	野樹鳴蟬咽未休，蓼花蘋葉晚來秋。干戈滿眼驚殘夢，風雨傷心逐去舟。喪亂相依吾弟在，艱危無奈老親憂。更憐宿草青青塚，寒食新烟望里愁。	否	清詩別裁集
山西節婦	〈清風店題壁〉	西望平陽不見家，阿嬌今夜死天涯。可憐金屋誰為主，魂與王嬙泣幕笳。	北歸	名媛詩緯

　　觀察表中的詩作，可以發現運用昭君典故的詩作中，大部分的女詩人歷經被清兵所掠，攜而北歸的遭遇，與遠嫁塞外的王昭君有著相似的流離身世。因而詩中引出「明妃」、「青冢」皆是借昭君史事以自況。而昭君的「怨」成為主要的情調，女詩人運用昭君典故，終難擺脫一「怨」字。女詩人藉由對話抒發時代之怨、女性之怨，如王素音〈琉璃河館提壁〉：「青塚莫生殊域恨，明妃猶是為和親」。女詩人運用此典故與前人文本產生對話，不無以昭君流離塞外的辛酸遭遇來自況飄泊異地的心情，發抒同為薄命紅顏之「怨」，除此之外，值得注意的是，「明妃猶是為和親」一句感慨昭君出塞身繫民族大義、國家和平，而自己只不過像一縷煙塵，在國家亂亡中隨時會失去性命，除了寄託自身生命的脆弱也透露出對昭君實現民族氣節的肯定。再如趙雪華〈沐水旗題壁〉「不因命薄生多恨，青塚啼鵑怨漢家」，[註18] 紅顏女子命薄本是當然不應生恨，那麼該怨誰呢？不論是昭君或是詩人自身的命運皆繫於自己的國家與民族，詩中有怨有批判，寄託了天涯飄零的悲怨。

　　除了「怨」的主調，女詩人如何回應昭君逐步被美化、雄化以及貞節化的形象？宋蕙湘〈題衛輝府郵壁〉「將軍戰死君王繫，薄命紅顏馬上來。……盈盈十五破瓜初，已作明妃別故廬」道出一個正值花樣年華的盈盈少女遭逢不幸的身世。「薄命紅顏」的形象與昭君形象重疊，由昭君被安排死亡的悲劇命運，傳達出男性對女子的美貌所懷

〔註18〕錢仲聯主編：《清詩紀事》卷22，頁15627。

有的複雜情緒，一方面是愛賞，一方面卻是恐懼。而這便是古代中國從先秦兩漢開始的「女禍」觀，也就是美色足以亡國的觀念，先秦的妲己與褒姒也因此被塑造成「亡國美人」的形象，即使如昭君這樣一名為國和番的女子，也無法逃脫紅顏禍水的原罪，她的美貌必須承擔國家興亡之責，而她被寫入死亡的結局，更顯示紅顏必須薄命的男性中心思想。而詩人宋蕙湘的遭難，事實上並非來自美貌的原罪，她自知個人與民族命運的休戚相關，「將軍戰死君王繫，薄命紅顏馬上來」說明個人被國家興亡所牽動，必須與民族共相始終的命運。趙雪華〈沐水旗題壁〉「日日牛車道路賒，徧身塵土向天涯。不因命薄生多恨，青塚啼鵑怨漢家」則進一步有所批判，即使自身必須如同昭君般走向天涯般遙遠的塞外、未知的旅途，面臨未知的可怕命運，但她的怨恨卻非來自紅顏薄命，而是怨恨自己的國家，也許是統治者的無能，或那些當權者的腐敗，使她成為兩族相爭的犧牲品，死於異鄉，如同昭君的命運一般。歷史的昭君故事將昭君塑造成自請出塞的貞烈女英雄，但如何得知她不曾像女詩人所說「青塚啼鵑怨漢家」？

「怨漢家」是女性對國家的批判與指責，顛覆了傳統的女禍觀，將亂亡的原因指向了男性。廣陵女子的〈題壁〉詩進一步指陳了歷史事實：「將軍空自擁旌旗，萬里中原胡馬嘶」，在國家危急存亡之際，將領卻擁兵自重使清軍勢如破竹攻入中原，形成江山易位的局面，「總使終生能繫頸，不教千載泣明妃」假使能出現像終生般優秀忠誠的將軍拯救傾頹的國家，那麼也不會讓詩人、以及昭君這樣的女性遭受亂離的命運。藉由昭君比喻自身的命運，批判當權者的自私與無能。昭君故事中的雄化修辭將昭君塑造成一名「女英雄」，寫她自請出塞走向異域換取兩族的和平，因而她身繫國家存亡的重責大任。然而，將國家興亡交託給一名弱女子，當權者的軟弱無能由此可知，更能看出男性權力運作的方式，是如何壓制女性。詩人對此作了反思，若是當權者能齊心一致抵禦外侮，都能如終生般愛國忠貞，女性便不需流離他鄉，像王昭君一樣為國犧牲。此詩的嚴厲批判挑戰了昭君故事的雄

化修辭，也揭露男性塑造一名愛國女英雄的心理因素，並將個人的悲劇與民族的榮辱作了聯繫。

遭遇亂離的女詩人面臨生死抉擇的窘境，不少女詩人選擇以死抗暴。杜小英的〈絕命詩〉「葬入江魚波密去，不留青塚在單于」她寧可沈江而死不肯屈從，談遷《北游錄・辰州杜烈女詩並自序》說：「滔滔大江東去，或得與波上下以免一身之辱耳」〔註19〕她不願像王昭君一般遠嫁匈奴，死在異鄉留下青冢，詩人的意志堅定，表達了極強烈的民族情緒。昭君之死，是貞節化修辭的運用，詩人選擇在半途即投水而死，與行至黑龍江即投江而死的昭君形象有所重疊。山西節婦〈清風店題壁〉「西望平陽不見家，阿嬌今夜死天涯。可憐金屋誰為主，魂與王嬙泣幕笳」，被掠北上心繫家鄉、不願屈身受辱的詩人選擇死亡，而死後她的魂魄只能像無法返回故土的昭君一般，在異域裡飄盪。而張氏〈題壁詩〉「那堪驛舍又黃昏，樺燭三條照淚痕。想像延津沉故劍，相期青塚一歸魂」則盼望死後的靈魂能與昭君的魂魄一同，返回家鄉。這些女詩人都選擇死亡，走上與昭君同樣的路。曾永義認為宋元明文人有著「期孤忠於弱女子」的意識，因此塑造了明慧貞烈的昭君，〔註20〕明末的詩人陳子龍一首〈明妃篇〉可以傳達出這種心境：

> 明妃慷慨自請行，一代紅顏一擲輕。薄命不曾陪鳳輦，
> 嬌姿還欲擅龍城。詔賜臨行建章宴，顧影徘徊光漢殿，
> 單于親御六萌車，侍女猶遮九華扇。一曲琵琶馬上悲，
> 紫臺清海日淒其。當年應悔輕相棄，深愧君王殺畫師。
> 〔註21〕

此詩以昭君的本事比附自身，藉以托寓明志。「明妃慷慨自請行，一代紅顏一擲輕」昭君自請出塞來自於久不見御的負氣，但她「當年應

〔註19〕轉引自錢仲聯主編：《清詩紀事》卷22，頁15534。

〔註20〕曾永義：〈從西施說到梁祝〉，《說俗文學》（台北：聯經出版公司，西元1980年4月），頁169。

〔註21〕陳子龍：《陳子龍詩集》，（上海：上海古籍出版社，西元1983年）頁586。

悔輕相棄，深愧君王殺畫師」，應該會悔恨因久不見御而易其心，辜
負元帝的一片心意。陳子龍生當明清易代之際，〈明妃篇〉是一首明
志之作，對他來說，士的志節高於個人的知遇，不能輕易變節。而順
治四年，陳子龍爲清廷所獲，投水自盡，以死全節。〔註22〕這首詩對
昭君故事有所改寫，但其主旨仍不脫貞節，詩人以昭君的貞節來托寓
自己的節操，便是所謂「期孤忠於弱女子」，透露了男性文人的心理。
明末清初的女詩人藉由昭君的貞烈烘托自身選擇死亡的節操，可知昭
君貞節化的形象早深入民心，且對於那些有著流離身世的女性，影響
更爲深遠。

　　詩中運用典故所產生的互文對話會不斷地延續，「回溯到另一個
文本又會帶出一連串的文本，這個過程是無限衍義的一種特殊類型。」
〔註23〕爲了解釋這種現象，以廣陵女子的〈題壁〉詩來討論：「將軍
空自擁旌旗，萬里中原胡馬嘶。總使終生能繫頸，不教千載泣明妃。」
此詩作者于崇禎十五年（西元 1642 年）被南下的清兵所掠。隔年雖
逃歸，卻已無家，於是題詩於客店之壁。此詩以懷古詠史來諷諭當世，
前二句表面上指歷代將兵擁軍自重使異族入侵，實際上則指明朝將領
的腐敗懦弱，致使清兵能攻入中原。詩人眞實地反映了當時殘酷的社
會現實，同時表白心中的期望，將希望寄託在終軍這樣的英雄身上，
使亂世中的女性如王昭君能免於離鄉背景的遭遇，詩人以自身的不幸
與千古以來廣大女性的命運相互輝映，寄寓了深切的同情。她的詩作
讓之後的女詩人章瓊感於其事，寫下〈次廣陵女子〉一詩，而詩中仍
繼續沿用昭君典故：

　　　　哀音豈解奏求鳳，漢室明妃恥下堂。十二琵琶彈欲絕，
　　　　聲聲只爲怨家鄉。雙鳳纖輕不耐靴，學隨鞭鐙自堪嗟。
　　　　紅顏不獨愁中盡，雨淚風狂撲面沙。摧殘誰爲惜風流，

〔註22〕鄭潮鴻：《明代昭君詩研究》（玄奘大學中文所碩士論文），2005 年，
　　　　頁 56。
〔註23〕趙毅衡：《文學符號學》（北京：中國文聯出版社，西元 1990 年 9 月），
　　　　頁 124。

血染羅巾淚未收。妾命不辭同玉碎，芳魂猶是戀神州。
無人赤手可扶天，女伴悲呼亦解憐。寄語江南丈夫子，
漢宮禾黍更年年。冤塚青青怨不埋，音書何日自鄉來。
章臺柳色猶初嫩，無復王孫手自裁。〔註24〕

廣陵女子的四句詩，讓章瓊以五首七言絕句相爲唱和，詩中全用昭君典故，將昭君出塞的始末概括詩中，並將昭君塑造成一位具有民族氣節的女子，章瓊透過對昭君的吟詠，事實上是吟詠廣陵女子；同情昭君，亦同情廣陵女子，因此，三位女性便透過昭君的典故，產生對話與聯繫。

　　從明清之際女詩人的亂離詩中運用昭君典故的情況而言，對於昭君歷代形象美化、雄化、貞節化的演變，皆有所回應。與男性文人對話的開展更託付了她們不同的志節，甚至是批判。

二、蔡琰典故的運用與對話現象

　　另一位在明末清初女性亂離詩中反覆出現的歷史女性，便是蔡琰（公元176年至三世紀初），字文姬。蔡琰的生平經歷可從《後漢書·列女傳》的記載來考察：

> 陳留董祀妻者，同郡蔡邕之女也，名琰，字文姬。博學有才辯，又妙於音律。適河東衛仲道。夫亡無子，歸寧于家。興平（西元194年～西元195年）中，天下喪亂，文姬爲胡騎所擄，沒於南匈奴左賢王，在胡中十二年，生二子。曹操素與邕善，痛其無嗣，乃遣使者以金璧贖之，而重嫁於祀。……後感傷亂離，追懷悲憤，作詩二章。〔註25〕

傳中提及她因東漢董卓之亂被擄，一生幾度流離轉徙的命運，她在塞外與匈奴王生育二子，後由曹操贖回，得以歸返中原，曹操安排她再嫁於董祀。當她回顧往事，感傷亂離，而做悲憤詩二首。她的身世在

〔註24〕王端淑：《名媛詩緯初編》，（清康熙間（西元1662年～西元1722年）清音堂刊本）。

〔註25〕〔宋〕范曄著，李賢等注：《後漢書·列女傳》（台北：鼎文書局，西元1987年），頁2800。

歷史上已成爲女性流離命運的代表，其中還摻雜了胡漢文化的轉換，在這種特殊際遇之下，形成蔡琰充滿困境的一生。

　　蔡琰與昭君有著相似的命運，她們行過大漠，同樣經歷胡漢因緣，形象有所重疊。衣若芬的〈「出塞」或「歸漢」──王昭君與蔡文姬圖像的重疊與交錯〉一文便從圖像裡發現昭君與蔡琰形象逐漸靠攏的趨勢，歷代文人僅能從畫中角色是「出塞」或是「歸漢」來確立畫題以及臧否人物的關鍵。對照昭君與文姬，詩人大多著眼於其能否還鄉，援引爲評騭其德性的依據，她引用明代周鼎〈蔡琰歸漢圖〉「縱多文思出天機，贏得胡笳淚滿衣。萬里歸來身再辱，不如青冢不言歸」，來說明男性文人對昭君與蔡琰節操的判別，在於是否歸漢。〔註26〕因而歷代男性文人是如何看待蔡琰歷劫歸來的史事便昭然若揭。

　　這種以歸漢與否來判別爲昭君或蔡琰的方式是否能成立？從之前討論的昭君形象看來，她形象的演變說明了男性文人因其觀看角度與心理欲望而任意加諸於昭君身上的元素。昭君本身已成爲一種象徵符號，可以增添、修改來符合男性的心理，文姬也是如此，同樣身爲女性角色，她們身上被賦予了複雜矛盾的政治意涵。文姬因被掠而後選擇歸漢，被譏諷不能守節以終，即使她的〈悲憤詩〉與〈胡笳十二拍〉寫得哀婉動人、感人心弦，卻無法爲自己辯解洗脫，無法規避歷代男性文人的道德檢視。也因此，即使歸漢與否無法判別圖像中的女子，但判定圖像的方式暴露了男性的心理癥結，昭君與文姬形象模糊難辨，最主要的因素便是他們被化約成男性心中的符號，失去了自身的主體性。

　　蔡文姬本身有其獨特的人物個性，逐漸地被塑造成一個人物角色，使她的個性漸漸淡化，這種過程在李德瑞（Dore J Levy）的〈蔡琰藝術原型在詩畫中的轉換〉一文中有所提示。他指出唐代劉商在他根據蔡琰組詩所改寫的同名詩篇〈胡笳十八拍〉中便以唐代慣用的感

〔註26〕衣若芬：〈「出塞」或「歸漢」──王昭君與蔡文姬圖像的重疊與交錯〉，（《婦研縱橫》第73期，西元2005年1月），頁3～7。

傷美學來淡化蔡琰本身的個性與感情強度，成爲中唐最有影響的舊題新作之一，在詩中文姬感情上的痛苦和她獨特的個性已蕩然無存，原本在蔡琰詩中她是位備受蹂躪、在強暴面前煢煢無靠的個人；她抗議草菅人命、虛情假意的政治鬥爭。但在劉商詩中則被淡化成一位無可奈何的女性，她的苦難經歷，甚至連喪子的折磨，都明顯地因爲重獲被擄前的生活而變得無足輕重了。〔註27〕

　　經由這種過程，文姬的苦痛被減卻了，而其歸漢之事被擴大，其節操自然受到質疑。明清之際的女詩人如何透過文姬與男性文人進行對話？以下先整理明末清初的女性亂離詩作中運用蔡琰典故的詩作，茲列表如下：

表 4-2　運用蔡琰典故的女性亂離詩

作　者	詩　題	詩　作	被掠北歸	出　處
朱中楣	〈贈涂年姪女南歸〉	齧雪餐氈苦自持，誰憐弱息委燕支。 青青柳色仍如舊，寄與韓郎知不知。 共羨山公古道稀，黃金解盡出重圍。 豐城劍合珠還浦，故國文姬此日歸。	北歸	國朝閨秀正始集
宋蕙湘	〈題衛輝府郵壁〉	盈盈十五破瓜初，已作明妃別故廬。 誰散千金同孟德，鑲黃旗下贖文姝。	北歸	名媛詩緯
吳芳華	〈旅壁題詩〉	臙粉香殘可勝愁，淡黃衫子謝風流。 但期死看江南月，不願生歸塞北秋。 掩袂自憐鴛夢冷，登鞍誰惜楚腰柔。 曹公縱有千金志，紅葉何年出御溝？	北歸	翠樓集
張氏	〈題壁詩〉	昨夜嚴親入夢來，教兒忍死暫徘徊。 曹瞞死後交情薄，誰把文姬贖得回。	北歸	清詩記事
王菊枝	〈清風店題壁〉	青青柳色照人行，恨把寒燈黤欲傾。 誰誦文姬出塞曲，孤窗夜雨一般聽。	北歸	名媛詩緯

　　在這些詩中的女詩人抒發被掠北歸後，渴望能歸返、回鄉的心情。蔡琰被擄後得以歸漢的史實，對她們而言是渺不可知的一線生

〔註27〕李德瑞（Dore J Levy）作、吳伏生譯：〈蔡琰藝術原型在詩畫中的轉換〉（中外文學第十一期，西元 1994 年 4 月），頁 112～116。

機，因而在這些詩作中皆不約而同地延用曹操以重金贖回蔡琰的典
故，表明希望自己的苦難能被看見，而能像蔡琰一樣被曹操贖回歸返
故國，重新獲得自由。雖是如此，詩中所表現出的心境卻近乎絕望。
宋蕙湘〈題衛輝府郵壁〉：「盈盈十五破瓜初，已作明妃別故廬。誰散
千金同孟德，鑲黃旗下贖文姝。」〔註28〕詩中運用了王昭君與蔡琰的
典故，她自身流離的命運就如同這兩位歷史上的女性，但現在有誰能
夠像曹操一般，散盡千金將她贖回？對於戰爭帶來的巨變、對於無常
的人世，不眞實的感受恍若身在夢中，但是生命的疑問又何嘗容易得
到解答？「算來難問是蒼天」是一場無言的詰問。而吳芳華〈旅壁題
詩〉更爲激烈：「但其死看江南月，不願生歸塞北秋」流露寧死也不
願受辱、苟且偷生的強烈意識，「曹公縱有千金志，紅葉何年出御溝？」
〔註29〕表明希望能被解救的心情，詩人自比爲唐朝韓氏，懷抱著以紅
葉題詩那種渴望獲得自由的心境，但何年何日才能回歸故鄉、重獲自
由？而朱中楣〈贈涂年姪女南歸〉這首詩是爲了慶賀姪女的贈詩，她
的姪女於亂中被掠往北，卻得以回歸。「共羨山公古道稀，黃金解盡
出重圍。豐城劍合珠還浦，故國文姬此日歸」，以文姬重返故國比喻
姪女的回歸，充滿親人歷劫歸來的喜悅。

　　由此看來，女詩人運用蔡琰典故的情況，開啓了不同於男性文人
的視野。蔡琰被掠後在胡地生兒育女，歸漢後再嫁，其歸漢之舉對於
後世男性而言，是不能守節的象徵，而加以嘲諷貶抑。但女詩人運用
蔡琰典故，皆表明希望能如蔡琰一樣獲救返回故國，表達她們不願居
身受辱的節烈，以及身受苦難、眷戀故國的心情，彰顯出她們的自主
意識。男性文人往往忽略女性主體的思想與欲望，而試圖以貞節或堂
堂的民族大義束縛、壓制女性，展現其權力。女詩人的詩作展現了她
們的主觀意識，及思念家鄉、渴望自由的心緒轉折。

　　女性的亂離詩透過自我與他者的對話，除了表白自我身世產生投

<hr />

〔註28〕錢仲聯主編：《清詩紀事》卷22，頁 15625。
〔註29〕錢仲聯主編：《清詩紀事》卷22，頁 15634。

射現象之外，也在這種與歷史的聯繫中，建構自身的主體性。「只有在眾聲喧嘩的局面中，各種話語才最深刻地意識到了其自我的價值和他者的價值，把中心話語霸權所掩飾的文化衝突與緊張的本質予以還原。」〔註30〕因此，明末清初的女性透過這場與歷史上女性的對話，其自身的命運更加彰顯，更表達了其心志與願望，在這種女性命運的交織中，體悟自身的主體性與價值。對歷史的觀照不僅僅是對應自身，還生命的一種追尋，從歷史中的女性生命中看見身為女性或身為人類對於生命難以掌握的普遍遭遇，領會人生無所不在的悲劇性，回過頭來審視自身，便更能轉化自身命運成為人生哲理的思辯。

〔註30〕劉康：《對話的喧聲——巴赫汀文化理論述評》（台北：麥田出版，西元 1995 年 5 月），頁 16。

第五章　見證：亂離書寫的歷史見證

　　明清兩代婦女寫作之盛，從胡文楷的《歷代婦女著作考》可見一斑。書中著錄的明清女作家，便有四千餘人之多，而其中出版個人詩集的亦有兩千餘人，數量可說相當龐大。在明末清初國家急遽動亂的時代，女性以充分的自覺寫作，而出現許多書寫亂離的女性詩作，她們以特殊的女性聲音與視角，見證時代的亂亡，並抒發一己之身世，透過書寫對歷史敘述造成影響。在此章中首先回顧歷史上女性寫作的亂離詩，對其重新審視；接著觀察亂離詩到了晚明的歷史背景下逐漸建立起寫作傳統；最後描繪女詩人「自述亂離」的寫作方式如何見證晚明動亂的時代，進而成就屬於她們那個時代的「詩史」。

第一節　明代以前女性亂離詩的追溯

　　亂離一詞最早出現於《詩經・小雅・四月》中：「亂離瘼矣，爰其適歸」，〔註1〕關於「亂」字，根據《鄭箋》的說法：「今政亂，國將有憂病者矣」，〔註2〕因此「亂」字可解釋爲國家政治之亂。而「離」字的用法，孫康宜根據毛傳，認爲此處「離」字乃作「憂」字解，意

〔註1〕毛亨傳、鄭玄箋、孔穎達疏：《毛詩注疏》（臺北：藝文印書館，西元1985年，嘉慶二十年重刊宋本）卷13，頁442。
〔註2〕毛亨傳、鄭玄箋、孔穎達疏：《毛詩注疏》，卷13，頁442。

思是說國家喪亂令人憂愁。〔註3〕關於「亂離」，在宋孔弘《張煌言詩「亂離書寫」義蘊之研究》論文中，已作出釋義。他於《辭海》等參考書中查詢亂進解釋，並由《全唐詩》五十多首提到亂離的詩篇加以歸納，所得出的結論是：「在戰亂頻仍、局勢動盪的時空背景下，詩人受到政治力的影響，被迫四處逃離，以詩筆紀錄自己的見聞，抒發內心的感慨。」。〔註4〕因此，亂離的意義除了因戰亂而流離之外，還包含了詩人對國家政治深沉的憂慮。

以此回顧歷史上的亂離詩，孫康宜指出，蔡琰的〈悲憤詩〉乃是最早真正稱得上見證亂離的詩篇。〔註5〕蔡琰〈悲憤詩〉的主要內容乃追述她在董卓之亂時被匈奴俘虜，漂泊異地，最後返鄉歸國，一生流離轉徙的經歷，是一首帶有濃厚自傳性質的敘事詩。開篇四句「漢季失權柄，董卓亂天常，制欲圖篡弒，先害諸賢良」〔註6〕對國家的動亂作出陳述，見證一個時代的亂亡，「兒前抱我頸，問我欲何之。人言母當去，豈復有還時！」〔註7〕流露身為女性的困境，最後以「人生幾何時，懷憂終年歲」〔註8〕觀照出人生的悲劇性與其對人生哲理的思辨，從個人的苦難對整個人類的生命作了闡釋。

〈悲憤詩〉一方面寄託對國家與廣大人民的關懷，也表白蔡琰身為女性的情感，客觀的見證是屬於大歷史的，主觀感受則是個人的，形成一種獨特的女性聲音。由此可以發現蔡琰的〈悲憤詩〉開出了「自傳性」與「詩史」兩大寫作方式，形成亂離詩的良好典範。〔註9〕

蔡琰之後，五代時後蜀孟昶的妃子花蕊夫人也寫過一首亂離詩。

〔註3〕孫康宜：〈末代才女的「亂離」詩〉，《文學的聲音》，頁42。
〔註4〕宋孔弘：《張煌言詩「亂離書寫」義蘊之研究》，（台北：師範大學國文所碩士論文，西元2006年1月），頁5～11。
〔註5〕孫康宜：〈末代才女的「亂離」詩〉，《文學的聲音》，頁42。
〔註6〕〔宋〕范曄著，李賢等注：《後漢書・列女傳》（台北：鼎文書局，西元1975年10月）卷84，頁2801。
〔註7〕〔宋〕范曄著，李賢等注：《後漢書・列女傳》卷84，頁2802。
〔註8〕〔宋〕范曄著，李賢等注：《後漢書・列女傳》卷84，頁2802。
〔註9〕孫康宜：〈末代才女的「亂離」詩〉，《文學的聲音》，頁42。

後蜀亡國後，花蕊夫人被擄入宋，她深感亡國之恨，寫下〈述國亡詩〉，為後世所稱誦，其詩云：

> 君王城上豎降旗，妾在深宮哪得知。十四萬人齊解甲，寧無一箇是男兒。〔註10〕

詩中有感嘆亦有譴責，開頭即點明亡國之事，流露自己面對國家傾頹無可奈何之情，君王荒淫誤國以及後蜀軍隊「十四萬人齊解甲」的無能讓她感到憤怒與羞愧，表達對亡國降敵的廉恥心，將亡國歸咎於男性，顛覆了「女禍誤國」的論調。

　　接著在宋元之際，南宋末年宮中的女官王清惠在國破家亡後被蒙古擄至大都，曾寫詩敘述亂離，其〈搗衣詩呈水雲〉云：

> 妾命薄如葉，流離萬里行。黃塵燕塞外，愁聽搗衣聲。

及〈秋夜寄水月、水雲二昆玉〉云：

> 萬里倦行役，秋來瘦幾分。因看河北月，忽憶海東雲。〔註11〕

表達個人的身世遭遇，寄託流離塞外的愁苦以及對南方故國的懷念。

　　在明代以前，女性亂離詩的寫作大致如上所述，以數量來說寥寥無幾，僅只於在國家易代之際以個別的姿態出現，女性對於國家議題仍少有觸及。

第二節　女性亂離詩傳統的建立

　　從蔡琰的〈悲憤詩〉開創亂離詩的寫作以來，歷來的女詩人很少有人繼承蔡琰的詩風，大多仍侷限於閨閣題材，一直要到晚明，隨著女性寫作題材的擴展，亂離詩的寫作因而突然增加，形成盛況，亂離詩的寫作傳統才逐漸建立。其中隱含了時代背景的因素，以及對亂離詩典範的繼承。

〔註10〕〔清〕康熙敕編：《全唐詩》（北京：中華書局，西元1971年4月）卷798，頁8981。

〔註11〕〔清〕厲鶚：《宋詩紀事》（台北：鼎文書局，西元1971年9月）卷84，頁3898～3899。

一、晚明社會的變動與才女文化的興起

首先，晚明的社會背景是影響女性創作的重要因素。晚明是一個都市急遽發展的時期，隨著經濟的發展帶動社會的變遷，形成一種複雜、流動的城市文化。不少學者都已觀察到，在這種浮動的城市中生活，過去理想而分明的秩序因而產生動搖，日本學者岸本美緒指出：「在那些生活於十六世紀以後的人們眼中，傳統的社會等級——高／低、良／賤、舊族／新門——都已蕩然不存。」〔註12〕由於社會繁榮帶來的混亂情況，促成了許多現象的產生，如女性受教育機會增加以及識字率的提升、出版事業、坊刻的繁榮，以及性別秩序的鬆動。事實上，明末這些變動的現象在晚明許多的小說及戲劇，如馮夢龍的《三言》、《二拍》中皆有清晰刻畫，商業化城市的景象宛如一幅浮世繪。因此，在明清對婦女教育的重視以及晚明城市文化氛圍的影響下，越來越多受教育的女性能夠創作、閱讀以及出版書籍，身兼作家、讀者以及編者的身分。由於性別秩序的鬆動，她們能流動於閨閣與公共空間之中，在文學領域佔有一席之地。出版業的盛行說明閱讀大眾的增加，此時女詩人的作品大多依賴男性的贊助得以出版，坊刻、家刻出版各種女性選集與專集流通於大眾領域中，因而在作者與讀者間形成一個文學網絡。這種商業化的繁榮景況，尤其是在十六世紀後期的江南地區達到巔峰。

一種象徵婦女創作之盛的才女文化便是在江南的繁榮社會中興起。這種才女文化根據魏愛蓮（Ellen Widmer）的說法，十七世紀明清之交時，中國的才女交換作品、彼此支持、互相鼓勵創作。女詩人或者聚會，或者通信，同時以作者／讀者／評者的角色彼此溝通，產生互動。〔註13〕因此，才女間不論是在現實或想像間都保持著對話關

〔註12〕岸本美緒：《歷年記》，轉引自高彥頤（Dorothy Ko）著、李志生譯：《閨塾師：明末清初江南的才女文化》，頁33。

〔註13〕魏愛蓮著，劉裘蒂譯：〈十七世紀中國才女的書信世界〉，《中外文學》，第22卷第6期，1993年11月。

係，就以明清之際閨秀商景蘭（字媚生）的情況來觀察：

> 商夫人有二媳四女咸工詩，每暇日登臨，則令媳女輩載筆
> 牀硯匣以隨，角韻分題，一時傳爲勝事；而門牆院落，葡
> 萄之樹，芍藥之花，題咏幾徧，過梅市者，望之若十二瑤
> 臺焉。秀水黃皆令慕其名，入梅市訪之，贈送唱和之作甚
> 盛。〔註14〕

這段文字表現商景蘭一門吟詠之盛，說明當時一種家庭文學聚會的形式，讓同樣喜好創作的女性慕其名而來，形成才女間互相往來、對話，黃媛介還歸後，更將此次與梅市的倡和輯成《梅市倡和詩鈔稿》。〔註15〕由此可見，在明清才女間形成創作與閱讀的對話網絡，而使得此文化逐漸擴展、壯大。另外，在才女文化的興起過程中，還有一種特別現象，那便是「閨塾師」的產生，在高彥頤的《閨塾師：明末清初江南的才女文化》一書中有詳盡討論。她以黃媛介爲例，認爲像她這樣以閨塾師一職巡遊於江南城鎮中，擔任養家餬口的重任，已顚倒了夫妻關係和矛盾的社會身份，說明受教育的女性能以其專業知識與文學素養作爲一種職業，流動於公共空間之中，由此展現女性空間的靈活性。〔註16〕

　　不論是才女間的互動與唱和，或者閨塾師職業的產生，都說明了一個現象，那便是明清時期女性生活空間的擴展。晚明社會的流動性讓閨閣與公共空間的界線因爲眞實的或者想像的群體關係變得模糊，女性視野的擴大表現在文學題材上，她們的創作不再只是侷限於閨閣與生活週遭的空間，而能以更加敏銳開闊的眼光在文學創作上逐漸顯現出自覺意識。因此，當她們面對明末國家政治危機時，才能更自覺地，將自身亂離的遭遇與時代的亂亡以文學的形式呈現出來。總

〔註14〕〔清〕朱彝尊：《靜志居詩話》（台北：明文書局，西元 1991 年 1 月）卷 23，頁 388～389。

〔註15〕胡文楷：《歷代婦女著作考·附錄》（臺北：鼎文書局，西元 1973 年 5 月），頁 87。

〔註16〕高彥頤（Dorothy Ko）著、李志生譯：《閨塾師：明末清初江南的才女文化》，頁 125～127。

而言之，晚明的社會背景與才女文化的興盛，都說明了明末女性亂離詩的書寫在數量上之所以能夠超越歷史上任何一個時代的緣故。

二、對蔡琰〈悲憤詩〉的繼承

明末的女詩人在亂離詩的寫作上既然能更富有自覺，她們必定難免受到歷史上那些傑出亂離詩篇的影響，而蔡琰的〈悲憤詩〉不僅代表著首篇由女性所創作的亂離詩，也由於詩中寄託深刻的意義性，成爲後人書寫亂離時所參考模仿的指標性詩章。因此，在明清之際的女詩人的亂離詩中，可以發現她們有意追隨蔡琰〈悲憤詩〉將個人遭遇寄託於家國書寫中的寫作方式，以王端淑寫作的〈悲憤行〉來說，在詩題上的相似性，說明她受到〈悲憤詩〉影響的痕跡。蔡琰詩中表現出的「自傳性」與「詩史」的性質，皆由明清之際的女詩人所繼承，成爲她們在明末國家亂亡時，吟詠時事、寄託身世的重要寫作形式。

明末清初有如此多女詩人投入亂離詩的寫作，在創作上，又自覺與不自覺地遵循著一定的形式，因此，女詩人將個人遭遇與時代的不幸結合、以書寫個人身世見證時代的寫作方式，使女性亂離詩的寫作傳統在晚明逐漸建立。

第三節　自述亂離的女性聲音與視角

對於當代研究女性文本及女性主義而言，「聲音」是最不可忽略且頻頻被關注的辭彙。不少的研究以「另一種聲音」、「失落的聲音」、「不同的聲音」等藉以表達對於那些長久以來一直被忽略或者壓抑的女性聲音的發現。例如中研院在二〇〇三年出版的一系列關於中國婦女研究書籍，便以「無聲之聲」作爲標題。〔註17〕在導言中，編者認

〔註17〕此一系列書籍爲羅久蓉、呂妙芬主編：《近代中國的婦女與國家（西元 1600 年～西元 1950 年）》（臺北：中研究近史所，西元 2003 年）、《近代中國的婦女與社會（西元 1600 年～西元 1950 年）》（臺北市，中研究近史所，西元 2003 年）、《近代中國的婦女與文化（西元 1600 年～西元 1950 年）》（臺北市，中研究近史所，西元 2003 年）。

爲聲音對婦女史研究的意義在於「聲音不只是婦女在家庭與社會中地位的座標，也指向婦女心靈空間的舒展與內斂。」〔註18〕通過對女性聲音的探尋，那一向被壓抑而寂靜無聲的女性群體與個人才有被重新發現的可能，而她們在當時的身分與權力也才得以彰顯出來。

　　對比唐宋明清以來諸史中所著錄的女作家僅寥寥數十人，便能發現，女性並非不曾主動發出聲音，而是她們的聲音不如男性文人般受到重視，這使得女作家無論在正史或文學史中都悄然無聲，那些人們所熟知的女作家諸如蔡琰、李清照、薛濤等人，在歷史上彷彿奇峰突起般的偶然閃現。在《文學史的權力》中，戴燕認爲文學史的寫作與權力脫離不了關係：

> 「中國文學史」一旦與自己時代的主流意識形態及教學方式相吻合，知識、思想的權力加上教育的權力，便使它在獲得絕對合理性、絕對權威性的那一刻，就自然產生出強烈的惟一性、排他性……〔註19〕

因此，女性的作品被排拒在正統文學史之外，與其生活在封建社會父權體制下有著深切的關聯性，但若是純然以西方女性主義解釋性別關係時所提出的壓迫者／被壓迫者的論述來觀察古代中國的女性文學史，似乎並不完全符合眞實情況，此說不僅過份誇大了父權力量，也忽略了女作家的主體性與個性，尤其是對於明清時期的女作家而言，這種權力關係絕非牢不可破。

　　由明清時期所出現的大量婦女選集與別集顯示，女作家試圖穿越封建體制「男女有別」的縫隙，找尋屬於自己的聲音。而在當時，她們的作品也受到了男性文人的賞識，像是明代竟陵派的領袖鍾惺便在其編選的《名媛詩歸》序中說道：

> 詩也者，自然之聲也……。三百篇自登山涉岨，唱爲懷人之

〔註18〕羅久蓉、呂妙芬主編：《近代中國的婦女與國家》（臺北：中研究近史所，西元 2003 年），頁 1。

〔註19〕戴燕：《文學史的權力》（北京：北京大學出版社，西元 2002 年 3 月），頁 96。

祖，其言可歌可詠，要以不失溫柔敦厚而已。……若夫古今
名媛，則發乎情，根乎性，未嘗擬作，亦不知派。〔註20〕

將女性詩作歸類為根情根性的自然之作，沒有文壇上瀰漫的模擬習
氣，並上承自詩經而來。接著說：

夫詩之道，亦多端矣。而吾必取于清。向嘗序友夏簡遠堂
集曰：詩清物也，其體好逸，勞則否；其地喜淨，穢則否；
其境取幽，雜則否；然之數者，本有克勝女子者也。〔註21〕

鍾惺表明其選詩標準在於「清」，是一種不染塵俗的潔淨特性，恰好
與女性氣質相符合，這麼一來，便將女詩人的作品推向了經典的位
置。再如明代江元祚編選的《續玉臺文苑》前有葛徵奇序云「非以天
地靈秀之氣，不鍾於男子；若將宇宙文字之場，應屬乎婦人」〔註22〕
文中表達了對於女性詩作的驚豔，在於其隔絕、未經世俗破壞的靈
氣，惟有如此才適合寫詩。不論是鍾惺或江元祚，皆不約而同地把「天
地靈氣」這種天才的特有素質，歸於女性身上，可見對女性才學的推
重。男性文人對女詩人的愛賞在明清時期是一種普遍的現象，在當時
許多女性創作的詩文也藉由男文人的幫助才得以集結出版。這些現象
顯示女性的聲音並非完全被掩蓋、禁止及忽視，相反地，是被聽見、
讚賞及保留，這顯示父權體制下的權力關係仍有鬆動的可能，並富有
彈性。在 Hazard Adams 一篇名為〈經典：文學的準則／權力的準則〉
的文章中，討論了有關文學經典的問題，他提出了「逆辯」的準則，
認為文學的準則應該力求某種道德價值，權力準則與文學準則都同樣
不能忽略。〔註23〕因此，單單以權力關係或純粹以美學主義來詮釋經

〔註20〕〔明〕鍾惺編：《名媛詩歸·序》，《四庫全書存目叢書》（台南：莊
　　　　嚴文化，西元 1997 年 6 月），頁 1～2。
〔註21〕〔明〕鍾惺編：《名媛詩歸·序》，（四庫全書存目叢書·集部 339，
　　　　明刻本），頁 2～3。
〔註22〕〔明〕葛徵奇：〈續玉臺文苑·序〉，〔明〕江元祚編《續玉臺文苑》
　　　　（四庫全書存目叢書·集部 375，明崇禎刻本），頁 424。
〔註23〕經典逆辯性準則，是站在與文學的準則和權力的準則互相對立的反
　　　　面。換句話說，它反對容讓權力準則否定文學準則，把後者貶抑為

典的產生，皆不甚妥當。

　　明清女詩人創作的蓬勃，促使名媛詩詞的選集大量出現，除了在男性文人手中完成之外，不少女詩人更親手編自己的作品，她們對於寫作與出版的需求，展現其「自我呈現」和「自我銘刻」的欲望。〔註24〕對此，《虛構的權威》一書中曾指出，寫作並尋求出版的行爲本身就意味著對話語權威的追求，是一種爲了獲得聽眾，贏得尊敬和贊同，建立影響的企求。〔註25〕「聲音」表達了以女性爲中心的觀點和見解，而以聲音來獲得權威，可以說明女性創作來自一種深切的心理需求，女詩人可以因此建構並且公開表述女性的主體性，以往只出現在男性作家筆下的女性氣質，便有了重新定義的可能。所謂的主體性：

> 並不是一種統一的或超然的心理本質，而是一個過程，主體是在多重的文化話語中被激活（再激活）和定位（再定位）。〔註26〕

女性主體並不是固定不變的本質，主體性會因著不同的文化環境產生裂變，並在一次次的斷裂中尋找重新建構的可能性。通過書寫建立主體性並自我表白的心理需求，是女性作家的普遍共性，但在明清易代之際遭逢亂離的女詩人身上，這樣的心理需求顯得更加強烈與深切，因爲時代的紛亂帶給個人的不但是外在災禍所造成的痛苦，在心理上也必然產生衝突與面對自我安頓的難題。

　　明思宗崇禎十七年（甲申，西元 1644 年）三月十九日，以李自

純屬形式的考慮，並進而斥之爲無用。至於較罕有的情況，亦即以文學的準則否定權力的準則，偏向純粹的美學主義，亦同樣反對。參考 Hazard Adams 著、曾珍珍譯：〈經典：文學的準則／權力的準則〉，《中外文學》，1994 年 7 月，頁 9～10。

〔註24〕毛琳・羅伯遜〈轉變話題〉，參見康正果〈重新認識明清才女〉，《中外文學》1993 年 11 月，頁 124。

〔註25〕蘇珊・S・蘭瑟著，黃必康譯：《虛構的權威》（北京，北京大學出版社，西元 2002 年 5 月），頁 6。

〔註26〕史蒂文・科恩、琳達・夏爾斯著，張方譯：《講故事——對敘事虛構作品的理論分析》（台北：駱駝出版社，西元 1997 年 9 月），頁 156。

成爲首的大順軍攻入北京，崇禎皇帝朱由檢自縊，大明王朝宣告覆亡。﹝註27﹞李自成的變亂，提供清軍入關的機會，清人在吳三桂接應下進入山海關，佔領北京，﹝註28﹞而南方則由馬士英等人擁立福王朱由崧於南京即位，形成南北對抗的局面。從明末到清初這段時期，政治社會正處於極端動盪不安的狀態，流寇四處劫掠與清兵入關，使原本平靜的家園在瞬間殘破不堪，生活在這一時期的人民很少有人能倖免。突如其來的時代動亂使人民置身於危機重重的險惡環境之中，家國的淪落與異族的入侵形成了雙重危機，身處於這個時代的知識份子目睹國家的變動，自身的生命與國家興亡休戚相關，與歷史的緊密連結使他們不能置身事外，書寫與紀錄的欲望於焉產生，大量吟詠時事與個人遭逢的詩作被保留在清人卓爾堪選輯的《明末四百家遺民詩》十六卷及張其淦《明代千遺民詩錄》之中。男性文人的遺民詩作在歷史上一直以來都備受矚目並被編撰成冊，除了上述明代兩本詩集之外，《元八百遺民詩詠》也記錄了宋元易代的遺民詩作。男性自古以來便被認爲是政治社會等公共事務的參與者，他們對於政治的表達是被放置在歷史的敘事之中，並且受到期待。以往有關家國、黍離主題的詩作幾乎出於男性文人之手，女性詩作仍大多侷限於閨閣題材，極少以政治歷史的自覺眼光對國家社會的興亡加以關切與審視，但在明清之際卻出現了一群女詩人，爲其親身經歷的政治動亂寫下紀錄，這在歷史上可說是前所未見，考察錢仲聯所編《清詩紀事·列女卷》，就能發現在這一時期留下數量極多的女性亂離詩。

　　但除了第一節所敘述的外在原因，更切身的是女詩人在亂離之際欲通過書寫建立主體性並自我陳述與表白的心理需求，而她們所發出的聲音不僅是自身生命經驗的紀錄，更可以說是對於家國敘事的一種表達與滲透。在《見證的危機：文學歷史與心理分析》一書中提到：

﹝註27﹞顧城：《南明史》（北京：中國青年出版社，西元 2003 年 12 月第一版），頁 1。

﹝註28﹞顧城：《南明史》，頁 15～30。

「文學是面對無法發聲的歷史的唯一見證。」〔註29〕並提到：

> 見證是一個奇妙的責任，受任的證人無由藉委任他人、尋
> 求替代，或假面扮演來推卸。〔註30〕

就是這種對無聲的歷史無可替代的責任，使女詩人有自覺地將個人的
經歷寄託於歷史，見證歷史的同時也寄託個人的情操。她們的見證將
作為後人回顧這段歷史的依據，歷史的敘述本身即是一種建構，重要
的是女詩人如何處理這些事件，以及她們的經歷如何被再現出來。

在女性文學研究中所說的「聲音」指的是女性真正的聲音及其主
體性，在敘事學中，「聲音」指的則是故事中的敘述者：

> 敘述者指敘事文中的「陳述行為主體」，或稱「聲音或講話
> 者」，它與視角一起，構成了敘述。〔註31〕

因此，「聲音」指的是「誰在說」，即敘述者要傳達給讀者的語言；而
「視角」〔註32〕則指的是「誰在看」，即誰在觀察故事。在明清女詩
人的亂離詩中，聲音與視角都由女詩人擔任，她們不僅是事件的敘述
者，也是聚焦者，故事由她們來觀察，也由她們講述。透過獨特的「女
性視角」與「女性聲音」，女詩人的亂離敘事才得以完成。在敘事文
學中，主要關注的是人物的動機，及其如何行動與選擇，最終造成什
麼樣的結果，藉以彰顯出人物的心理、意志、衝突及核心價值。對於
明末清初的女詩人而言，面對世亂的挑戰，她們個人的抉擇、意志與
情操，都在詩中表露無遺。

〔註29〕 費修珊、勞德瑞著，劉裘蒂譯：《見證的危機：文學歷史與心理分析》
（臺北：麥田出版社，西元 1997 年 8 月初版），頁 26。

〔註30〕 費修珊、勞德瑞著，劉裘蒂譯：《見證的危機：文學歷史與心理分析》，
頁 32。

〔註31〕 胡亞敏：《敘事學》（武漢：華中師範大學出版社，西元 2004 年 12
月），頁 36。

〔註32〕 視角是作者和文本的心靈結合點，是作者把他體驗到的世界轉化為
語言敘事世界的基本角度。因此，敘事角度是一個綜合的指數，一
個敘事謀略的樞紐，它錯綜複雜地連結著誰在看，看到何人何事何
物，看者和被看者的態度如何，要給讀者何種「召喚視野」。參考楊
義：《中國敘事學》（北京：人民出版社，西元 1997 年 12 月），頁 191。

　　明末著名才女王端淑，字玉映，爲明朝禮部右侍郎王思任的次女，丁聖肇妻。自小博通經史，據記載其父「嘗撫而憐之曰：『身有八男，不易一女』」，〔註33〕可見對其才氣的愛惜與看重。其父於明亡之後絕食而死，而王端淑則在世變之中飽經國亡之痛、亂離之苦，其〈悲憤行〉慷慨自陳：

> 凌殘漢室滅衣冠，社稷丘墟民力殫。勒兵入寇稱可汗，
> 九州壯士死征鞍。嬌紅逐馬聞者酸，干戈擾攘行路難。
> 予居陋地不求安，葉聲颯颯水漫漫；月催寒影到闌干，
> 長吟漢史靜夜看。思之興廢冷淚彈，杜鵑啼徹三更殘。
> 〔註34〕

詩人以「漢室」暗喻明室，與入「寇」的異族形成了強烈對比，正統漢族此時正面臨非工統滿族的入侵，詩人將干戈擾攘的大歷史現象，作出了客觀的敘述，而一「漢」──「寇」之間，已寄託了她身爲明朝臣民那份深切的民族情感。接著敘述她在喪亂中被迫離開家鄉、倉皇避禍的歷程，其中的艱難與酸楚令她在夜裡無法成眠，此時在心中鬱結難解的不僅僅是個人的遭遇，國家的興廢及社稷的安危更令詩人憂心不已，在歷史中觀照個人的生命情境。此詩全然透過詩人自身的感知和意識來呈現，屬於內聚焦型的敘事情境，因而能充分展現詩人的內心衝突和思緒。〔註35〕詩人視角的轉移從國家到個人，從大到小，將個人置放到歷史之中，有所審視、有所省思，同時敞開詩人的內心世界，呈現出複雜紛亂的思緒。

　　在此首詩中，可以發現很濃厚的自傳性質，詩人自述其亂離身

〔註33〕　〔清〕完顏惲珠：《國朝閨秀正始集》（清道光辛卯十一年（西元 1831 年）紅香館刊本），卷 2，頁 19 上。

〔註34〕　〔明〕王端淑：《吟紅集》，轉引自孫康宜：〈末代才女的「亂離」詩〉，《文學的聲音》，頁 49。

〔註35〕　在內聚焦型視角中每件事都嚴格地按照一個人或幾個人物的感受和意識來呈現。這種內聚型的最大特點是能充分敞開人物的內心世界，淋漓盡致地表現人物激烈的內心衝突和漫無邊際的思緒。參見胡亞敏：《敘事學》（湖北：華中師範大學出版社，西元 2004 年 12 月），頁 27。

世，是一種對女性主體的建立，胡曉眞認爲：

> 自傳在傳主與作者爲同一人的情況下，作者的寫作並非只
> 是「紀錄」，而是一種「創作」。創作的意義，也不只是文
> 本的從無到有，更是作者對傳主的人格、形象、身分認同，
> 以至整個主體性的塑造。這種情況就好像自傳的傳主自己
> 創造了一個「自我」，然後又寫作了一部自傳來確立自己之
> 創造物的合法地位。〔註36〕

因此，詩人在詩中創造了一個女性形象，才女的身份、作家的地位，認同於明朝的忠君身份，以及一個孤寂的靈魂，關於「見證」，《見證的危機》一書中提到：

> 作見證即意味著承擔責任所帶來的孤寂，承擔孤寂所帶來
> 的責任。〔註37〕

書寫見證即是一種承擔，過程中必須忍受孤獨，詩人在人生的困頓中，將自己的經歷感慨化爲詩歌，透過書寫更能體悟人世的滄桑變幻。

　　視角是一部作品，或一個文本，看世界的特殊眼光和角度，且獨特的視角操作，可以產生哲理性的功能，進行比較深刻的社會人生反省。〔註38〕王端淑身在明末亂亡的時代，以一位飽讀詩書的女性眼光，看待局勢的變遷，帶有史學家的眼界以及人生哲理的思辨，女性的書寫於此已超越了昔日以狹隘的居處之地爲題材，進一步提高境界，感懷家國。孫康宜認爲晚明女性詩歌的特異之處，便是由於女作家選擇了「文人化」的方向，開始有意寫作她們那個特殊時代的「詩史」，因而抒發出才女們特有的歷史情懷。〔註39〕「史」是一種感知世界、認識世界的方式，歷史意識在中國文化中一向佔據著重要的地

〔註36〕胡曉眞：《才女徹夜未眠──近代中國女性敘事文學的興起》（台北：麥田出版，西元 2003 年 10 月），頁 92。

〔註37〕費修珊、勞德瑞著，劉裘蒂譯：《見證的危機：文學歷史與心理分析》，頁 32。

〔註38〕楊義：《中國敘事學》（北京：人民出版社，西元 1997 年 12 月），頁 191～197。

〔註39〕孫康宜：〈末代才女的「亂離」詩〉，《文學的聲音》，頁 47。

位，西漢司馬遷在《史記‧報任安書》中自述其撰述史記的目的爲「究
天人之際，通古今之變，成一家之言」，〔註40〕在《史記‧太史公自
序》中也提到他所以作《平準書》，是爲了「以觀事變」。〔註41〕此種
以「史」觀事變的歷史觀念，乃司馬遷繼承《春秋》之義而來的，並
爲後人仿效與沿用，形成重要的文化傳統。而明末清初的女詩人獨特
的歷史意識便透過「詩」與「史」的融合傳達出來。早在唐代，杜甫
的詩作即將此二者達致完美的融合，被稱爲「詩史」。晚唐孟棨〈本
事詩‧高逸第三〉即如此稱道：「杜逢祿山之難，流離隴蜀，畢陳于
詩，推見至隱，殆無遺事，故當號爲詩史。」〔註42〕而楊義則將杜甫
的詩學稱之爲「詩史思維」：〔註43〕

> 杜甫的一大本事，就是把敏銳深刻的詩性直覺，投入歷史
> 事件和社會情境之中，把事件和情境點化爲審美意象，從
> 中體驗著民族的生存境遇和天道運行的法則。〔註44〕

同樣的流離遭遇、同樣面臨自身與整個民族生存境遇的危機，明末清
初女詩人亦有如是情懷，選擇以「詩史」自我銘刻，從中體悟司馬遷
所謂的「天人之際」、「古今之變」，探究天道與人的命運間的關係並
與之對話，進而對於古往今來的歷史變遷有更深刻的體會。

〔註40〕〔漢〕班固：《漢書‧司馬遷傳》（台北：鼎文書局，西元 1977 年 11
月）卷 62，頁 2735。

〔註41〕〔漢〕司馬遷：《史記‧太史公自序》（台北：鼎文書局，西元 1987
年 11 月）卷 130，頁 3306。

〔註42〕〔唐〕孟棨：《本事詩‧高逸第三》，收錄於丁福保：《歷代詩話續編》
（台北：木鐸出版社，西元 1983 年 9 月），頁 15。

〔註43〕詩史思維，是一種異質同構的綜合性思維。詩重抒情性，它進入的
是一個心理時空；史重敘事性，它展示的是一個自然時空。這兩種
時空是存在著玄虛和質實的差異的。參見楊義：〈杜甫的「詩史」思
維（上）〉，《杭州師範學院學報》，2000 年第一期，頁 36。

〔註44〕楊義：〈杜甫的「詩史」思維（上）〉，《杭州師範學院學報》，2000 年
第一期，頁 36。

第六章　結　論

　　在明末清初國家急遽動亂的時代，女詩人以充分的自覺寫作，而出現許多書寫亂離的女性詩作，她們以特殊的女性聲音與視角，見證時代的亂亡，並抒發一己之身世，透過書寫對歷史敘述造成影響。明末清初女詩人的亂離書寫，在時空的敘事下進行，構成了她們獨特的時空觀。透過這種時空敘寫，寄託女性在國家亂亡之際的歷史情懷，並進一步見證歷史。而女詩人在戰亂的歷史時空中，斷裂、流離的時空感使她們渴望進入永恆時空的時空書寫。女詩人如同一般男性文人一樣，對於國家的亂亡有所反思與批判，對於社會現象有著一份同士大夫一樣「先天下之憂而憂」的責任與關懷，這使得她們的詩作中對於處在國破家亡亂離境遇的廣大人民，流露出憂心與同情。並透過自我與他者的對話，除了表白自我身世產生投射現象之外，也在這種與歷史的聯繫中，建構自身的主體性。其自身的命運更加彰顯，更表達其心志與願望，在這種女性命運的交織中，體悟自身的主體性與價值。

　　第二章闡明書寫所產生的力量。女性以其獨特的女性視角與聲音見證亂離，她們面臨自身與整個民族生存境遇的危機之時以其特有的視野來觀看及面對，並選擇以「詩史」自我銘刻，形成女性亂離詩的傳統。

　　第三章則在女詩人的時空敘寫中，發現女詩人在亂離造成的時空變異中感懷歷史家國，身世的飄零讓她們渴求時間的永恆與世外桃

源，期望在亂世之中尋得一塊立足之地隱居生活，保有心中的清淨。

第四章闡明女詩人經歷亂離的時空轉變，她們見證亂離的詩作對於公共領域的議題加以參與，詩中對於政治家國等公眾事務，有所關懷與批判，這表示女詩人開始涉足過去只屬於男性的領域，為女性在家庭與閨閣之外創造更大的可能。而她們面臨國族危機，女性身份與國族大義形成難解的衝突與糾結。

第五章透過蔡琰、王昭君歷代形象的轉變，發現男性文人將她們視為政治象徵符號任意增添修改，女詩人透過典故的運用，開啟不同於男性的視野，女性的主體性因此得以彰顯，而對話空間也就此展開。

從來不曾有哪個朝代，如同明末清初一般，遺留下數量如此龐大的女性亂離詩作，更顯其難能可貴，政治社會的歷史一向缺乏女性敘事，而這些女詩人見證歷史、書寫自身，藉由她們的書寫重現了一個時代的精神，何嘗不是一種「補史之闕」的女性聲音？西方理論發展到新歷史主義，認為歷史已不能被當成文學的「背景」或「反映對象」，文學與形成文學的「背景」之間是一種「互動的關係」，一種相互影響、相互塑造的關係，〔註1〕因此女性的書寫與歷史之間其實是相互詮釋、相互流動的。而明末清初的女性書寫是對於歷史大敘述的滲透與介入，這就是後現代主義所強調的，拆解所謂的「總體敘述」，而重視各式各樣的「小敘述」，這些女性詩人的「小敘述」本身即是一種行動，因為她們的書寫在某種程度上對歷史造成了影響，是對於歷史的、生命的一種實現與實踐。

明末清初保留了數量甚多的女性亂離詩，有其值得再繼續深掘之處，此篇論文的撰寫只能說是起始，仍有許多空間尚待開發。女性詩作的散佚不全，讓亂離詩史料的收集耗時費力，因此以一人之力恐尚有疏漏之處，難以完整。再者，文中運用西方理論以闡釋古典詩之處仍顯生硬，更待細緻磨合。

〔註1〕盛寧：《新歷史主義》，（台北：揚智文化出版社，西元 1995 年 2 月），頁 27。

參考書目

一、古　籍

1.　〔漢〕毛亨傳、鄭玄箋、孔穎達疏：《毛詩注疏》，臺北：藝文印書館，1985 年。

2.　〔漢〕司馬遷：《史記》，台北：鼎文書局，1987 年。

3.　〔漢〕班固撰、〔唐〕顏師古注：《新校本漢書集注并附編二種》，台北：鼎文書局，1979 年。

4.　〔漢〕鄭玄注，孔穎達疏：《禮記正義》，台北：中華書局，1966 年。

5.　〔宋〕王安石：《王安石全集》，台北：河洛出版社，1974 年。

6.　〔宋〕李昉編：《太平廣記》，北京：中華書局，1961 年。

7.　〔宋〕范曄著，李賢等注：《後漢書・列女傳》，台北：鼎文書局，1975。

8.　〔宋〕厲鶚：《宋詩紀事》，台北：鼎文書局，1971 年。

9.　〔宋〕歐陽修：《歐陽修全集》，北京：中華書局，1986 年。

10.　〔明〕江元祚編《續玉臺文苑》，《四庫全書存目叢書》，台南：莊嚴文化，1997 年。

11.　〔明〕湯顯祖：《牡丹亭・作者題詞》，台北：漢京文化，1984 年。

12.　〔明〕馮夢龍：《馮夢龍全集》，上海：上海古籍出版社，1993 年。

13.　〔明〕黃一正編：《事物紺珠》，收錄於《四庫全書存目叢書・子部第 200 冊》（台南：莊嚴文化事業有限公司，西元 1995 年 9 月）。

14.　〔明〕鍾惺編：《名媛詩歸》，《四庫全書存目叢書》，台南：莊嚴文

化，1997 年。

15. 〔清〕丁福保：《歷代詩話續編》，台北：木鐸出版社，1983 年。

16. 〔清〕王端淑：《名媛詩緯初編》，（清康熙間（西元 1662 年～西元 1722 年）清音堂刊本）。

17. 〔清〕王蘊章《然脂餘韻》，杜松柏編：《清詩話訪佚初編》，台北：新文豐出版，1987 年。

18. 〔清〕朱彝尊：《明詩綜》，台北：世界出版社，1970 年。

19. 〔清〕朱彝尊：《靜志居詩話》，台北：明文書局，1991 年。

20. 〔清〕江盈科：《閨秀詩評》，《江盈科集》，長沙：岳麓書社，1997 年。

21. 〔清〕完顏惲珠：《國朝閨秀正始集》（清道光辛卯十一年（西元 1831 年）紅香館刊本）。

22. 〔清〕李因：《竹笑軒吟草》，遼寧省：新華書局，2003 年。

23. 〔清〕沈善寶：《名媛詩話》，杜松柏《清詩話訪佚初編》，台北：新文豐，1987 年。

24. 〔清〕沈德潛：《明詩別裁集》，北京：中華書局，1975 年。

25. 〔清〕沈德潛：《清詩別裁集》，上海：上海古籍出版社，1984 年。

26. 〔清〕阮元校勘：《十三經注疏》，台北：大化書局，1989 年。

27. 〔清〕季嫻：《閨秀集》，《四庫全書存目叢書》，台南：莊嚴文化，1997 年。

28. 〔清〕施淑儀：《清代閨閣詩人徵略》，台北：明文書局，1985 年。

29. 〔清〕胡鳳丹《青冢志》，收錄於香豔叢書 18 集卷 3，古亭書屋，1969 年。

30. 〔清〕計六奇編：《明季南略》卷 15，台北：台灣商務印書館，1979 年3

31. 〔清〕徐世昌：《晚晴簃詩匯》，北京：中華書局，1990 年。

32. 〔清〕徐鼒：《小腆紀傳》，台北：明文書局，1985 年。

33. 〔清〕康熙帝敕編：《全唐詩》，北京：中華書局，1971 年。

34. 〔清〕梁章鉅編：《閩川閨秀詩話》，收錄於張廷華輯：《香豔叢書》16 集卷 2，古亭書屋，1969 年。

35. 〔清〕陳維崧撰、冒襃注：《婦人集》，嚴一萍編：《百部叢書集成》，台北：藝文印書館。

36. 〔清〕劉雲份編：《翠樓集》，台南：莊嚴文化，1997 年。

37. 〔清〕蔡殿齊編:《國朝閨閣詩鈔》,《續修四庫全書》,上海市:上海古籍,2002 年。

38. 〔清〕錢謙益:《列朝詩集》,《續修四庫全書》,上海:上海古籍,2002 年。

二、專　著

1. 王立:《中國古代文學十大主題——原型與流變》,台北,文史哲出版社,1994 年。

2. 史蒂文・科恩、琳達・夏爾斯著,張方譯:《講故事——對敘事虛構作品的理論分析》,台北:駱駝出版社,1997 年。

3. 米歇爾・傅柯(Foucault Michel)著,尚衡譯:《性意識史》,台北:桂冠圖書,1990 年。

4. 西蒙・波娃著,陶鐵柱譯:《第二性》,臺北:貓頭鷹出版,1999 年。

5. 李紀祥:《時間・歷史・敘事》,台北:麥田出版,2001 年。

6. 胡文楷:《歷代婦女著作考》,臺北:鼎文書局,1973。

7. 胡亞敏:《敘事學》,武漢:華中師範大學出版社,2004 年。

8. 胡曉真:《才女徹夜未眠——近代中國女性敘事文學的興起》,台北:麥田出版,2003 年。

9. 計六奇主編:《明季南略》,台北:台灣商務印書館,1979 年。

10. 夏鑄九、王弘志編譯:《空間的文化形式與社會理論讀本》,台北:明文書局,1992 年。

11. 孫康宜:《文學的聲音》,臺北:三民書局,2001 年。

12. 孫康宜:《古典與現代的女性闡釋》,台北:聯合文學出版社,1998 年。

13. 孫康宜:《陳子龍與柳如是詩詞情緣》(台北:允晨文化,1992 年

14. 班納迪克・安德森著,吳叡人譯:《想像的共同體:民族主義的起源與散布》,台北:時報文化出版,1999。

15. 高辛勇:《形名學與敘事理論:結構主義的小說分析法》,台北:聯經出版社,1987 年。

16. 高彥頤(Dorothy Ko)著,李志生譯:《閨塾師:明末清初江南的才女文化》,南京:江蘇人民出版社,2005 年。

17. 曼素恩著,楊雅婷譯:《蘭閨寶錄:晚明至盛清的中國婦女》,台北:左岸文化,2005 年。(另有簡體版爲曼素恩著,定宜庄、顏宜葳譯《綴珍錄——十八世紀及前後的中國婦女》,南京:江蘇人民出版社,2005

年。)

18. 康正果:《女權主義與文學》,北京:中國社會科學出版社,1994 年。

19. 康正果:《風騷與艷情──中國古典詩詞的女性研究》,台北:雲龍出版社,1991。

20. 張宏生編:《明清文學與性別研究》,南京:江蘇古籍出版社,2002 年。

21. 張壽安、熊秉真合編:《情欲明清──達情篇》,台北:麥田出版社,2004 年。

22. 梁乙真編:《清代婦女文學史》,臺北:中華書局,1979 年。

23. 盛寧:《新歷史主義》,台北:揚智文化出版社,1995 年。

24. 陳順馨、戴錦華選編:《婦女、民族與女性主義》,北京:中央編譯出版社,2004 年。

25. 陳鵬翔主編:《主題學研究論文集》,台北,東大圖書有限公司,1983 年。

26. 傅柯著,劉北成、楊遠嬰譯:《規訓與懲罰──監獄的誕生》,台北:桂冠,1992 年。

27. 凱特·米莉特(Kate Millett)著,宋文偉譯:《性政治》,南京:江蘇人民出版社,2000 年。

28. 斯蒂芬·歐文(宇文所安):《追憶──中國古典文學中的往事再現》,上海:上海古籍出版社,1990 年。

29. 曾永義:《說俗文學》,台北:聯經出版公司,1980 年。

30. 費修珊、勞德瑞著,劉裘蒂譯:《見證的危機:文學歷史與心理分析》,臺北:麥田出版社,1997 年。

31. 逯欽立:《先秦漢魏晉南北朝詩》,臺北:學海出版社,1992 年。

32. 楊義:《中國敘事學》,北京:人民出版社,1997 年。

33. 楊儒賓:《儒家身體觀》,台北:中央研究院中國文哲研究所,1996 年。

34. 蒂費納·薩莫瓦約著,邵煒譯:《互文性研究》,天津市:天津人民出版社,2003 年。

35. 路易·加迪等著,鄭樂平、胡建平譯:《文化與時間》,台北:淑馨出版社,1992 年。

36. 榮格著,馮川、蘇克譯:《心理學與文學》,北京:三聯書店,1987 年。

37. 熊秉真編:《睹物思人》,臺北,麥田出版,2003 年。

38. 裴普賢：《詩經評註讀本》，台北：三民書局，1982年。

39. 趙役衡：《文學符號學》，北京：中國文聯出版，1990年。

40. 劉康：《對話的喧聲——巴赫汀文化理論述評》，台北：麥田出版，1995年。

41. 劉詠聰：《德·才·色·權——論中國古代女性》，台北：麥田出版，1998年。

42. 鄭毓瑜：《文本風景——自我與空間的相互定義》，台北：麥田出版，2005年。

43. 錢仲聯主編：《清詩紀事》，江蘇：古籍出版社，1989年。

44. 鮑家麟編：《中國婦女史論集》，台北：稻鄉出版社，1979年。

45. 戴燕：《文學史的權力》，北京：北京大學出版社，2002年。

46. 鍾慧玲：《清代女詩人研究》，台北，里仁書局，2000年。

47. 羅久蓉、呂妙芬主編：《近代中國的婦女與國家》，臺北：中研究近史所，2003年。

48. 羅綱：《敘事學導論》，昆明：雲南人民出版社，1994年。

49. 關永中：《神話與時間》，台北：臺灣書店，1997年。

50. 蘇珊·Ｓ·蘭瑟著，黃必康譯：《虛構的權威》，北京，北京大學出版社，2002年。

51. 顧城：《南明史》，北京：中國青年出版社，2003年。

三、期刊論文

1. 合山究著、李寅生譯：〈明清女子題壁詩考〉，《河池師專學報》第24卷第1期，2004年3月。

2. 李德瑞（Dore J Levy）作、吳伏生譯：〈蔡琰藝術原型在詩畫中的轉換〉，《中外文學》第十一期，1994年4月。

3. 衣若芬：〈「出塞」或「歸漢」——王昭君與蔡文姬圖像的重疊與交錯〉，《婦研縱橫》第73期，2005年。

4. 洪淑苓：〈交換女人——昭君故事的敘事、修辭與性別政治〉，《師大國文學報》第34期，2003年12月。

5. 孫康宜著、李奭學譯：〈明清詩媛與女子才德觀〉，《中外文學》，第21卷第11期。

6. 康正果：〈重新認識明清才女〉，《中外文學》第22卷，第6期，1993年。

7. 楊義：〈杜甫的「詩史」思維（上）〉，《杭州師範學院學報》，2000

年第一期。

8. 魏愛蓮著、劉裘蒂譯:〈十七世紀中國才女的書信世界〉,《中外文學》,第 22 卷第 6 期,1993 年 11 月。

四、國外翻譯論文

1. Hazard Adams 著、曾珍珍譯:〈經典:文學的準則/權力的準則〉,《中外文學》,1994 年。

五、學位論文

1. 王慧瑜:《明末清初江南才女身世背景之研究》,中央大學歷史所碩士論文,2005 年。

2. 安碧蓮:《明代婦女貞節觀的強化與實踐》,中國文化大學史學研究所博士論文,1995 年。

3. 宋弘弘:《張煌言詩「亂離書寫」義蘊之研究》,台北:師範大學國文所碩士論文,2006 年。

4. 施幸汝:《隨園女弟子研究——清代女詩人群體的初步探討》,淡江大學中文所碩士論文,2005 年。

5. 孫敏娟:《明代女詩人的主體性呈現》,暨南大學中文所碩士論文,2006 年。

6. 鄭潮鴻:《明代昭君詩研究》,玄奘大學中文所碩士論文,2005 年。

附　錄

附錄一　明末清初女性題壁詩

作者	詩題	詩作	死因	出處
1.劉淑英	〈題壁詩〉	銷磨鐵膽甘吞劍，抉卻雙瞳欲掛門。	殉死	清詩記事
2.廣陵女子	〈題壁〉	將軍空自擁旄旗，萬里中原胡馬嘶。 總使終生能繫頸，不教千載泣明妃。	否	清詩記事
3.江陰女子	〈題城牆詩〉	雪骴白骨滿疆場，萬死孤忠未肯降。 寄語行人休掩鼻，活人不及死人香。	投水死	清詩記事
4.衛琴孃	〈北固山楊公祠題壁詩〉	夢裡還家拜阿孃，相逢泣訴淚千行。 窗前綠樹依然在，那得看來不斷腸。 衣片鞋幫半委泥，千辛萬苦有誰知？ 幾回僻處低頭看，獨自傷心獨自啼。 目斷天台旅雁長，青山綠水杳茫茫。 不知憔悴中途死，魂夢何時返故鄉。	殉死	清詩記事
5.浙江劉氏	〈絕命詞〉 （題於壁上）	生有命，死有命。生兮妾身危，死矣妾心定。	投崖死	名媛詩緯
6.四川劉氏	〈題壁〉十首	馬革何人能裹屍，四維不振笑男兒。 幸存碩果傳幽閣，驛使無由到雅黎。 木偶同朝祇素餐，人情說到死真難。 母牽幼女齊含笑，梅骨稜稜傲雪寒。 士兵卻去又官兵，日望征人不欲生。 疋練有緣紅粉盡，堤邊一撮是佳城。 木嫁緣知冠蓋潤，夕陽古道冷蕭蕭。 節窮似聽征魂泣，柳絮因風不待招。	投井死	國朝閨秀正始集

7.宋蕙湘	〈題衛輝府郵壁〉	風動空江羯鼓催,降旗飄颭鳳城開。將軍戰死君王繫,薄命紅顏馬上來。廣陌黃塵暗鬢鴉,北風吹面落鉛華。可憐夜月笭箵引,幾度穹廬伴暮笳。春花如錦柳如煙,良夜知心畫閣眠。今日相思渾似夢,算來難問是蒼天。盈盈十五破瓜初,已作明妃別故廬。誰散千金同孟德,鑲黃旗下贖文姝。	否	明詩綜
8.趙雪華	〈沐水旗題壁〉	不畫雙蛾向碧紗,誰從馬上撥琵琶。驛亭空有歸家夢,驚破啼聲是夜笳。日日牛車道路賒,徧身塵土向天涯。不因命薄生多恨,青塚啼鵑怨漢家。	否	名媛詩緯
9.葉子眉	〈題朝歌旅壁詩〉	馬足飛塵到鬢邊,傷心羞整舊花鈿。回頭難憶宮中事,衰柳空垂起暮煙。	否	晚晴簃詩匯
10.葉齊	〈憶家詩題蘆溝店壁〉	繞繞山川色,溟溟風土煩。已知燕市近,誰解楚囚冤。無日不增痛,有懷那可言。醒來空下淚,一夢到家園。	否	清詩紀事
11.袁氏	〈題郵亭壁〉	江南金粉墜紛紛,江北名花臕幾分。鐵馬琱戈驚枕夢,舞裙歌扇付塵氛。青衫淚早新亭濕,紅板詞曾舊院聞。煙雨樓台無恙否,丁簾○○隔愁雲。尋花蠟屐過東園,大捨門楣舊姓袁。阿姝能歌桃葉渡,芳鄰軍傍苎蘿村。雲生冰簟知秋到,月上珠簾近曉昏。憔悴多郎今日恨,冷吟閒醉總銷魂。城頭昨夜望烽塵,倉卒桃源欲避秦。釵卜乍辭鴛帳冷,巢居初茸燕泥新。禪琴幽調悲齊女,鳶紙歌聲泣楚人。一晌貪歡驚夢覺,潺潺簾雨劇酸辛。曾畫旗亭壁上詩,○○○○○○絲。為憐飄泊同桃梗,誰與玲瓏唱竹枝。涕淚初乾翻欲笑,亂離何處不相思？茫茫此後窮途恨,一盞醇醪醉餅師。	否	清詩紀事
12.吳芳華	〈旅壁題詩〉	臙粉香殘可勝愁,淡黃衫子謝風流。但期死看江南月,不願生歸塞北秋。掩袂自憐鴛夢冷,登鞍誰惜楚腰柔。曹公縱有千金志,紅葉何年出御溝？	否	翠樓集
13.劉素素	〈店壁題詩〉	天明吹角數聲殘,將士傳呼上玉鞍。恰憶當時閨閣裡,曉粧猶怯露桃寒。	否	清詩紀事

14.平陽女子	〈唐城村題壁〉	血淚春山染碧紗，哭聲直入河東家。樓前記取孤身死，願作來生并蒂花。	自縊死	國朝閨秀正始集
15.王素音	〈琉璃河館題壁〉	愁中得夢失長途，女伴相攜聽鷓鴣。卻是數聲吹去角，醒來依舊酒家胡。朝來馬上淚沾巾，薄命輕如一縷塵。青塚莫生殊域恨，明妃猶是爲和親。多慧多魔欲問天，此身已判入黃泉。可憐魂魄無歸處，應向枝頭化杜鵑。	否	晚晴簃詩匯
16.淮上女子	〈新樂縣南關題壁〉	北去南來空自猜，邊愁爲屬幾時懷。妾心最慕漢天子，自將單于不敢來。造次相逢若相私，目成那復畏人知。胸中歷歷不然事，可得對床說與伊。	否	清詩紀事
17.張氏	〈題壁詩〉	野燒獵獵北風哀，細馬氈車去不回。紫玉青陵恨已矣，泉臺當有望鄉臺。那堪驛舍又黃昏，樺燭三條照淚痕。想像延津沉故劍，相期青塚一歸魂。昨夜嚴親入夢來，教兒忍死暫徘徊。曹瞞死後交情薄，誰把文姬贖得回。不到臨時死亦難，強爲歡笑淚偷彈。同行女伴新梳裏，皂帕蒙頭壓繡鞍。	否	清詩紀事
18.江西難婦	〈徐州驛題壁〉	望斷鄉關行路難，可憐春色已摧殘。兒家夫婿長安道，只恐相逢不忍看。	否	清詩紀事
19.來氏	〈題壁〉	兵馬長驅破簡州，妾夫被僇子爲囚。殷勤再拜江頭水，護我微軀莫北流。	投水死	名媛詩緯
20.山西節婦	〈清風店題壁〉	西望平陽不見家，阿嬌今夜死天涯。可憐金屋誰爲主，魂與王嬙泣幕笳。良人既已修文去，妾亦當乘鯨尾隨。分付風清天上路，時看貞魂夜騎箕。淒淒紅淚染青衫，遙拜星天別故園。不惜幻軀歸水國，肯留姓字在人間。	投水死	名媛詩緯
21.素嬌	〈題濟寧店壁〉	迢迢北上促行裝，掩袂含羞淚兩行，弱質幾曾鞍馬慣，柔枝今任雨風狂。忍死圖存誰信妾，生離慘別可憐郎。家園回首知何處，滿地相思如潑霜。	否	名媛詩緯
22.宋娟	〈題清風店〉	妾命如朔風，飄然振落葉。不入郎羅幃，乃逐塵沙陌。妾本良家兒，流落平康劫。十三工秦箏，十五好筆墨。尊前柔聲歌，淚濕江州褶。……	否	名媛詩緯

23.秦影娘	〈題定州店壁〉	暮雲深瑣雁行斜，何處天涯是妾家。 去國夢成魂乍冷，裂肌風入袖難遮。 情知泥裡沾飛絮，敢向春前怨落花。 誰是江州舊司馬，漫拋紅淚濕琵琶。	否	名媛詩緯
24.朱雲英	〈題壁〉	吳地紅顏本世家，自憐薄命滯天涯。 含羞曾唱秦樓曲，拭淚悲看紫塞笳。 不及曹碑傳古石，漫聞章柳集寒鴉。 當年閨客今何在，萬種傷心付落花。	否	名媛詩緯
25.姑蘇女子	〈題壁〉	銀缸燒盡心還熱，畫鼓金鉦月已西。	否	名媛詩緯
26.衣氏	〈題章丘龍山驛〉	香閨無鏡不梳頭，今日粧臺何處求。 刺面北風天自在，祇餘幽夢到林丘。	否	名媛詩緯
27.王菊枝	〈清風店題壁〉	青青柳色照人行，恨卻寒燈豔欲傾。 誰誦文姬出塞曲，孤窗夜雨一般聽。	否	名媛詩緯
28.弘光宮女	〈舊內題壁二首〉	南朝天子一愁無，石子網連玄武湖。 草綠離宮人不到，日長惟敕阮佃夫。 臨春閣外渺無涯，烽火連天動妾懷。 十懷長圍今夜合，君王猶自在秦淮。	否	婦人集
29.秦氏	〈金山題詩壁〉	蒲團夜坐三更月，懺悔今生未了緣	投崖	名媛詩緯

附錄二　明末清初女性絕命詩

作　者	詩　題	詩　作	殉死與否	出處
1.方氏	絕命詩	女子生身薄命多，隨夫飄蕩欲如何？ 移舟到處驚兵火，死作吳江一段波。	投水死	清詩紀事
2.張氏	七言絕句（被難詩）	深閨日日繡鸞凰，忽被干戈出畫堂。 弱質難禁羅虎口，祇餘魂夢繞家鄉。 繡鞋脫卻換●靴，女伴男裝實可嗟。 跨上玉鞍愁不穩，淚痕多似馬蹄沙。 江山更局聽蒼天，粉黛無辜實可憐。 薄命紅顏千載恨，一身何惜誤芳年。 翠翹驚跌久塵埋，車騎轔轔野塹來。 離卻故鄉身死後，花枝移向別園栽。 碎環祝髮付東流，吩咐河神仔細收。 已將薄命拚流水，身伴豺狼不自由。	投水死	名媛詩緯

3.趙氏	絕命詩	鼓鼙滿地不堪聞，天道人倫那足云？ 聽得睢陽空有舌，裙釵只合弔湘君。	投水死	國朝閨秀正始集
4.李氏	絕命詩	恨絕當時步不前，追隨夫婿越江邊。 雙雙共入桃花水，化作鴛鴦亦是仙。	自縊	清詩紀事
5.杜小英	絕命詩十首	家鄉一別不勝情，此日含羞到漢城。 忽聽將軍搜括令，教人焉敢惜餘生。 征帆又說過雙孤，掩淚聲聲卻夜烏。 葬入江魚波密去，不留青塚在單于。 骨肉親辭弟與兄，依人千里夢長驚。 歸魂欲返家園路，報到雙親已不生。 厭聽胡兒帶笑歌，幾回腸斷嶺猿多。 青鸞有意隨王母，空教人間設網羅。 遮身猶是舊羅衣，夢到瀟湘何日歸。 遠涉風濤誰作伴，深深祝遙兩靈妃。 生小伶仃畫閣時，讀書曾拜母兄師。 濤聲夜夜悲何極。猶記挑燈讀楚辭。 閑時閨閣惜如珍，何事牽裾逐水濱。 寄語雙親休眷戀，入江猶是女兒身。 生平猶是未簪笄，身沒江瀾嘆不齊。 河伯有心憐薄命，東流直繞洞庭西。 影照江干可勝悲，永辭鸞鏡歛雙眉。 朱門空許成秦晉，死去相逢總不知。 圖史當年強解親，殺身自古欲成仁。 簪纓雖愧奇男子，猶勝王朝共事臣。	投水死	國朝閨秀正始集
6.江干女子	絕命詞	與其辱而生，不如潔身死。目斷山上雲，心比江中水。	投水死	清詩紀事
7.鄭啓秀	辭世詩	當年畫閣重如珍，誰道離群向水濱。 寄語雙親休眷念，入江猶是女兒身。	投水死	國朝閨秀正始集
8.題櫬婦	題櫬板	盤闌山鶴路悠悠，荏苒旌旗動地愁。 漢將計程應到未，良人別後尚存否。	殉死	名媛詩緯
9.湘江女子	售市詩	憶昔當年別後粧，湘江一帶水茫茫。 春容銷盡渾閒事，怕向籬邊摘海棠。 情識郎非薄倖郎，其如無計覓鸞鴦。 幾番叮囑麟鴻字，韻骨柔心試刃鋩。	殉死	名媛詩緯